长河绵延

浙江历史人文读本

主　编　张伟斌

执行主编　陈　野

项义华　著

浙江出版联合集团

浙江古籍出版社

《浙江历史人文读本》编辑委员会

序　言

中共浙江省委书记
浙江省人大常委会主任　夏宝龙

浙江是中国古代文明的发祥地之一，素有“文物之邦”之称，历史悠久，文化灿烂。数千年绵延不绝的历史积淀，构筑起悠久厚重的历史文化传统，汇聚成我们今天取之不尽、用之不竭的智慧宝库。浙江人民传续至今的爱国情怀、求真理念、务实本质、开拓精神、顽强意志、勤勉品性，是中华民族优秀品质的有机因子；浙江社会曾经承受的自然灾祸、战火硝烟、内忧外患，是中国人民沧桑磨难的共同记忆；浙江大地不屈不挠的卓绝抗争、革故鼎新、砥砺奋进，是民族伟业不朽华章的璀璨篇幅。

读史可以明智，知古方能鉴今。历史是一个民族和一个国家形成、发展及其盛衰兴亡的真实记录，是前人各种知识、经验和智慧的总汇。读一点历史，汲取人类积淀的思想精华，可以帮助我们清心明智；学一点历史，掌握社会发展的基本规律，可以帮助我们明辨方向；用一点历史，回顾中华文明的灿烂辉煌，可以激发我们共筑共圆中华民族伟大复兴“中国梦”的豪情壮志。对领导干部来说，读历史、用历史显得尤为重要。前贤先烈的品德情操、多难兴邦的执著奋斗、治国理政的经验教训，值得我们认真学习、深入思索，以之为镜、资治辅政。正因如此，习近平总书记多次强调领导干部要读点历史。他指出："领导干部不管处在哪个层次和岗位，都应该读点历史，通过学习历史不断深化对人类社会发展规律、社会主义建设规律和共产党执政规律的认识，不断丰富自己的历史知识，这样才能使自己的眼界和胸襟大为开阔，认识能力和精神境界大为提高，使自己的领导工作水平不断得以提升。"

历史文化只有走近今天、走向大众，才能更好地传承和弘扬。浙江省社会科学院作为我省从事哲学社会科学研究的综合机构，组织编写"浙江历史人文读本"丛书，是推动浙江历史大众化、普及化的探索和创新，是建设文化强省的实际举措。该丛书八个分册，系统梳理、精心选取了浙江历史上有重大意义、重要成就、突出影响、鲜明特色的精华材质，内容翔实丰富，具生动性又不失真实性，具通俗性又不失学术性，是活化浙江历史的精品力作，是了解浙江人文的"百科全书"。希望大家抽出时间来看一看这套丛书，爱历史、学历史、知历史、用历史，在共筑共圆"中国梦"的征程中，留下我们无愧于先人、造福于后世的浓墨重彩。

2013 年 4 月 2 日于杭州

导言：构建公众视野中的历史世界

历史是曾经鲜活的生命、已然过往的生活、陶炼积淀的业绩，是纷繁的思绪、驳杂的心境、丰富的情感。它们随时间的流逝，翻落进文明的深处，累生而成一个我们谓之为“传统”的世界。在那里，思想的绿树常青，智慧如繁花盛开，气象万千，人文璀璨，厚重而灿烂。

然而，对于这样一个已成往昔的世界，如果我们不回首，便不得见。因为它在我们匆匆前行的身影后面，绚烂之极，归于平淡；它在远离我们当下人生的时间彼岸，兀自静默，莫能与语。

回望历史，是一种人性的光辉，因为它是对先人的礼敬；是一种博大的胸怀，因为它是对文化的包容；是一种理性的力量，因为它是对规律的揭示；是一种勇敢的担当，因为我们探究来路的目的，是为了更加坚定地走向未来。

因此，我们愿意站在今天的浙江，做一个历史的眺望者，穿梭万年的时空，打量这块土地上连绵不绝、波澜壮阔的前尘往事；做一个历史的梳理者，秉持理性的烛火，将沉落于往昔世界的影像重投于时间的光影之墙；做一个历史的思考者，博学审问、慎思明辨，探寻其与当下社会的关联；更重要的是，做一个历史的传播者，让历史走出尘封的书海和学者的案头，走向社会大众，让来自历史的智慧，充实心灵的世界，照亮今天的生活。

一、浙江大地承载着深厚的历史传统和光辉的文化精神

2006 年，时任中共浙江省委书记习近平在为《浙江文化研究工程成果文库》所作总序中指出："千百年来，浙江人民积淀和传承了一个底蕴深厚的文化传统。这种文化传统的独特性，正在于它令人惊叹的富于创造力的智慧和力量。"浙江历史的变迁和文化传统的形成，并非同一文化要素的简单累加和重复，而是在其精进图强的历史步伐中，通过开拓创新的创造活动得以实现，并因此自然地生发出十分鲜明的勇于开新造大、敢为天下先的文化价值取向，且已成为浙江文化传统中最具地域特色的精义。如果我们深入地去探究，可以看到如下种种鲜明的文化特征。

1. 在浙江的文化精神中，充溢着捍卫主权、反抗侵略的爱国主题

"夫越乃报仇雪耻之乡。"在浙江历史上，爱国主义是浙江文化的生命线，捍卫主权、反抗侵略、抵御外侮是浙江人民的优秀传统。在爱国主义价值观的哺育下，爱国英雄们在国族危难、大厦将倾之时，有的挺身而出，最终以身殉国；有的在重重困难之中，不放弃信念和理想，知其不可而为之。陆游"位卑未敢忘忧国"；于谦为了力挽狂澜于既倒，不惜牺牲一己的仕途乃至生命；抗倭名将戚继光在浙江招募和训练"戚家军"，在台州九战九捷，平定倭患。近代浙江人民在反封建反侵略斗争中前赴后继，可歌可泣。鸦片战争中壮烈

殉国的“定海三总兵”彪炳千秋;“鉴湖女侠”秋瑾“夜夜龙泉壁上鸣”的诗句,激励了无数中华儿女以天下兴亡为己任;嘉兴南湖上的红船,刘英、张秋人、俞秀松、宣中华等革命烈士的舍生取义,更彰显了在中国共产党领导中国人民开展的谋取民族独立、国家解放、人民幸福的革命斗争中浙江儿女的光辉业绩。这些浙江先贤刚健有为、坚贞不屈的崇高气节,谱写了中华民族爱国主义正气歌中的华彩乐章。

2. 在浙江的文化精神中,蕴含着求真务实、经世致用的本质内核

求真务实是浙江文化的本质内核,它贯穿于浙江历史发展的每一个时期,深刻影响着当代浙江人的行为模式和思维方式。求真务实蕴涵着科学求真。越王剑、通济堰、捍海塘、秘色瓷、印刷术、钱江桥,都是浙江科技史上的光辉成就;毕昇、杨辉、李之藻、李善兰、茅以升,都是浙江科技史上的著名人物。其中,最为人所称道的,当推北宋沈括及其《梦溪笔谈》。英国学者李约瑟将沈括称为“中国整部科学史中最卓越的人物”,《梦溪笔谈》则是中国科学史的里程碑。求真务实蕴涵着思想求真。东汉王充对当时散布虚妄迷信的谶纬之学、虚论惑众的经学之风的严厉批判和抨击,明代王阳明对理性自由和人性解放的要求,晚清章太炎“学所以经世,固非空言著述”的主张,无一不是浙江文化精神中“追求真理”“实事求是”本质内核的体现。

经世意识在浙江文化中有突出的表现。例如以陈亮为代表的永康学派,反对朱陆空谈义理和心性,提出修实政、行实德、建实功、改革社会、变弱致强的主张;近代佛学大师太虚、印顺回溯佛法本源,积极推进佛教革新。

这种独特的一脉相承的经世致用思想，体现了传统知识分子以思想、学术、知识认识改造世界的不懈努力和价值关怀，是浙江对中国文化的独特贡献。

3. 在浙江的文化精神中，聚合着义利双行、达观通变的商业伦理

义利文化观是浙江历史文化精神的一大特色。宋代以叶适为代表的永嘉事功学派倡导“义利双行”，用道德伦理引导对现实功利的追求，用现实功利检验主体对价值观、道德信仰理解的有效性。“义”与“利”由此成为辩证统一的有机体。在这种“义”“利”文化观的熏陶下，浙江人及其商业活动，用经营生产造福社会；同时又以“道义”规范经营生产行为，保持了悠久的“讲信修睦”的传统，哺育出许多誉满海内的老字号、老品牌。

“义利双行”的商业伦理观念，给浙江人带来了达观通变的经济发展理念和市场行为。宋元以后盛行浙地的长途贩运，使浙江成为当时全国客商趋之若鹜的货物集散地，增进了区域之间的经济交流，扩大了商品流通，促进了商人货币资本的大规模积累。明代中叶以后，雇用大量工人的手工作坊与手工工厂在浙江普遍出现，促进了市镇自由劳动力市场的形成。它们虽不足以定论为资本主义的萌芽，但无疑是对传统生产关系的变革，是对我国长期处于封闭状态的传统自然经济具有历史意义的重大突破。

4. 在浙江的文化精神中，闪烁着批判自觉、创新开拓的理性智慧

浙江是历史上盛产具有创新精神的思想大师之地。我们可以毫不夸张地说，浙江文化的思想创新，多次起到了“导夫先路”的先锋作用。陈亮、叶

适的事功之学，王阳明的心学，黄宗羲的政治学说，章学诚的“六经皆史”之论，龚自珍的变革启蒙思想等等，都是浙江文化富于创新性的表现。被誉为“清初三大思想家”之一的黄宗羲，猛烈批判和否定整个封建君主专制制度，破天荒地喊出了“为天下之大害者，君而已矣”的口号，提出了用“天下之法”代替君主“一家之法”的法律平等思想、“人各得自私自利”“贵不在朝廷，贱不在草莽”的人权平等原则以及近似近代议会民主的政治理想。在明清之际的中国，可谓空谷足音。其大无畏的批判精神和创造性的思想贡献，成为清末维新志士的思想法宝，也是现代革命者用以反对、批判封建专制制度的精神武器，启迪和影响了浙江的近代化进程。

作为新文学运动的奠基人和五四新文化运动的主将，鲁迅敢于直面惨淡的人生，对吃人的封建礼教和制度作猛烈地揭露和批判，进行不屈不挠的斗争；勇于以社会批评和文明批评为己任，以一生精力和独立人格进行充满韧性的奋斗和努力，为浙江文化传统增添不屈的风骨、独立的人格、批判的精神和自辟新路的理念与勇气。他不仅为中国文化开拓了新路，也为家乡人民留下了一份创新进取的宝贵思想财富。

5. 在浙江的文化精神中，融铸着兼容并蓄、自强自立的个性品格

凭借濒临大海的地理优势，浙江文化在持续的中外文化交流中逐渐成熟，培养出兼容并蓄的海洋个性。我国古代早期对外交流以贸易为主，浙江生产的茶叶、丝绸、青瓷等物品成为文化向外输出的物质载体，进而带动人与文化的交流，既引导了外部世界对中国文化的认知，也是浙江文化自我更新、自我丰富的重要途径。马可·波罗、利马窦、卫匡国、马戛尔尼等西人纷纷来到浙江，天台山佛教文化、径山茶文化、温州华侨、留日学生群体等等，都是浙江文化走出去的典型。

兼容并蓄并不意味着主体性的缺失，自强自立同样是浙江的品格。自然资源稀缺的压力，让浙江人具有强烈的危机意识，肯定个体的独立、欲望与利益，崇拜竞争拼搏、不等不靠、自我奋斗的精神。发轫于南宋、鼎盛于清乾隆年间的“龙游商帮”，凭借不畏艰难、自强自立的精神，“多向天涯海角，远行商贾”，人称“无远弗届，遍地龙游”，为浙西南的经济崛起作出了巨大贡献。这种“虽千万人吾往矣”的“拼劲”、一往无前的“冲劲”、无孔不入的“钻劲”,与中国传统文化的个体“义务”本位、儒家文化的“温良恭俭让”、老庄哲学的“夫唯不争，是以不去”等等主流思想，有着极大的区别，是对中国文化传统的一种很好的补充与丰富。

6. 在浙江的文化精神中，体现着澄怀观道、现实关切的审美情操

浙江是一块洋溢着文学才情、艺术灵性的土地，王羲之、骆宾王、赵孟頫、黄公望、徐渭、吴昌硕、郁达夫等等，都是在中国文学艺术史上具有熠熠光彩的著名人物。他们在诗词、书法、绘画、小说、戏剧、建筑、工艺、文艺理论等各个领域，都撰有开一代新风的里程碑式作品，百代标程，至今传颂。

中国文艺传统讲究“文以载道”。综合起来看，这个“道”，既有儒家美学讲求的仁、爱、礼、义，“善美一体”的伦理德性之道，也有道家追求虚静简远的任顺自然之道、玄学任性率真的个性放逸之道，还有现实生活层面对时代潮流、社会变革、世道人心、国计民生的人文关切之道。浙江的文学艺术很好地体现了中国文艺独特之“道”的各个方面。王羲之等魏晋士人洒脱旷达的艺术境界，黄公望等文人画家的山水情怀，龚自珍《己亥杂诗》对制度的批判、国运的担忧、思想的启蒙，抗战文艺的蓬勃兴旺，兰溪诸葛八卦村、浦江郑氏义门、俞源太极星象村等古村落的建筑形制，都向我们展示了浙江文化艺术的深厚内涵。她既在哲学思辨的境界里升华，澄怀观道，为中国文艺传统提炼和奉献了众多具有中国特色的美学概念、范式、结构形式、表现手法，又在现实生活的沃土中扎根，观照现实，直面人生。

7. 在浙江的文化精神中，孕育着天人合一、人我共生的人文情怀

浙江文化既能够“登山则情满于山，观海则意溢于海”，与和风细雨的大自然和谐相处；同时也极善回应来自大自然的挑战，在变动的自然环境中成长。浙江漫长的海岸线及其潮汐侵蚀之下的变化、破坏性热带风暴的侵袭，都是大自然发出的挑战。对此，浙江人同样以“天人合一,万物一体”的整体关怀，通过各种努力与方式，追求人与自然的和谐。

为了降伏不羁的大自然，浙江人民修建了庞大、复杂的水利系统，孕育了发达的水利文化。如果说大禹疏导治水是追求与自然和谐意识的萌动与最初实践，西湖的开发则是浙江人民在发展中改造自然、在改造中保护自然的典范。西湖经钱镠、李泌、苏轼、白居易、杨孟瑛、阮元等人的疏浚治理，呈现出旖旎秀丽的韵致，以其精致和谐的人文风情，构筑成人间天堂的特色。

河姆渡原始艺术中精美神秘的“鸟日同体”纹饰，良渚文化中繁缛威严的神人兽面纹，都体现了浙江人热爱自然、赞美自然和融入自然的美好情愫。

8. 在浙江的文化精神中，彰显着知行合一、事上磨炼的哲学思维

思想学术丰富深刻的浙江，必然具有自己独特的哲学思维。这就是王阳明的哲学观点。“知行合一”强调知即是行、行即是知。人不仅要对自己的行动负责，而且要为自己的思维活动负责。正确认知的最终确立，须得以付诸实践检验为终点。“致良知”认为个体的“知”只有通过与社会事物的复杂关系的展开，体验情绪的冲击、思维的跳跃，通过实践检验其“致良知”的进展与效果，也即“事上磨炼”，才是真“良知”。由此，方能从道德范畴的“修身”出发，逐步实现“齐家、治国、平天下”的社会理想。

“知行合一”是浙江文化在哲学层面上的思考，因此也是最高、最抽象、最具有概括力的思考。浙江文化的其他内涵，都与“知行合一”这个核心命题存在着密切的逻辑联系。

二、浙江人民具有鲜明的历史意识和高度的文化自觉

中国疆域辽阔，在长久的历史岁月和特定的地域范围里，形成了众多具有地域特色的文化小传统，以别具一格的文化样态、特征和成就，为包罗万象、气度恢弘的中华文明奉献着日新月异的源头活水。因此，从区域历史文化入手，梳理文化现象、提炼文化精神、反思文化弊端、传承文化基因，可以清晰地把握到中华民族精神历史运动的脉搏。浙江文化具有丰富的表达形

式、鲜明的思维层次、完整的逻辑结构，是具体而微的中国文化。我们梳理浙江的历史传统和文化精神，正是深入了解中国文化、研究中国文化、发展中国文化、创新中国文化的有效途径。

从 1999 年至今，在全省范围组织开展的关于浙江历史文化和精神的梳理提炼，一直贯穿于浙江人民的文化生活中。

1999 年，经过 20 余年的改革开放，浙江社会经济迅猛发展，总量和人均产值均列全国第四位。浙江并未满足于取得的发展成就，而是积极探索取得这种成就的深层原因，总结出“走遍千山万水，吃尽千辛万苦，说尽千言万语，想尽千方百计”的创业精神。2000 年，时任中共浙江省委书记张德江提出“研究浙江现象，总结浙江经验，提炼浙江精神”的要求。省委认真总结经验，认为浙江快速发展的原因，就在于其悠久的历史和灿烂的文化及其与当今时代发展的有机结合，提炼出了“自强不息、坚韧不拔、勇于创新、讲求实效”的浙江精神。这是 20 世纪八九十年代浙江人民精神面貌的生动体现、浙江经济发展的真实写照和浙江经验的高度概括。

2005 年，省委高度重视总结提炼新时期的浙江精神。根据时任省委书记习近平关于“深入研究浙江现象、充实完善浙江经验、丰富发展浙江精神”的指示精神，经过“与时俱进的浙江精神”的调查研究，正式公布了新时期浙江精神内涵的具体表述——“求真务实、诚信和谐、开放图强”。习近平同志发表了署名文章《与时俱进的浙江精神》，高度评价了改革开放以来浙江创造的宝贵精神财富，肯定了“自强不息、坚韧不拔、勇于创新、讲求实效”

的浙江精神，同时着眼未来，立足发展，对“与时俱进的浙江精神”做了深刻阐述。“求真务实、诚信和谐、开放图强”的浙江精神，既是对历史的总结与传承，更是对现实发展的鞭策、对未来发展的引领，也是对浙江人民的智慧、活力和创造精神的鼓励和激发。

2011 年 10 月，时任省委书记赵洪祝指出，浙江经济社会持续健康发展背后的“文化密码”“文化基因”，就是“与时俱进的浙江精神”，因此要大力弘扬和提升以“创业创新”为核心的“浙江精神”，为全面建设小康社会提供重要支撑。2012 年 2 月，浙江省开展“我们的价值观”大讨论，提炼出“务实”“守信”“崇学”“向善”四个核心词，确定为当代浙江人共同价值观的表述语，写进了浙江省第十三次党代会报告。这既是对“与时俱进的浙江精神”的继承和坚守，也在新形势和新挑战下赋予其全新含义，更是为构建面向未来的共同价值观所作的前瞻性布局。

习近平同志指出：“具有历史文化素养，最重要的是要具有历史意识和文化自觉，即想问题、作决策要有历史眼光，能够从以往的历史中汲取经验和智慧，自觉按照历史规律和历史发展的辩证法办事。”（习近平同志在中央党校 2011 年秋季学期开学典礼上的讲话：《领导干部要读点历史》，2011 年 9 月 1 日新华网）自 1999 年以来，浙江对历史传统的分析反思、对浙江精神的探寻深化，既是浙江人民历史实践和理论智慧的结晶，更体现了浙江人民高度的历史意识和文化自觉。

三、浙江学者勇于承担传播优秀历史文化传统的崇高职责

习近平同志《领导干部要读点历史》的讲话，既是对领导干部的要求，也向我们人文社会科学工作者，特别是历史学研究者提出了期望，指明了历史学服务社会、与现实生活相结合的方向。这就是：承担起传播优秀历史文化传统的崇高职责，构建一个公众视野中的历史世界。《浙江历史人文读本》（以下简称《读本》）就是我们按照《领导干部要读点历史》的要求，经过一年精心筹划、反复研讨、认真撰写而得的研究成果。通过编写《读本》，我们对优秀历史文化传统的当代大众传播，有了一些实践体会和理性思考。

1. 构建公众视野中的历史世界，需要认识面向大众传播历史文化的重要意义

清代浙江籍著名学者龚自珍曾经说过："欲知大道，必先为史。灭人之国，必先去其史；隳人之枋，败人之纲纪，必先去其史；绝人之材，湮塞人之教，必先去其史；夷人之祖宗，必先去其史。"（《古史钩沉论》）简明深刻地点明了历史具有终极意义的价值。

专家学者为普通读者撰写通俗读本，在西方学术界是一个传统。比如英国哲学家、社会学理论家杰瑞米·史坦葛仑博士主持的"小书大思想"丛书，包括《话说哲学》《哲学家的想法》和《伟大的思想家 A-Z》等系统普及读物；英国 DK 图书公司出版的"目击者文化指南"丛书，由牛津大学、伦敦大学等学校的专家执笔，对哲学、艺术、音乐等进行了大众化传播；英国皇家哲

学研究所开办有面向大众的期刊《思考》，等等。

近年来，逐渐兴起于美国的公共历史学，更是对史学大众化的学理探究和提升。在中国，历史知识的公共传播，一直得到提倡和实践。著名学者钱穆有“不知一国之史则不配作一国之国民”之论，当代学者黄仁宇则欲以历史书写树国民之历史性格。就浙江而言，“社科普及周”“人文大讲堂”，都是影响面大、成效显著的行动。但总体来说，史学大众化尚未成为学者内在的自觉行为，尚未形成蓬勃的气象和畅达的工作格局。求专、求精、求高深的学术观念和学术评价体制，一定程度上制约了人文社会科学的大众化。

人文社会科学研究的根本目的在于推动社会进步。因此，参与社会实践，是发展人文社会科学研究的源头活水；关注现实问题，是深化人文社会科学研究的重要途径。作为从事历史研究的学者，我们都有一种虔敬的“古典情怀”，大多究心于历史文化方面的研究，较少关注当代发展。在《读本》编写过程中，我们通过对领导干部、社会大众、网络媒体和社会生活的访问座谈、沟通交流、查阅学习、观察思考，深切地感受到了浙江大地上生气勃勃、创意无限的现实创造，她是社会不断向前发展的根本动力、文化传统生生不息的源头活水、人类美好生活愿望的实现途径；深切地感受到了社会、大众十分迫切的对精神文化生活的需求、对丰富精神世界的渴望，由此深感面向时代、关注社会、推动进步，同样是我们的职责所在。我们不但要做传统的学问，同样也要心怀敬意地为浙江的当代文化发展做一些实事，以此向生我养我的浙江大地和浙江人民，致以我们深深的敬意，落实我们无比的热爱，奉献我们绵薄的心力。

浙江优秀的历史文化传统丰厚精深、魅力无穷，她是我们深以为傲的文化资本，是我们取之不竭的文化宝库，是我们当代建设的文化资源，是我们屹立于世的文化底蕴。面向大众，从底蕴深厚、资源丰富、优势明显的浙江优秀历史文化传统里搜珍集宝、拾贝掇英，汇聚奉献，正是我们作为人文社会科学工作者必须担当的社会责任。

2. 构建公众视野中的历史世界，需要做好古今文字的通达转换

随着历史的物移景迁，文化的变动发展，特别是五四新文化运动倡导白话文以来，作为中国历史文化传统重要载体的语言表达体系，发生了全新的变化，这成为我们今天继承、弘扬优秀文化传统最为直接的一大障碍。因此，在严谨、规范、准确的学术研究基础上，以清丽简明、深入浅出、短小精悍、雅俗共赏的文字，梳理浙江历史传统、把握浙江历史发展脉络、揭示浙江历史发展规律、汇聚浙江历史知识和智慧，是让历史走向大众的首要工作。

本书中，我们对浙江历史上有鲜明特色、重大意义、突出影响、重要成就的人、事、物进行选择和研究，用清新通达的现代汉语进行重新写作的方式，对或佶屈聱牙，或深奥艰涩，或典丽文雅的历史文献做了现代文字的转换和传达。由此，我国第一部关于海港和海上交通的著作《临海水土异物志》中的久远记述，天台山高僧大德们深奥的佛教思想，充满哲学思辨的南宋朱熹与陈亮的“王霸义利”之辩，影响深远而文字玄奥的王阳明“心学”，等等，得到了浅显明达的表述，让文字不再成为阅读理解的障碍。书中更不乏练达、

清丽、蕴藉、深情、知性、洒脱、典雅等等多样化的优美文风，让人读来而起兴会之思、有共鸣之感。

3. 构建公众视野中的历史世界，需要做好陶炼融会的释读阐发

南朝齐梁时的绘画理论家谢赫曾说："师心独见，鄙于综采。"（《古画品录》）意思是说，独具匠心、不拘成法的才是好作品，综合杂凑他人之作的，应受到鄙视。此言甚是！作为反映浙江人文历史的书，切不可成为历史资料的简单汇编、他人研究成果的综合罗列。在写作中，我们根据自己的认识、理解、分析和研究，对重大事件、重要人物及其主要成就做了系统梳理，在择优选取、汇聚、表现历史精华材质的基础上，对古代知识、传统理念、经验教训、智慧感悟、哲学思想等等，做了陶炼思考、融会贯通的释读阐发。比如浙江历史从远古走到今天的文化源流与精神演变，浙江农民是全国最辛苦的农民之一的自然原因，人口要素对科技进步产生深刻影响的历史背景，作为中国传统艺术主流的文人画和水墨山水与浙江的深切关联，"越为诗巢"与中国文学的发生渊源，浙江佳山秀水中"人，诗意地栖居在大地上"的终极理想，四明山抗日根据地的越剧演出对后来越剧改革带来的重大影响，等等，都是我们在浩如烟海的文献资料中披沙拣金、把握精神实质的历史释读。

4. 构建公众视野中的历史世界，需要做好独具新见的研究升华

在社会大众尤其是领导干部的学历教育水平、文化知识修养、阅读鉴赏能力、精神文化需求都日趋提高的今天，陈旧的史料汇编、学术观点、故事

叙述、心得体会、情感表达，都不足以引起社会大众的阅读兴趣，不足以达到弘扬优秀传统文化的目的，更不是我们作为历史文化专业研究者的工作职责和目标。充分依托我们已有的研究基础、心得和成果，用新的视野打量历史、深化探究，做出新的独立研究，是我们所有作者遵行的原则和方法，也是《读本》截然不同于其他普及读本之处。比如，我们从人类学的角度解读了千古孝女曹娥身后的越地巫术文化氛围，指出了浙江“丝绸之府”历史美誉的技术成因，揭示了王羲之作为中国“书圣”而超越孟子所谓“君子之泽，五世而斩”这一历史现象足以泽被千秋的文化力量。其间，有对现象的观照，有对原因的分析，有对规律的揭示，有对理论的提炼，有以小见大的深刻领悟，有纵历千年的本质把握，可谓自出机杼，异彩纷呈，尽心竭虑地奉献给各位读者。

5. 构建公众视野中的历史世界，需要做好融会时需的现实关联

如果没有与当下社会和生活恰切而紧密的关联，那么历史只是历史，永远走不出“传统”的范围，只能在时间长河的彼岸，寂寞起舞，乘风而去，与我们渐行渐远。即使形可见，无奈神相离。为此，历史需要走进今天的社会和生活，与今人同声共气，心神交会。只有这样，历史才是有生命的、有意义的、有价值的。

在书中，我们着力发掘笔下历史与眼前现实的关联点，并力图加以自然、准确的表达。比如，“天下第一清廉”陆陇其“清操饮冰，爱民如子”的政治情操，革命者张秋人明知“我的头要砍在杭州了”而临危受命、慷慨赴难

的大义凛然，众多施茶会、水龙会、育婴堂、舍材会、路会、义学等民间乡风美德中生发出的无处不在的善行义举，等等，都是我们民族崇高精神、高尚品格、优秀品质、道德情操的生动体现，是我们今天建设社会主义核心价值体系、实现精神富有的思想养料。另如，从东吴政权“亲贤贵士，纳奇录异”中，可以吸取以人才立国的经验；从湖州商帮衰亡中，可以获得今天正确引导民间资本投资领域的启示；从宁波本帮裁缝到红帮裁缝的转变中，可以发掘产业转型升级的经验；龙游商帮“无远弗届，遍地龙游”的精神，为今天浙西南尤其是封闭山区对外开放、转型发展提供了参照；吴昌硕成为艺术领袖的历练之路，为今天文化人才培养提供了借鉴；等等。所有这些都是足可为今天的社会建设、经济建设、文化建设参考借鉴的历史经验。

6. 构建公众视野中的历史世界，我们殷切希望实现的美好愿望和价值旨归

我们殷切地希望，通过一年多来紧张忙碌、全力投入所做的这些与文化强省建设现实需求相结合的系统梳理、存精择优、现实转化、深入浅出等学术研究和大众传播工作，能构建起一座浙江历史文化资源的宝库，从以下这些方面，发挥《读本》的作用，实现让历史走向大众的美好愿望和价值旨归。

一是向社会大众和广大领导干部展示优秀的浙江地域文化传统、光辉的浙江地域文化精神和灿烂的文化创造成就，激发作为浙江人的自豪感，增加责任感。

二是为我省的文化强省建设激活历史信息，提供人文样本，构筑文化底色，丰富文化内涵，为各地开展当代文化建设提供历史资源、内容素材、创意源泉、创作灵感、思想启迪、多彩智慧，实现历史传统从文化资源向当代文化建设资本的成功转换。

三是用浓缩的历史人文精华丰富社会大众的文化知识、充实社会大众的精神世界，提升领导干部和文化从业人员的人文修养，培育开展现实文化建设所需之职业素质。

四是以权威、准确的内容和精致、典雅的形式，供相关部门作对外文化交流。

五是作为供查阅相关史料、事件、人物、数据的案头书，起到浙江历史文化词典的作用。

六是在分册书名、专题名、篇章名以及文内相关篇幅中，精选或化用浙江历代名人格言箴语、诗文名句，以供读者题辞、创作书画作品时参考借鉴。

张伟斌　陈　野

2013 年 3 月

目　录

秦汉转型

六朝风华

造极赵宋

附录：浙江历史文化资源选编（白效咏整理）

后记

引 言

“逝者如斯夫，不舍昼夜。”（《论语·子罕》）公元前 484 年，儒家创始人孔子（前 551—前 479）与一众弟子结束了周游列国的 14 年旅程，从黄河北岸的卫国返回泰山以南的鲁国。渡河之际，看着日夜不息滚滚东去的流水，想到流逝的岁月，这位 68 岁的老人不由得发出了这样的感慨。

南宋 马远 《孔子像》

据《论语·子罕》记载，孔子在返乡途中，经常哀叹“天之将丧斯文也”“凤鸟不至，河不出图，吾已矣夫”，可见他的逝者如斯之感，并不只是空泛地感叹时光的流逝，而是寄寓了一种时不我与、道不可行的感伤情怀。由于这种感受在士人群体中具有相当大的普遍性，而以比兴的方式表达自己的感受，又是中国古代的一个源远流长的抒情传统，因此在古代文学作品中，我们可以看到许多感时伤逝或感时忧世的名篇。其中有些作品虽不以河流为喻，但仍离不

开水这个喻体。如曹操（155—220）在赤壁之战时所作的《短歌行》有句云“对酒当歌，人生几何。譬如朝露，去日苦多”，将人生比作朝露。另有一些作品则延续了逝者如斯这个主题，并对其作了新的发挥，如宋代诗人苏轼（1037—1101）在贬谪黄州期间所作的两篇与赤壁有关的词赋即属此类。

在《念奴娇·赤壁怀古》这首词作中，苏轼以“大江东去，浪淘尽，千古风流人物”起首，表达了对于英雄功业和历史进程的感伤情怀。“大江东去”云云，即承“逝者如斯”而来。不过春秋时期的孔子感慨的是人生中岁月的流逝，一千多年后的苏轼感慨的是已有千古的历史。尤其令他感慨的，是公元208年的三国赤壁之战。对于这场大战中涌现出来的英雄豪杰，尤其是克敌制胜的东吴主帅周瑜，苏轼表现得不胜艳羡——“遥想公瑾当年，小乔初嫁了，雄姿英发。羽扇纶巾，谈笑间，樯橹灰飞烟灭”。但是，联想到自己受贬谪的遭遇、早生华发的情态，诗人不能不感到人生的虚幻。在苏轼看来，与人的生

北宋　苏轼　《前赤壁赋》（局部）

命相比，自然是一种更高的存在。因此，他在这首词中以“人生如梦，一樽还酹江月”作结，其意并不是要借酒浇愁，而是要把生命交托给至高的自然，从自然美景中寻求心灵的慰藉。而在其后所作的《前赤壁赋》中，苏轼又借水与月为喻，从变与不变的角度对宇宙人生作了一个相当达观的解释：“客亦知夫水与月乎？逝者如斯，而未尝往也；盈虚者如彼，而卒莫消长也。盖将自其变者而观之，则天地曾不能以一瞬；自其不变者而观之，则物与我皆无尽也。而又何羡乎？且夫天地之间，物各有主。苟非吾之所有，虽一毫而莫取。惟江上之清风，与山间之明月，耳得之而为声，目遇之而成色。取之无禁，用之不竭。是造物者之无尽藏也，而吾与子之所共食。”大意是说，水虽长流而河仍常在，人所看到的月亮虽有圆缺，但月亮本身始终是完整的。从变的角度来看，天地万物都在迅速流变；从不变的角度来看，物与我都是无尽的。而且，物各有主，并非尽为一人所有。所以，人们不应徒然地为物欲和我执困扰，而应随遇而安，以审美的态度享受自然的馈赠。

以现在的眼光来看，苏轼在《前赤壁赋》中传达的理念可以说是一种顺应自然的审美主义人生哲学，与以物欲为主导的占有型的人生观及另一个极端的虚无主义人生观相比，高下立见。但从水与月这两个例子来看，他从不变的角度对宇宙人生所作的解释却是难以成立的。因为河流作为陆地表面成线型的自动流动的水体，其特性正在于水体的流动。月亮作为地球的一颗卫星，也是宇宙自然演化的产物。无论在形相上，还是在本体上，水与月都处在变化之中，并不是只有形相上的变化而没有本体上的改变。人们平常之所以会认为无论水怎么流河都在那里（即“未尝往也”），那是因为在正常的生态循环过程中，河道能不断得到水源的补充。但一旦水源干涸，河水流尽，河流自然也就不复存在。至于月亮，虽然作为天体大约已经有46亿年的历史，但是这并不意味着它以后一直都会永远存在。如果数十亿年后，银河系与仙女座星云相遇，发生潮汐扭曲，导致太阳系出现漂移，地球和月球的命运

盈虚者如彼

就很不可测了，更不必说两个星系在相遇之后，还存在着互相碰撞和在重力作用下完全合而为一的可能。由此可见，在宇宙演变的进程中，地球上的生命运动乃至于整个太阳系的存在都只是一个短暂的阶段，永恒的日月星辰其实也只是人的一种错觉而已。因此，人们只能在有限的时光中分享自然的馈赠，而不能到身外的自然中寻找永恒的生命。

如果说孔子和苏轼将时光比作流水，主要是为了抒发个体的人生感受，那么西方一些思想家则更注重对自然法则的理性探讨。如与孔子同时代的希腊哲学家赫拉克利特（前530—前470）就曾以水流为喻，阐述了一个万物皆流的宇宙观。赫拉克利特认为“宇宙既不是任何神，也不是任何人所创造的，它过去是、现在是、将来也是一团永恒的活生生的火，按照一定的分寸燃烧，按照一定的分寸熄灭”。一切事物都处于流变之中，就连人自身也不例外。因此，“人不能两次踏进同一条河流，也不能按固定状态两次接触变灭的实体……它散开又聚拢，汇合又流走，接近又分开”。但事物的流变并不是混沌无序的，而是按照一定的规则生成转化。在这过程中，分散与聚合、生与死、善与恶、向上的路和向下的路都是同一的。从这种对立统一的思想出发，赫拉克利特还对冲突与和谐的关系作了辩证的解释。他认为“相反的力量造成和谐，就像弓和琴一样”；“互相排斥的东西结合在一起，不同的音调造成和谐：一切都是从斗争产生的”；“内在的和谐比表面的一致更为强大”（引自苗力田主编《古希腊哲学》）。这也提示我们，不但要从流变的角度把握世界，也要以多元互补、对立统一的眼光看待自然界和人类社会的发展演化。

与日夜奔腾的河流一样，人类社会的发展演化也是一个不可复返的过程，因此人们常将历史比作一条长河。本书取名“长河绵延”，也是出于这个用意。但是，就像地球上散布各处的众多河流一样，人类文明也是按地域分布的，各个地域的文明各有各的源流，不同地域的文明形态与该地域特定的自然环境和历史传统都有相当密切的联系，并在各个历史阶段呈现出不同的特点。在这个意义上，与其说人类文明是一条奔涌的大河，不如说它是千流百川的汇集。因此，在对一个地域的文明进行考察的时候，我们既要把握它与整个历史进程的普遍联系，也要充分考虑其在特定时空背景下的具体特点，正视历史发展过程的波澜起伏和回环曲折，深入到具体的历史情境之中，从人与人、人与自然的互动中把握历史发展的趋势，综合考察自然和社会领域的各种相关因素对历史发展的影响，揭示该地域文明对整个人类文明的独特意义。

浙江区域文化作为中国文化的一部分，是中国文明历史长河中的一个重要的支流。浙江文化的发展，不但丰富了中国文化的构成，也是人类精神文化的深度、广度在浙地、浙人身上的体现。考察浙江区域文化的源流演变，展示浙江文化发生、发展、演化的历史进程，深入揭橥浙江精神的历史演变和不断丰富的内在特质，不但有助于我们更加全面深入地了解浙江文化本身，也能丰富我们对中国文化和人类文化精神的认识，在更加自觉的基础上进行新的文化创造，为人类文化长河注入新的泉流，为浙江文化和中国文化的发展开拓出更加广阔深远的前景。这正是本书撰述的用意之所在，也是我们致力于浙江历史文化研究的根本目的。虽然我们取得的成果相当有限，放在浙江历史文化长河中，不过只是一道细流，甚至只是几滴水珠而已。我们的人生也不过是一段有限的过程，并没有什么永恒的意义，到了生命垂暮之年，面对着浩荡的河流，我们仍不免会和前人一样发出浮生若梦的感慨。但逝者如斯亦在斯，生命的意义就在其过程之中。纵使我们的生命犹如朝露随着太阳的升起而随即消散，我们也是大化循环的一部分，也能从朝露化为雾气的过程中分有太阳的光辉，感受到自然永不止息的律动。

本土之源

我们从哪里来？
我们是谁？
我们往哪里去？
只要人类存在一天，
这三个问题
就会一直伴随着人们。

相传公元前 7 世纪时，古希腊德尔斐圣地阿波罗神庙入口刻着三句箴言，其中最醒目的一句就是“νώθι σεαυτόν”（认识你自己）。

1897 年，贫病交加的法国印象派画家保罗·高更在南太平洋中部的塔西提岛上，用整整一个月的时间，创作了一帧平生最大幅（高 1.5 米，宽 3.6 米）的油画，题为：D'où venons-nous ? Que sommes-nous ? Où allons-nous ?（我们从哪里来？我们是谁？我们往哪里去？）虽然我们不能确定高更创作此画的目的是要向人们提问，还是以画面场景为人们作出解答，但只要人类存在一天，这三个问题就会一直伴随着人们。

对于天地的生成、人类的起源，自古以来，人们就有无穷的疑问。战国末期，楚国大夫屈原（前 340—前 278）曾经写过一首题为《天问》的长诗，一口气问了 170 多个问题，其中大多数问题都与人类认识事物的局限性有关，如起首四句：“遂古之初，谁传道之？上下未形，何由考之？冥昭瞢暗，谁能极之？冯翼惟象，何以识之？”大意是说，远古的开端、天地的形成、明暗的区分、太初的混沌，这些都是人类诞生以前的状况，那么，人类又是从何途径以什么方式获得相关信息的呢？

众所周知，在屈原的时代，人们主要是通过想象建构史前图景的。与世界上许多民族一样，中华民族也有自己的创世神话和英雄传说。“自从盘古开天地，三皇五帝到如今”，这是古代中国最典型的一种历史叙述体系。直到晚清时期，发

高更画作

端于西方的近代考古学知识传入中国、一些外国学者在中国开展了考古活动以后，国人才开始从史前史的角度对中国文明起源问题进行探讨（参阅陈星灿《中国史前考古学研究（1895—1949）》)。20世纪20年代以来，随着史学体系的更新和考古发掘的进展，史前考古学在中国历史学中蔚为显学，史前的历史图景在科学的基础上得到重构，并显得日渐清晰。但考古发掘得来的实物史料毕竟比较有限，对史前遗址和化石的年代测定也受到许多因素的限制，甚至存在几十万年乃至上百万年的时间误差。因此，在以考古材料重构史前的历史图景时，不能以牺牲真实为代价，为了追求故事的完整性而把零碎的材料拼贴成一个整体，不能为了体系的完整对考古材料作过度阐释，更不能为了虚构源远流长的历史而把考古材料的地质年代尽量推得更远。那样做，或许能满足一些人夸饰传统的心理需求，但无疑会模糊科学与神话的分野。

"炎黄子孙"或"夏娃后裔"：传说、考古与基因分析

春秋时期鲁国史学家左丘明（约前502—约前422）在其所著的《国语》中，把上古时期姒姓的有夏氏和姜姓的周室，称作"黄、炎之后"。后人对此说加以引申发挥，将黄帝有熊氏和炎帝神农氏称作华夏民族的共同祖先。时至今日，炎黄子孙的提法仍然十分盛行，有些人还将炎、黄二帝称作中华民族的"始祖"和"人文初祖",加以顶礼膜拜。就连一些地方政府，也参与主持公祭黄帝或炎帝的活动，意在提高民族凝聚力，扩大地方影响力。但在上古传说人物谱系中，五帝本为三皇之后，据汉司马迁《史记·五帝本纪》记载，炎、黄二氏都是少典的儿子，少典是伏羲、女娲之子，伏羲、女娲又是女性的华胥氏履神迹所生，是单性繁殖的产物，则华胥氏似应为炎黄一系的氏族始祖。但华胥氏在传说中又是燧人氏的后裔，故华夏始祖起码应该追溯到作为三皇之首的燧人氏（传说燧人氏之前尚有盘古氏，但那是开天辟地的神人，与原始人并无对应关系）。

用现在的眼光来看，所谓燧人氏，其实就是钻木取火的原

始人，将其称作华夏民族始祖，亦不为过。而华胥氏之墓所在的陕西蓝田，又是旧石器蓝田人遗址的所在地。当地公王岭遗址发现的旧石器时代早期的直立人化石，距今大约在78万—85万年之间，陈家窝遗址的直立人化石距今亦有50万—65万年。在这个意义上，如果将华胥氏与蓝田人联系起来，把蓝田人视为发端于中原地区的有夏族的始祖，似乎也能成立。但问题是，传说的华胥氏并不等于考古学上的蓝田人，在中国旧石器时代早期的考古发现中，除了蓝田人化石以外，其他地方也曾发现过一些旧石器时代早期的直立人化石，其中比较著名的有云南元谋人、北京周口店人等等，其中有的年代比蓝田人早，自然不是蓝田人的后裔；有的年代虽比蓝田人晚，但也不是蓝田人的后裔。这就意味着，蓝田人并不是汉民族的共同祖先，所谓炎黄子孙的说法，其实只是一种传说而已。如果考虑到中国境内目前除了汉族以外，还存在着许多少数民族的状况，就更不应该将整个中华民族都视为炎黄子孙，而应该尊重各民族自身的来源和文化认同。

在中国现行的教科书体系中，人们通常只将中国现代人的起源追溯到旧石器时期在中国土地上出现过的原始人，将旧石器时代中期的元谋人、蓝田人、北京人等作为中国现代人的祖先。按照中国考古学的主流观点，中国有60多处古人类化石地点，从以元谋人、蓝田人、北京人为代表的直立人到现代中国人，中间没有间断，是河网状不断推进附带少量杂交而来的。因此中国的现代人类起源于本土的早期智人。但是，国际考古学和古人类学研究表明，人类出现及从非人灵长类中分化出来的时间大概是在500万年前；直立行走的人至少在350万—400万年前就已生活在东非草原；200万年前，非洲原始人开始制作石器。这些记录比世界其他任何地方都要早很多。因此，国际学界公认非洲人是人科的共同祖先，并不认为人类有其他来源。而对现代智人的起源，目前国际学界占主流的也是非洲起源说，而非中国考古学界比较认同的多区起源说。按照国际古人类学界的主流看法，现代人是大约20万年前在非洲产生，然后向亚洲和欧洲扩散的，其他地区的现代智人都是非洲智人的后裔，而不是当地直立人的后裔。这一说法看似与世界各地的化石考古材料不相吻合，却得到了现代基因科学的证实。

1987 年美国科学家华莱士和威尔逊通过分别带领两个实验室对现代人群线粒体 DNA 和 Y 染色体进行分析发现，现代人祖先可追溯到大约 15 万年前非洲的一个女人“夏娃”，其他各州的现代人都是这个“线粒体夏娃”的后裔。后来，剑桥大学三位科学家对现代人类从非洲大陆向世界其他各洲迁移的地理位置和相应的人口基因进行分析研究，结果发现距离埃塞俄比亚越近，人种之间的基因变异性就越小。现代人类开始由非洲大陆向世界其他各洲迁移的路线上，基因多样性的特征表现不明显，没有出现大量的基因中断。这项成果发表在 2005 年 5 月 13 日的《科学》杂志上，成为进一步证明现代人“非洲起源说”的证据。与此同时，中国的一些遗传科学家（其中有中国科学院院士张亚平和复旦大学金力教授等人）也采用群体基因组学等综合手段，通过对线粒体全基因组序列测定并结合高分辨率 RFLP，以及核基因座位分析等，建立了东亚所有主要 mtDNA 单倍型类群之间的系统

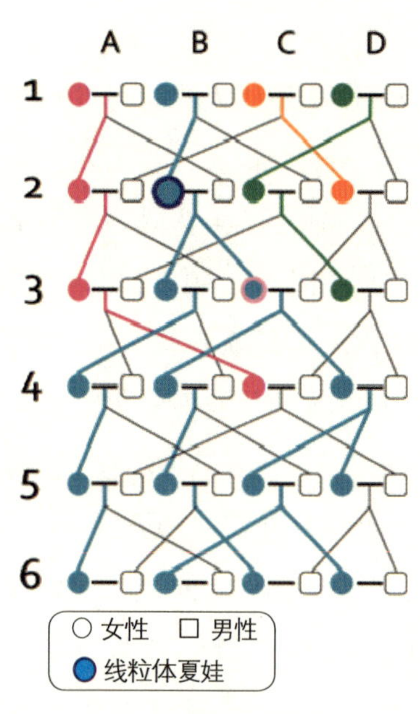

“线粒体夏娃”图

发育关系，进而对东亚人群特别是中国人群的源流等相关问题进行了系统研究。研究结果表明，东亚男性的Y染色体单倍型均衍生于目前仅在非洲群体中存在的祖先单倍型。这个研究结果对“非洲起源说”也是一个强有力的支撑。

通过对人类线粒体DNA的研究，遗传学家们发现，现代人类的祖先最早可能是沿着印度洋海岸线“走出非洲”，进而移居到全世界的。其中有一部分人大约在6万年前到达东亚，首先定居在气候较为温暖的东南亚地区，然后逐渐向北迁移，最后跨过长江、黄河，北及西伯利亚。通过查阅现有化石的年代，科学家们发现大约10万年前至4万年前，在这持续的6万年中没有任何人类化石出土，尽管早于10万年或晚于4万年的化石比比皆是，并相当连续。这个断层表明，生活于东

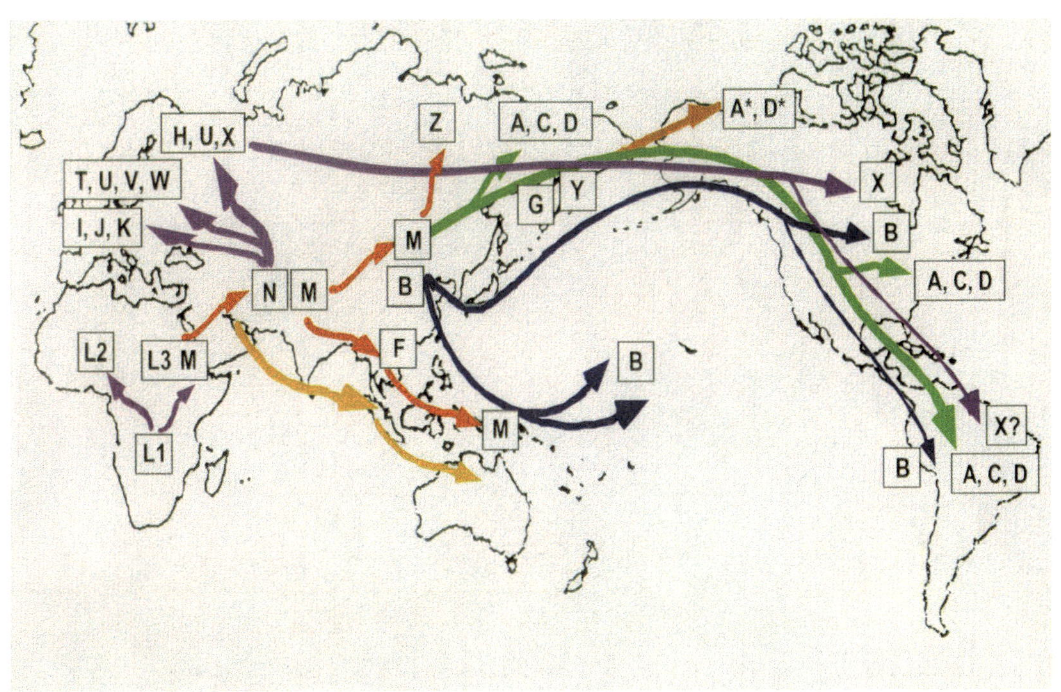

线粒体迁移地图

亚的直立人和早期智人，很有可能是在最近一次的冰川时期由于恶劣的气候而遭到灭绝的。因此，国家人类基因组南方中心金力教授认为，非洲直立人对东亚早期直立人的替代是完全的，北京猿人并非我们的祖先。虽说这个结论并未得到中国学界的普遍接受，但其源于基因分析的科学依据无疑是值得人们重视的，也是我们在追溯浙江人和浙江文化的最初来源时必须加以注意的。

阅读链接：

［美］B.M.费根：《地球上的人们——世界史前史导论》，文物出版社，1991年版。

［美］菲利普·李·拉尔夫、罗伯特·E·勒纳、斯坦迪什·米查姆等：《世界文明史》，商务印书馆，1999年版。

谭婧泽、徐智、李辉、金力：《现代人起源于非洲的分子人类学证据》，上海《科学》杂志，2006年第6期。

旧石器文化：有限的遗存与不确定的结论

“人猿相揖别，只几个石头磨过，小儿时节。”说到石器时代的原始人，时人往往会提起毛泽东写于 1964 年春的这首《贺新郎·咏史》。从人类进化史的角度看，石器时代的原始人的确就像小儿一般幼稚，但从时间跨度上看，石器时代长达 300 万年，其中绝大部分时间都处在使用打制石器的旧石器阶段，只有最后约 7000 年时间是处在使用磨制石器的新石器阶段，而有文字记载的人类文明史迄今只有 5200 多年，可见“几个石头磨过”的这段人类进化史是多么地漫长，并不像诗人想象的那么轻易。

世界上迄今所知最早的石器发现于东非肯尼亚的科比福拉，以及埃塞俄比亚的奥莫和哈达尔地区，年代距今约 250 万—200 万年。非洲旧石器时代考古在世界上占有重要地位。这里不仅发现了迄今为止年代最早的人类化石和石器文化，而且是世界上已知的人类各发展阶段没有缺环、年代前后相继的地区。相比之下，中国的旧石器时代考古虽然也取得了丰富的成果，但在序列上存在着一些缺环，在年代测定等方面也存在着不少争议。目前，中国发现的旧石器文化遗址共有千余处，其中绝大多数距今不到 70 万年，超出 70 万年的只有西侯度文化、元谋人文化、匼河文化、蓝田人文化、东谷坨文化等数种。元谋人牙齿化石经古地磁测定，距今有 170 万年，是收入历史教科书的中国最早的直立人化石。但对 170 万年的年代测定，也有许多学者不能接受，认为应该不到 73 万年，很可能是在距今 60 万至 50 万年或更晚。1985 年，考古学者从重庆巫山县庙宇镇龙坪村龙骨坡的一处早更新世洞穴堆积中，发掘出了一段带有 2 颗臼齿的残破直立人左侧下颌骨化石以及一些有人工加工痕迹的骨片。次年又从该处发掘出 3 枚门齿和一段带有 2 个牙齿的下牙床化石。经古地磁测定，其距今年代为 200 万年，是中国迄今发现的最早的古人类化石。但对此测定结果，学界争议更大，始终未成定论。因此，对于中国旧石器时代发端于 200 万年或 170 年的说法，我们应该保持科学的审慎态度。

浙江地处长江中下游地区，周边的安徽、江苏等地都有比较丰富的旧石器文化。如安徽就有早更新世遗址 1 处、中更新世遗址 40 处、晚更新世遗址 5 处，在中更新世的和县文化遗址还发现了人类头盖骨化石，巢县文化遗址中则发现了人类枕骨化石。相比之下，浙江发现的旧石器文化遗存简直可以说是少得可怜。1974 年 11 月，中国科学院古脊椎动物与古人类研究所和浙江省博物馆的考古工作者在建德李家乡新桥村后山坡上的一个乌龟洞里采集到一枚右上犬齿，经与此前全国各地发现的古人类牙齿比对，其形态与 1958 年 9 月在广西柳江发现的柳江人犬齿相似，粗壮程度大于被鉴定为男性个体的柳江人牙齿标本，故发现者判定其为人类男性牙齿，属于智人类的古人类。为确定其年代，北京大学用与其同层的牛牙做了两个铀系年龄测定，结果显示大约距今 10 万年前。但有不少专家认为这个测定的年代明显偏大，与人牙性质和上下层哺乳动物组合对比不符。据专家分析，牙齿化石同层出土 11 种哺乳动物化石，包括猕猴、猪獾、大熊猫、中国犀、剑齿象、水牛、羊、鹿、麂、猪，属于中国南方的大熊猫—剑齿象动物群，表明当时浙江的气候比较接近亚热带。这个含人化石层的时代应为晚更新世后一阶段，绝对年代不超过 50Ka BP（即距今 5 万年）。下层黄色堆积中发现哺乳动物化石 14 种，较上层增加了豪猪、西藏熊、巨貘、东方齿象、纳玛象等动物化石。东方剑齿象、纳玛象的地质时代为晚更新世早期，故判定下层的时代属晚更新世早期。

建德乌龟洞考古填补了浙江旧石器考古的空白，具有开拓性的意义。洞中发现的右上犬齿标本是浙江最早发现的旧石器时代智人化石，被世人通俗地称作“建德人”，视为旧石器晚期浙江就有人类活动的依据。但遗憾的是，考古学者在乌龟洞里除了找到这 1 枚牙齿和其他动物化石外，并没有找到任何相关的人工遗物。而拿 1 枚牙齿作为浙江在旧石器时期有人类活动的所有依据，毕竟有很大的不足。到了 2000 年四五月间，桐庐印渚镇延村村民在附近的一处岩溶洞穴堆积中又发现了一些人类和动物化石，其中包括人类头盖骨化石 5 片、不完整下颌骨和前额骨各 1 件、头骨印模 1 件，另有 100 多件哺乳动物化石。研究人员根据人类和伴生动物化石的形态特征，认为桐庐人类化石应属晚期智人，后经南京师范大学铀系年代实验室测定，其年代很可能介于 0.5 万—1 万年间（石丽、金幸生、程海、沈冠军《浙江桐庐人类头骨的铀系年代》，载《人类学学报》，2002 年 11 月）。若此数据正确，则应属新石器时代。

2002 年秋，中国科学院古脊椎动物与古人类研究所和浙江省文物考古研究所联合组成了调查组，在国家文物局考古专家组成员张森水的率领下，选择西苕溪流域的安吉、长兴作为浙江旧石器时代考古调查的突破口，进行了一个月的专题调查，结果发现了 31 处旧石器遗存点，弥补了此前浙江没有旧石器遗存点的缺憾。在此基础上，考古学家们将浙江旧石器考古的调查范围逐渐扩大到了苕溪、分水江、浦

阳江等流域的丘陵地带。经过历时 8 年的考古调查、试掘和第三次全国文物普查，至 2010 年 5 月，浙江共发现 83 处旧石器时代遗存点，主要分布在湖州吴兴、长兴、安吉、德清、临安、浦江等县市。其中最重要的 4 处遗址，除上马坎遗址在安吉外，另外 3 处都在长兴。这也说明，目前所知的浙江旧石器文化分布范围还是比较小的，并不足以反映浙江的整体状况。

据发掘者介绍，安吉上马坎遗址共有石制品 400 余件，包括石核、石片、刮削器、砍砸器、石球、尖状器等，还发现了固定的旧石器制作场所。根据与周边旧石器遗址对比，其年代可能处在距今 80 万年至距今 12.6 万年之间，说明古人在该遗址活动过相当长的时间。长兴七里亭遗址属我国南方地区典型的旧石器时代早期遗址。遗址剖面可分成上、中、下三个大文化层，共发现 700 多件刮削器、砍砸器、手镐等打制石器。其特征与中国南方其他地区的旧石器特征基本一致，是华南砾石工业链条上的一环。经古地磁年代测定，七里亭遗址上、中文化层的年代从距今 99 万年一直延续到距今 12.6 万年，其年代贯穿了整个中更新世。下文化层年代为早更新世的晚期阶段，距今至少有 100 万年，是东南沿海地区最早的古人类文化遗存，也是全国旧石器时代早期遗址中为数不多的超过百万年的遗址之一。如果这个说法成立，则浙江人类活动的历史可以上推至 100 万年前，其意义自然非同小可。但一处遗址时间跨度如此之长，恐怕值得推敲。事实究竟如何，还需要进一步研究。

此外，在长兴县合溪银锭岗和合溪洞，浙江的考古学家也

安吉出土旧石器

长兴出土旧石器

有比较重要的发现。其中银锭岗遗址出土了石核、石片、刮削器、砍砸器、尖状器等280余件石制品，发现了制作加工石器的场所和数量较多的可拼合的石器标本。合溪洞遗址共发现1000余件石制品，包括石核、石片、断块、刮削器、砍砸器、尖状器等器类，此外还发现了一些骨器和大量保留人类敲骨取髓、烧烤吃肉、肢解切割痕迹标本的动物骨骼，这些标本是古人类获取、消费动物食物的证据。经初步鉴定和统计，出土的动物化石标本有数十万件，全部为晚更新世的动物种属，包括兔形目的兔科，啮齿目的竹鼠、仓鼠、田鼠，食肉目的猪獾，奇蹄目的中国犀、华南巨貘，偶蹄目的野猪、水鹿、獐、鹿、水牛、马。其中马的化石是首次在浙江地区发现。根据马在晚更新世的生活年代，专家们认为合溪洞遗址的最晚年代为距今2.8万年，属于旧石器时代晚期，这为后续的新石器文化打下了根基。

总的来看，浙江目前发现的新石器文化遗存主要以石器为主，缺少人类化石。对遗址土层的古地磁年代测定方式，也并不十分可靠。目前得出的数据，时间跨度太大，可信度似有不足。而且，即使测定年代无误，从七里亭遗址的距今 12.6 万年到合溪洞遗址的距今 2.8 万年，其间也有将近 9.8 万年的时间差。按照“非洲起源说”，其间正是东亚直立人和早期智人因气候变化而灭绝的时期。因此，在没有人类化石遗存作为分析依据的情况下，我们不能贸然得出从距今 100 万年到 2.8 万年前浙江都有人类活动，而且构成一个相继序列的结论，而应该抱着审慎的态度，对已有材料不作过度阐释。如果今后仍然没有出现新的可靠依据足以证实某种结论，不作结论未尝不是一种可取的态度。

阅读链接：

张之恒、黄建秋、吴建民：《中国旧石器时代考古》，南京大学出版社，2003年版。

徐新民：《浙江旧石器考古综述》，《东南文化》，2008年第2期。

韩德芬、张森水：《建德发现的一枚人的犬齿化石及浙江第四纪哺乳动物新资料》，《古脊椎动物与古人类》，第16卷第4期，1978年10月。

新石器文化：多元发生，多姿多彩

旧石器时代好比是一个幽深难测的洞穴，只有上方投入的几道光线能让我们窥其一斑。新石器文化则不同，它所呈现给我们的面貌是相对比较系统和完整的。

在全世界范围内，新石器文化大约出现于距今1.2万年前。其中最早进入新石器时代的是西亚的利凡特（今以色列、巴勒斯坦、黎巴嫩和叙利亚）、安那托利亚（今土耳其）和伊朗扎格罗斯山山前地区。这一地区具有典型的地中海气候，冬季多雨潮湿，夏季炎热干燥，有适于栽培的野生谷物和易于驯养的动物，因而成为最早出现农业和养畜业的地域，被称为农业起源的"新月形地带"。

中国大约在公元前1万年就已进入新石器时代。由于地域辽阔，各地自然环境很不相同，在新石器文化上呈现出不同的特点。拿遗址来说，长江以南的新石器文化遗址大多数分布在洞口朝阳并具有开阔洞厅的洞穴内，少数在岩棚内，黄河流域则分布在山麓地区的高亢地带。在粮食生产上，南方地区以种植稻谷为主，可以成为稻作文化区；北方则以种植粟、黍等干旱作物为主，也可称为粟作文化区。"除了基于生产技术的南北差异之外，中国新石器时代的文化也可以根据艺术形式和丧葬风俗被鲜明地划分为东西两个部分。"西部的仰韶文化区葬制一般比较简单，在陶器上刻画着几何符号，盛谷物的罐子被画满了红色和黑色的螺旋形图案、菱形图案和其他一些几何图形，相对比较单一。东部从辽宁到上海这一区域，陶器上很少有图案，但外形比较复杂，工艺比较精巧。此外，东部的葬制也比较复杂。这是美国学者伊佩霞在考察中国新石器文化地域异同时得出的结论（见《剑桥插图中国史》）。

总的来看，中国新石器文化形态相当丰富，地域特征也是比较明显的。按照苏秉琦的观点，中国的新石器文化可以分为六大区系：（1）以燕山南北长城地带为中心的北方文化区系；（2）以山东为中心的东方文化区系；（3）以关中（陕西）、晋南、豫西为中心的中原文化区系；（4）以环太湖为中心的东南部文化区系；（5）以环洞庭湖与四川盆地为中心的西南文化区系；（6）以鄱阳湖—珠江三角洲一线为中轴的南方文化区系。其中前三个区系在北方，后三个区系在南方，这也是后世南北两大文化和各大区域文化的源头。而在这六大区系中，尤以北方区系、中原区系、东南区系为重。东南区系地域范围包括今之浙、苏、皖、沪四省市。据苏秉琦分

上山遗址出土石器

跨湖桥文化陶釜

析，东南区系因为面向海洋，古代文化有不少共同因素，新石器时代普遍流行穿孔石斧、石钺、有段石锛、圈足陶器、三足陶器。古代中国相当流行的以鼎、豆、壶组合而成的礼器、祭器，就是渊源于这一地区。但在该区域内部，各个类型之间也有很大的不同。

浙江地处东南沿海，属于东南文化区系。在新石器时期，曾先后出现了上山文化、小黄山文化、跨湖桥文化、河姆渡文化、马家浜文化、崧泽文化、良渚文化、好川文化等文化类型。从时间上来看，上山文化和小黄山文化历史最为悠久，距今已有 8000 多年（上山文化遗址发掘者认为该遗址距今 11400—8400 年，但也有学者认为，浙江杭州湾的周边地区，即杭州湾以北的嘉兴地区和杭州湾以南的宁波及绍兴一线，由于受全新世前期海侵的影响，在距今 9000—8000 年前不适宜人类生产和生活，没有可能发现距今 9000 年前的新石器时代早期遗址。著名考古学家、故宫博物院研究员张忠培认为上山遗址有可靠的层位关系，比跨湖桥要早，是目前发现的长江下游最早的文化遗址，但比湖南道县玉蟾岩遗址要晚）。跨湖桥文化次之，处在距今约 8000—7000 年的时间段。河姆渡文化与马家浜文化大约同时发端于公元前 5000 年，距今都有约 7000 年的历史。但前者一直延续到公元前 3300 年（距今 5250 年）左右，后者则在公元前 4300 年（距今 6250 年）左右发展为崧泽文化，并最终于公元前 3400 年（距今 5350 年）左右结束。此外，良渚文化存续时间约为距今 5300—4200 年，好川文化则在距今约 4300—3500 年间。这些文化形态的出现，

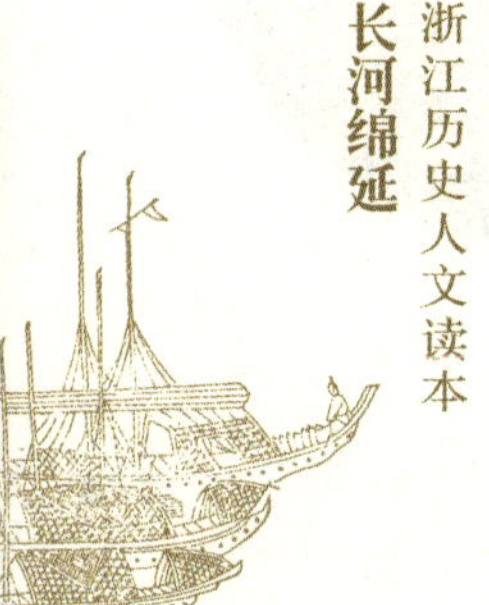

表明浙江在新石器时代已经成为中国文化的发源地之一，并且已经出现了几个各具特色的地域文化系统。

就地域而论，上山遗址位于浦江县黄宅镇境内，处在钱塘江支流浦阳江上游，属于金衢盆地上最早的新石器文化类型。除了下层的上山文化遗存以外，遗址中层还有跨湖桥文化的堆积物，表明了该区域文化与跨湖桥文化的某种渊源关系。小黄山遗址位于嵊州市甘霖镇上杜山村，处在曹娥江流域上游，与浦江上山同处浙江中东部丘陵山区范围内，但两者属于不同的水系，与地域相近的跨湖桥和河姆渡文化则有更深的联系。据专家分析，小黄山遗址B区Ⅱ期遗存文化内涵中存在不少萧山跨湖桥文化因素，A区Ⅱ期遗存绳纹圆底釜、双鼻平底罐与河姆渡文化同类陶器可能具有内在的联系，兼有跨湖桥、河姆渡两支文化因素。跨湖桥遗址位于萧山城厢湘湖村，地处古浦阳江流域，遗址西南约3千米为钱塘江、富春江与浦阳江三江的交汇处。该地出土的陶器群，以釜、钵、圈足盘、罐为代表，其中某些陶器甚至比晚了1000年的河姆渡更为先进，此外还有不见于江南其他新石器遗址的特殊性器物如线轮等，都说明了跨湖桥文化类型的独特性。跨湖桥所在的萧山湘湖地区，与河姆渡文化只有百里之遥，但因海侵之故，使得该文化遭到了湮灭性的破坏，故与河姆渡文化并无传承关系。河姆渡遗址地处余姚东部，靠近姚江、慈江两大水系，处在宁绍平原范围（萧山地处钱塘江南岸，历史上属于绍兴范围），并越海东达舟山岛。宁绍平原是春秋战国时期越国的中心地带，可以说是后来的越

文化的发源地。马家浜文化及继之而起的崧泽文化，则处于东南区系文化的环太湖中心地带，地域包括浙北的嘉兴、湖州和省外的苏南、上海一带。这一地带直到现在仍与上海、苏南有着广泛的经济和文化联系，其文化兼具吴、越两种文化的特点。相比之下，良渚文化最为强势，其分布区域以钱塘江流域为核心，北及江苏宁镇地区，向南扩展到浙西、浙南，并与浙南的土著文化结合，形成温州和丽水地区的好川文化。这也是钱塘江流域文化的影响力在新石器时代的体现。

阅读链接：

苏秉琦：《中国文明起源新探》，生活·读书·新知三联书店，1999年版。

张之恒：《中国新石器时代考古》，南京大学出版社，2004年版。

浙江省文物考古研究所、浦江县博物馆：《浙江浦江县上山遗址发掘简报》，《考古》，2007年第9期。

稻作农耕：新石器时代的生产方式

民以食为天。在人类生存和发展的每一个历史阶段，食物来源和获取食物的方式都是至关重要的。从采集植物、猎捕动物到栽培作物、驯养动物，这是人类在生产和生活方式上的一种质的变化。因此，在考察新石器时代的生产和生活方式时，我们先把眼光投向遗址中发现的各种食物，尤其是谷物。

稻谷是浙江新石器文化遗址中发现最多的植物遗存，其中年代最早的稻谷出自上山遗址。虽说这些稻谷事实上不过是在上山遗址出土的夹炭陶片表面发现的稻壳印痕而已，也不能确定这些稻谷究竟是自然生长还是人工栽培，但从陶器制作中采用稻谷颖壳作为搀和料的情形，以及遗址中出土的石磨盘和石磨棒等加工器具，遗址发掘者仍然推测“当时稻谷的使用量是相当多的，在食物构成中占有一席之地”，且很有可能是人工栽培（《浙江浦江县上山遗址发掘简报》）。而在小黄山遗址出土的夹炭陶胎壁中的谷壳印痕和地层中的大量稻属植物硅酸体中，考古学家也发现了稻谷存在的依据。不过，要说当时已经进入人工栽培稻谷的时代，似乎还需要更多的证据。

与上山及小黄山不同，跨湖桥遗址不但发现了少量的稻谷

颗粒，也发现了用大型哺乳动物的肩胛骨制作的骨耜，可见当时已经有耜耕种植谷物的现象发生，这是当时已经开始人工栽培稻谷的实物证据。据学者分析，跨湖桥遗址中出土最多的食物是橡子，说明采集坚果是当时获取食物的主要途径，栽培稻谷并不是主要的生产方式，而且当时栽培的稻谷也不是水稻，而是陆稻（张崇根《跨湖桥文化先民栽培的可能是陆稻》）。此说虽为一家之言，但也值得注意。

从现有的证据看，浙江真正进入大规模稻作阶段，应该还是距今7000年的河姆渡文化时期。河姆渡遗址两次考古发掘中，在第四文化层上部发现了大面积稻谷、稻秆、稻叶和木屑、苇编构成的稻谷堆积层，平均堆积厚度20—50厘米，最厚处超过100厘米，总重量达到150吨之多。刚出土时稻谷外形完好，色泽金黄，少数稻谷连外壳的隆脉、稃毛及芸尖仍清晰可辨。经农史学家多次抽样鉴定，这是一个类粳、类籼及中间型等各种粒型的亚洲栽培稻属杂合群体，主要属于栽培稻籼亚种晚稻型水稻，是世界上目前最古老的人工栽培稻。河姆渡遗址出土的稻谷数量之多、保存之完好，在世界考古史上是绝无仅有的。它不但确定了稻作文化在河姆渡的中心地位，也打破了中国栽培水稻从印度阿萨姆传过来的说法，确立了中国江南作为

河姆渡遗址出土石锛、石斧

阅读链接：

浙江省文物考古研究所：《河姆渡：新石器时代遗址考古发掘报告》（上、下），文物出版社，2003年版。

浙江省文物考古研究所、萧山博物馆编：《跨湖桥》，文物出版社，2004年版。

林华东、任关甫主编：《跨湖桥文化论集》，人民出版社，2009年版。

世界稻作文化一大发源地的地位。

此外，河姆渡遗址中发现了大批农业生产工具，其中有代表性的农具是翻耕土地的骨耜，仅河姆渡一处就出土上百件。骨耜采用鹿、水牛的肩胛骨加工制成，肩臼处一般穿凿横銎，骨质较薄者则无銎而将肩臼部分修磨成半月形。在耜冠正面中部刻挖竖槽，并在其两侧各凿一孔。还发现了安装在骨耜上的木柄，下端嵌入槽内，横銎里穿绕多圈藤条以缚紧，顶端做成丁字形或透雕三角形捉手孔。此外，还出土了很少的木耜、穿孔石斧、双孔石刀和长近 1 米的舂米木杵等农业生产和谷物加工工具。这些情况表明河姆渡人的农耕技术已经达到了一定水平，与同时期的北方半坡文化处在同一发展阶段。

与此同时，马家浜文化也进入了稻作文化阶段。在过去发掘的多处遗址中，均出土了稻谷、米粒和稻草实物，包括人工栽培的籼、粳两种稻，农用工具有穿孔斧、骨耜、木铲、陶杵等，表明当时稻作经济已经具有一定规模。进入崧泽文化时期，与水稻栽培密切相关的耕作技术也有了明显提高，除了耜耕之外，还出现了犁耕这种新的形式。到了良渚文化时期，犁耕更加普遍。目前在许多遗址中都发现了当时使用的石犁，仅钱山漾遗址出土的石犁就有百余件。石犁有两种形制，一种平面呈三角形，刃在两腰，中间穿一孔或数孔，往往呈竖直排列，可以安装在木制犁床上，用以翻耕水田；另一种近似三角形，刃部在下，后端有一斜把，可能是开沟挖渠的先进工具，故又称“开沟犁”。这两种石犁都是良渚人发明的新农具，对促进农业生产的迅速发展起到了重大作用，农业生产力得到了很大的提高，这也为良渚文化进入文明阶段打下了必不可少的物质基础。

跨湖桥独木舟

除了稻作之外，新石器时期浙江各地的采集、渔猎和畜牧经济也颇具特色。2002 年，考古学家们在跨湖桥遗址上发现了一艘独木舟遗骸，表明距今 7000—8000 年间的跨湖桥人已经开始造船并有可能使用船只捕鱼。河姆渡遗址中除稻谷外，植物残存还有葫芦、橡子、菱角、枣子等，动物方面则有野生的羊、鹿、猴子、虎、熊等，以及驯养的猪、狗、水牛等牲畜。遗址中所发现的八件柄叶连体木桨，采用整块木料加工制作而成，柄部为圆形，桨叶呈柳叶形，表明当时也有船只。而在马家浜文化中，渔猎经济则占有更加重要的地位。各处遗址发现的骨镞以柳叶形的居多，十分尖锐锋利。一些地点有大量的兽骨堆积，其中马家浜遗址有的兽骨堆积厚达二三十厘米。圩墩遗址出土的野生动物骨头已经过鉴定，有梅花鹿、麋鹿、野猪、獐、貉、蟹、蚝等，此外还有各种鸟类及草鱼、鼋、鲫鱼之类水生动物，这些都是渔猎经济发达的例证。

筑室而居：新石器时代的建筑

“昔者先王未有宫室，冬则居营窟，夏则居巢。”（《礼记·礼运》）从穴居、巢居到筑室而居，这是建筑的起始，也是人类生活方式的一个巨大的进步。

中国新石器时代的建筑，一般包括居室、贮藏窖穴、牲畜栏圈、壕堑围墙、墓室以及特殊的祭祀性建筑等，有些规模较大的则构成毗连的聚落。建筑形式除少数仍保留较为原始的横穴和袋形竖穴一类穴居形式外，主要为半地穴居址、地面建筑和架空居住面几种形式。

从已经发掘出土的遗址看，浙江新石器时代的建筑有可能是从小黄山文化时期开始的。小黄山遗址面积5万多平方米，是同时期长江中下游地区规模最大的聚落遗址。2007年，考古工作者在小黄山南边的遗址中发现了很多形似立柱、房屋基础的痕迹，包括两处以九个柱子、三排构成的完整单元，其中南北为三根柱子，采用挖深坑的方式竖立起来，底部还用石块垫在柱子下面，起到承重和防潮的作用。据他们推测，这是中国最早用石杵立柱的先例，也是中国最早的立柱建筑遗迹。但此说并未得到学界普遍认可。

真正有实物依据的是在河姆渡遗址中发现的干栏式建筑。这种建筑的特点是在地面打上木桩，架空铺上木板，构建顶棚。它与建在树上的巢居有着一定的渊源关系，但其复杂程度是后者不能相比的。由于架空居住，通风和防潮都比较好，干栏式建筑特别适用于气候炎热和地势低下潮湿的自然环境，是中国长江以南新石器时代以来的重要建筑形式之一。它与北方地区同时期的半地穴房屋有着明显差别，成为当时最具有代表性的特征。目前发现的干栏式建筑以河姆渡为最早，这也是确立河姆渡文化历史地位的一大依据。

河姆渡遗址靠近姚江、慈江两大水系，地势较低，气候潮湿，夏季尤其炎热，加之又处在平原地带，不像山地多林木适于巢居，因此发明了干栏式建筑。河姆渡遗址两次考古发掘，在第二、三、四文化层都发现了木建筑遗迹，尤以第四文化层

河姆渡遗址建筑木桩

发掘出的29排木桩最为密集和壮观，总数在千件以上，分析至少有6栋以上建筑。考古学家和古建筑专家对遗迹和木构件分析后认为，河姆渡的房屋是以一排排桩木为支架，上面架设大小梁承托地板，构成高于地面的架空基座，再于其上立柱、架梁、盖顶的干栏式建筑。建筑主要使用木材，包括桩、柱、大梁、地板、席箔（或席壁）以及树皮屋面等。从桩木布置来看，一座干栏建筑的残长就有25米，进深约7米，前檐有1.3米宽的走廊。出土的木构件上带有榫卯，而且梁头榫上还有销钉孔，同时发现了企口板。许多构件有重复利用的迹象，说明使用木结构已有相当长的历史。根据木桩的排列与走向分析，当时的房屋呈西北—东南走向。从单体看，当时普遍采用连间长房子

河姆渡文化干栏式建筑模型

形式，其中最长一栋房屋面宽达 23 米以上，进深 7 米，房屋后檐还有宽 1 米左右的走廊过道。这栋房子可能是一个家族的住宅,房子的门开在山墙上,朝向为南偏东 5—10 度。它在冬天能够最大限度利用阳光取暖，夏季则起到遮阳避光的作用，因而被现代人继承。

除建筑外，在河姆渡遗址第二文化层还发现了迄今为止最早的水井遗迹。水井构筑于直径约 6 米的锅形水坑底部，用边长 2 米的四排木桩围成一个方形井壁，再在井口套上一个方木框作为围护。水坑四周还设有圆形栅栏，大概作护岸之用。河姆渡文化时期，居址周围河沼遍布，但水体与海水相通，致使盐分升高，苦卤而不堪饮用。水井的出现，大大地改善了人们的生存环境，也使定居生活成为可能。

到了良渚文化时期，浙江的新石器建筑有了更大的进展，不但出现了大面积的建筑聚落，也出现了大型的宫殿建筑。其中民用建筑形态既包括原先就有的干栏式木构房屋建筑和浅穴式房屋建筑，也包括新的地面起建式房屋建筑。目前余杭良渚、安溪、瓶窑一带 33.8 平方千米范围内，共发现 60 多处遗址，不仅分布密集而且成群连片，其中有各种大型墓葬、祭坛、居址、水井及各种手工业作坊等，构成了一个良渚文化聚落群。这个聚落群的中心就是如今的大观山果园台地（又称莫角山遗址）。莫角山遗址呈长方形，东西长约 670 米，南北宽 450 米，面积 30 余万平方米，最高处 1.2 米，土层厚达 10.2 米。现可见人工堆筑的 3 个土墩，呈三足鼎立之势。南为乌龟山，北名小莫角山，东谓大莫角山。从发掘的 1400 平方米中发现大片的夯筑基址和大型柱洞遗迹，考古学家推测这里可能是一个中心城址，是良渚文化的政治、经济、文化中心。

1992 年 9 月至 1993 年 7 月，浙江省文物考古研究所在大莫角山下西南侧进行的较大规模的考古发掘中，曾发现大片的夯土层与夯窝等建筑基址。在小莫角山南侧的良渚文化建筑基址面上,还发现了成排的大柱洞。莫角山建筑基址共有 9—13 层，总厚度 50 厘米。土层上可见密集而清晰的夯窝，直径一般有 6—10 厘米，深 3—6 厘米，系使用圆头夯具夯筑之故。基址面有一些大柱洞，从南到北分三排作东西向排列，各排间距 1.5 米。柱洞坑口直径 0.44—1.35 米，深度在 0.21—0.72 米之间，坑内可见有大木柱腐朽痕迹，推测原木柱直径一般在 0.5 米，大者直径可达 0.9 米，坑底都有较坚硬的台面。在建筑基址的一些地方还发现有大型灰坑及积石坑。目前虽对此建筑的平面总体布局无法摸清，但经过进一步的钻探，得知此夯筑遗迹总面积不少于 3000 平方米，故专家研判此处显系一处规模宏大的良渚文化时期的大型礼仪性建筑基址。

此外，大观山果园遗址西北方 150 米许即为被称为良渚主

良渚莫角山遗址

陵区的反山大墓所在地，而其西南隅的桑树头（又称双池头）和东北方约距500米处是马金口等重要遗址，历年来常有精美玉器和重要遗物发现。北部偏东约5千米，是著名的瑶山良渚文化祭坛。该遗址共分三层，最内为夯筑之红土台，南北长7.7米，东西宽约6米。外以灰土筑围沟，深0.65—0.85米，宽1.7—2.1米。沟之西、北、南三面又以黄褐色土筑土台，其宽分别为5.7米、3.1米、4米，台面铺砾石。其西、北再以砾石建石墙。坛上列有南、北两行墓葬共12座。依遗物判断，墓主可能是祭师。可见良渚时期的建筑，已经部分超越了日常生活的范畴。

阅读链接：

林华东：《河姆渡文化初探》，浙江人民出版社，1992年版。

严文明：《文明的曙光——良渚文化》，浙江人民出版社，1996年版。

浙江省文物考古研究所编著：《良渚遗址群》，文物出版社，2005年版。

工艺美术、原始宗教与初民精神

在人们通常的印象中，艺术这种高雅的精神文化产品似乎应该是社会物质文化发展到一定阶段的产物。但事实上，人类自由的心智和无尽的想象力并不为有限的物质条件所囿。早在1.5万年前的旧石器时代，法国南部蒙地亚克就产生了拉斯科洞穴壁画。至少1.2万年以前，西班牙北部坎塔布里亚也出现了阿尔塔米拉洞穴壁画。画中的动物和猎人造型栩栩如生，精妙传神，画面瑰丽雄奇，一点也不亚于后世的大师名作，令人叹为观止，也让人对初民的精神世界心存向往。

法国南部蒙地亚克的拉斯科洞穴壁画

中国原始艺术起源于

河姆渡出土猪纹陶钵

新石器时代，主要体现在器具制作、装饰等工艺美术层面，此外也有一些雕刻、壁画和人体装饰等方面的内容。浙江新石器时代从跨湖桥文化到好川文化，都有原始艺术的印痕，其中尤以河姆渡文化和良渚文化最为典型。

据林华东先生研究，河姆渡遗址出土的原始艺术品，绝大多数是以装饰艺术出现的，即在实用的生活用器表面装饰上花纹或雕刻成图像。制作技术主要有刻划、压印、拍印、戳印；其次为雕刻，有浮雕、钻刻、堆塑、捏塑等，大多施刻于陶器上；此外，还出现了彩绘陶器。陶器纹饰大多刻画于陶器口沿和腹部，内容包括太阳、月亮、花草树木、鱼鸟虫兽等，画面简洁舒展，风格朴实而又生机盎然，既反映了河姆渡先民热爱生活、热爱大自然的美好情感，也折射出先民期望风调雨顺、农业丰收的内心世界。代表作品有鱼藻纹陶盆、稻穗纹陶盆、猪纹陶钵、五叶纹陶块等。这些带有刻画艺术的陶器，出土时基本完整，即使是碎片，也是原地压碎，可以拼复完整，说明河姆渡先民对它们特别珍重，应是祭祀用品，推测原始宗教意识已在先民中萌芽。

河姆渡雕刻艺术品的材料相当讲究，有象牙、骨和木等质料，设计奇巧，寓意更是十分深奥。题材以鸟为主，其次有太阳、鱼、蚕等形象及几何形图案。大多施刻在一些蝶形器、匕、器柄、盅、笄、桨等实用器及装饰品上，以平面线刻居多，兼及圆雕、浅浮雕和错磨等手法。其中最引人注目的是一件双鸟朝阳纹象牙蝶形器，长 16.6 厘米，宽 5.9 厘米，厚 1.1 厘米，上半部残缺，底端也稍残。正面中间阴刻 5 个大小不等的同心圆，外圆上端刻有熊熊的火焰纹，象征太阳的光芒，两侧各有一只引昂勾喙鸷鸟拥载太阳，器物边缘还锥刻羽状纹。整件器物图像布局严谨，雕刻技术娴熟，形象逼真传神，寓意耐人寻味，是河姆渡原始艺术的精品。此外，河姆渡文物中还有不少以鸟类为题材的器具，如圆雕象牙鸟形匕、连体双鸟纹骨匕、木雕鸟形蝶形器等，其图案大多为勾喙鸷鸟。因此，林华东先生推测，双鸟朝阳图中的鸷鸟，很有可能就是河姆渡人崇拜的图腾。

河姆渡遗址中还发掘出了不少人体装饰品。在河姆渡遗址第四和第三文化层中出土了一些璜、玦、管、珠、环等，质料有玉和萤石两种，有的萤石在阳光下呈半透明状，闪烁着淡绿的光彩，晶莹美丽。同时，还有一些以兽类的獠牙或犬牙、鹿类的尖角和鱼类的脊椎骨制成的装饰品，这些装饰品大多钻有小孔，可贯穿起来组成串饰，佩戴在胸前或挂在脖子上。其中的玉玦有暗红与灰白等色泽，形状如带一小缺口的扁圆环形，属典型的耳饰。我国古代素以玉为美石，早先多制成装饰品，后来便赋以崇高、美好、神圣的意义。河姆渡玉器的出现，表明长江流域用玉历史悠久。

到了良渚文化时期，随着制陶业、玉器制造业及其他手工业的发展，浙江的工艺美术水平更是有了极大的提高。良渚出土的陶器，以泥质灰胎磨光黑皮陶最具特色，采用轮制，器形规则，圈足器居多，用镂孔、竹节纹、弦纹装饰，也有彩绘。

良渚玉琮

良渚陶罐

陶器工艺精湛，器形丰富，造型端庄秀丽，富有地域特色。其玉器制作承袭了马家浜文化的工艺传统，并吸取了北方大汶口文化和东方薛家岗文化各氏族的经验，更是达到了当时最先进的水平。良渚玉器大致可分为礼器、装饰品、生活用器和工具、组装件和杂器四大件，其中尤以琮、璧、钺、圭等礼器最具特色。器具专家分析，玉璧既是良渚先民用以献祭神明的礼器，又是防腐殓尸的法器，还有可能是部落之间交易的货宝和馈赠礼聘的贵重礼器，是一种财富的象征。玉钺则是权杖的标志。目前所见的钺，大多出自显贵者的陵墓，标志着墓主的身份等级，这也正是良渚文化已经进入阶级社会的体现。

不仅如此，良渚文化玉器还体现了丰富的精神内涵。如考古学家张光直就认为，玉琮形制内圆外方，体现了先民天圆地方的宇宙观，“方器象地，圆器象天，琮兼方圆，正象征天地的贯串”，“在许多琮上有动物图像，表示巫师通过天地柱在动物的协助下沟通天地。因此，可以说琮是中国古代宇宙观与通天行为的很好的象征物”。还有一些研究者将琮和璧联系起来，并引《周礼》“以苍璧礼天，以黄琮礼地”为证，主张琮是祭祀天地的礼器，或是巫师的通神工具。特别值得一提的是，1986 年

阅读链接:

张光直:《考古学专题六讲》，文物出版社，1986年版。

林华东:《浙江通史·史前卷》，浙江人民出版社，2005年版。

蒋卫东:《神圣与精致:良渚文化玉器研究》，浙江摄影出版社，2007年版。

良渚玉琮上的神徽纹

在余杭反山12号墓中出土的一件号称玉琮王的大玉琮（编号M21:4），在其四个正面的直槽内上下都刻着一个神人兽面像。对于这件微雕作品所体现的文化内涵，许多学者都作了解读，有说是神徽，有说是图腾，有说是神人兽面纹，有说是觋事神标帜，也有说是先秦典籍中所说的羽人国的始祖神人骑坐神兽的复合图像，众说纷纭，莫衷一是。但无论怎么解读，它都不是一个单纯的艺术品，而是具有浓厚宗教意味的象征物，它所隐含的原始艺术和原始宗教文化内涵是富有多义性的，值得人们从各个不同角度进一步阐释、探寻。

良渚文化：辉煌与陨落

在浙江新石器文化发展历程中，良渚文化无疑是一个最高峰。

良渚文化是新石器晚期的文化类型，主要分布在太湖地区，南以钱塘江为界，西北至江苏常州一带，其影响曾达长江北岸的南通地区。据碳 14 测定，其年代约为公元前 3350 —前 2250 年。经过发掘的重要遗址有江苏吴县草鞋山和张陵山，武进寺墩，无锡先蠡墩，张家港市徐家湾；浙江嘉兴雀幕桥，杭州水田畈，吴兴钱山漾，余杭反山、瑶山、汇观山和莫角山，宁波慈湖；上海市的上海县马桥，青浦福泉山等。大体可分为早、晚两期：早期以钱山漾、张陵山等遗址为代表，晚期以良渚、雀幕桥等遗址为代表。在这些遗址中出土的稻谷、玉器、刻纹黑陶、竹编器物、丝麻织品等，显示了长江三角洲新石器时代晚期到青铜时代初期的经济发展水平。

从地域角度来看，良渚文化与此前的马家浜—崧泽文化大体上属于一个文化系统。但在整个社会经济发展水平上，良渚文化不但在整体上超越了浙江各地早先的

良渚石犁

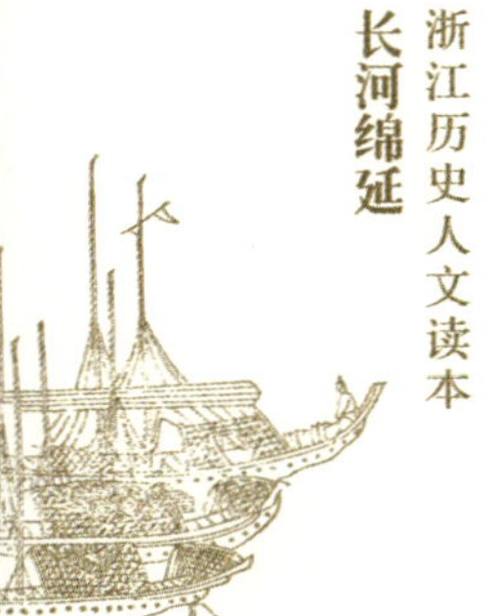

各个新石器文化类型，也在很大程度上超越了新石器晚期黄河流域和长江流域的许多新石器文化类型。在物质生产方面，良渚文化时期，稻作生产已相当发达。从出土的大量三角形石犁等农具看，良渚人已摆脱一铲一锹的耜耕而率先迈入了连续耕作的犁耕阶段。这是古代农业发展的一大进步。农业的发展促进了手工业的发展，也促进了整个社会的繁荣。良渚的制陶、治玉、纺织等各种手工业门类都相当发达，尤其精致的治玉工艺和玉器文化，更是达到了中国史前的最高水平。此外，良渚先民还发明了丝绸，将纺织技术提高到了一个新的水平。在社会生活层面，良渚时期已经由大型聚落发展到了城市，城市中心还出现了大型礼仪性宫殿建筑，表明当时已经建立了国家政权的雏形。这在中国早期国家起源史上，也是处于前列的。因此，不少专家都认为，良渚文化是中华文明的一个源头，中国文明的曙光是从良渚升起的。

但在良渚文化辉煌的表象下，也隐含着自我毁灭的根源。

良渚文化玉器

据专家分析，自良渚文化中期后段开始，良渚社会生产力水平就有逐渐下降的趋势。当时，良渚已经建立了国家政权的雏形，整个社会的权力都把持在由部落首领和巫师、武士组成的统治集团手中。他们不但无偿占有基本的物质生活资料，还驱使农夫、工匠和奴隶为他们生产可以满足他们权力欲望和享乐需求的奢侈性物品，如玉器、宫殿建筑和大型墓葬等等，以致非生产性的劳动支出在社会生产中占了相当大的比重。这不仅损害了下层民众的利益，造成了巨大的社会矛盾，还破坏了以农业为基础的生产经济，损害了良渚文化的社会基础。这在墓葬遗存中表现得十分明显。在浙江反山、瑶山、汇观山等贵族墓地，大多建有人工堆筑的大型墓台，贵族墓大都具有宽大的墓穴、精致的葬具，特别是随葬有一大批制作精美的玉礼器。与其相对的则是如徐步桥、千金角、平邱墩、吴家埠、庙前等遗址所见到的小型平民墓葬，它们不具有专门的营建墓地，只是散落在居住址的周围，墓穴狭小，随葬的只是简陋的陶器及小件的装饰用玉饰件。可见，良渚社会的两极分化是相当严重的。

更有甚者，为了扩大势力范围，获得更多的财富和权力，良渚地区的统治者还与周边地区发生了频繁而持久的战争，其中包括与海岱地区大汶口—龙山文化社会的长期战争，以及与中原地区、江淮地区和浙西地区的武力冲突，这就直接危及了许多人的生命，也危及了政权自身。良渚文化晚期，中原地区已经进入夏王朝统治时期，各地方国崛起。良渚部族本来在当时是最发达、最强悍的一支，但是由于内部两级分化，人心不稳，加之连年征战，消耗过大，国力日益削弱，在频繁的战争中逐渐失去了取胜的优势，抵挡不了外敌的入侵。所以，林华东先生认为：“良渚文化衰亡的主要原因是其社会畸形发展和对外征战与内部矛盾的积重难返所致。一旦外力势力入侵，便一触即溃，演绎出史前社会的历史悲剧。”

不过，也有不少专家认为，良渚文化的衰亡，主要是出于自然灾害，也就是传说中的大洪水时代。据他们分析，公元前 3000 年（距今约 5000 年）前后，全球性气候变暖，冰川融化，海平面上升，高出以前 2 米左右，造成了一次大规模的海侵。与此同时，内陆降雨量明显增多，江河水涨，洪水泛滥，长江三角洲一片汪洋，特大洪水灾难延续了若干年，太湖平原除了少数高地和丘陵外，全部沦入汪洋之中，良渚人无法生存，只能举族迁徙。其中南下的一支到达粤北（今广东省北部）后融入了石硖文化，其主体则渡江北上到达了中原，但因中原部族的联合抵制，良渚先民未能在中原取得一块立足之地，而是被中原的龙山文化先民打败，最后不得不被胜利者吸收、同化和融合，因此在龙山文化中可以看到相当多的良渚文化因素。几百年后随着气候变化，积水消退，另外一支部族马桥文化的人们逐渐来良渚定居，并从在少数高地和丘陵上残留的部分良渚人那里吸收了良渚文化的一些成分。但因客观物质条件所限，良渚文化并没有在马桥人手上得到充分发展。马桥时期陶器制作欠精，造型比较简朴；玉器不仅品种少，而且质量差、雕工粗劣简陋，社会生产力水平远远不及良渚文化。浙江后来出现的越文化也从未重现玉器文化的辉煌。因此，直到今天，仍有不少人为良渚文化的消亡而兴叹、惋惜。

阅读链接：

浙江省文物考古研究所编：《良渚文化研究》，文物出版社，1999年版。

浙江省社会科学院国际良渚文化研究中心编：《良渚文化探秘》，人民出版社，2006年版。

刘恒武：《良渚文化综合研究》，科学出版社，2008年版。

于越春秋

沉寂之后，
吴、越两国在春秋战国时期
重登历史舞台，
但军事上的胜利，
并不能掩盖社会经济和
文化基础的薄弱，
故其兴也勃，
其亡也忽。

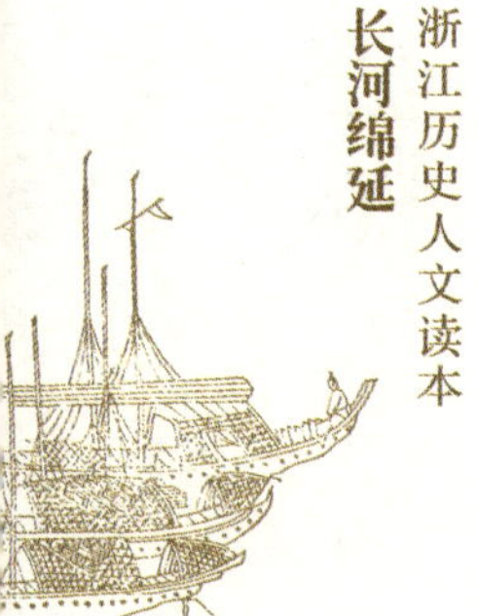

良渚文化消亡以后，浙江大地重回蛮荒状态，文明出现了大倒退。恶劣的自然气候，严酷的生存环境，使得人们只能为生存而挣扎，社会经济文化不能得到长足的发展。夏商两代数百年，中原文化持续繁荣兴旺，浙江一隅处于荒凉沉寂之中，不是一个偶然的现象。直到春秋战国时期，因列国争霸，中原各国实力削弱，吴国、越国乘机相继崛起，又重新登上历史舞台。但越国的崛起只是军事胜利，缺乏深厚的社会经济和文化基础，故其兴也勃，其亡也忽。回顾这一段历史进程，对族群冲突和区域文化竞争的内涵想必会获得更多的领悟。

鲧禹治水与三代之治

“汤汤洪水方割，荡荡怀山襄陵，浩浩滔天。”（宋蔡沈《集传》：“怀，包其四面也。襄，驾出其上也。”）这是中国古代最早的典籍《尚书》中记载的帝尧晚期的洪水情形，大意是指洪水滔滔，淹没了山陵，造成了普遍性的危害。战国时人孟子亦称：“当尧之时，天下犹未平。洪水横流，泛滥于天下；水逆行，泛滥于中国。”（《孟子·滕文公上》）此外，《山海经》和《淮南子》中也有关于洪水的记载（“洪水滔天，鲧窃息壤以湮洪水。”——《山海经·海内篇》）。虽说《尚书》成书之年尚不可考，孟子去尧之时已远，传说的帝尧是否存在也是一个疑问，但这些记载足以说明，对于上古时期的大洪水，先秦时期的人们是深信不疑的。

无独有偶，世界上许多民族的上古史中，都有关于大洪水的类似记载。如古代巴比伦《季尔加米士史诗》即称：“洪水伴随着风暴，几乎在一夜之间淹没了大陆上所有的高山，只有居住在山上和逃到山上的人才得以生存。”公元前3500年前的苏美尔泥版文书还记载了洪水发生的情形，说“那种情形恐怖得让人难以接受，风在空中可怕的呼叫着，大家都在拼命地逃跑，向山上逃去，什么都不顾了。每个人都以为战争开始了”。古代墨西哥的《奇马尔波波卡绘图文字书》则描述道：“天接近了地，一天之内，所有的人都灭绝了，山也隐没在了洪水之中……”至于基督教《圣经》中的洪水和诺亚方舟的故事，更是人们耳熟能详的。据统计，全世界已知的关于大洪水的传说有600多则，而且情节都很相近，叙述的都是一种大范围的近乎灭绝性的大洪灾。可以说，大洪水是早期人类各部族共同的集体记忆。

相关研究表明，在延续至今的这个文明时代到来之前，地球上的确曾经发生过多次大洪灾。按照西方一些学者的观点，大洪水发生的大致时间是在公元前14000—前8000年之间，有的还把洪水原因归结为距今8740—8160年间的北美劳伦太德冰盖融化。而据中国学者吴文祥、葛全胜分析，“我国在4200 ~ 4000aBP气候发生了突变，这一气候巨变具有全球性，并且与世界上几大古代文明和中原周围地区龙山文化衰落有关。史前大洪水的发生与全球性的气候降温事件在发生时间上的吻合，可能表明两者之间存在一定成因上的联系。气候变化会导致季风雨带的北撤，致使降水量的增加或降水时间的延长；另外，冷期降水变率的增大提高了异常洪水发生概率；同时，由气候变化导致的植被覆盖率降低可以引起土壤抗侵蚀力减弱，增加水沙含量，从而增加黄河决溢的可能性。这几种因素共同作用，可能导致史前异常洪水的发生”。此外，也有学者根据对洛阳二里头遗址南沉积剖面的粒度和磁化率分析，得出了相类似的结论。可见传说中的帝尧时代后期的大洪水很有可能是真实的。

据《史记·夏本纪》记载：“当帝尧之时，鸿水滔天，浩浩怀山襄陵，下民其忧。尧求能治水者，群臣四岳皆曰鲧可。尧曰：‘鲧为人负命毁族，不可。’四岳曰：‘等之未有贤于鲧者，愿帝试之。’于是尧听四岳，用鲧治水。九年而水不息，功用

不成。于是帝尧乃求人，更得舜。舜登用，摄行天子之政，巡狩。行视鲧之治水无状，乃殛鲧于羽山以死。天下皆以舜之诛为是。于是舜举鲧子禹，而使续鲧之业。尧崩，帝舜问四岳曰：‘有能成美尧之事者使居官？’皆曰：‘伯禹为司空，可成美尧之功。’舜曰：‘嗟，然！’命禹：‘女平水土，维是勉之。’禹拜稽首，让于契、后稷、皋陶。舜曰：‘女其往视尔事矣。’……禹乃遂与益、后稷奉帝命，命诸侯百姓兴人徒以傅土，行山表木，定高山大川。禹伤先人父鲧功之不成受诛，乃劳身焦思，居外十三年，过家门不敢入。薄衣食，致孝于鬼神。卑宫室，致费于沟淢。陆行乘车，水行乘船，泥行乘橇，山行乘檋。左准绳，右规矩，载四时，以开九州，通九道，陂九泽，度九山。令益予众庶稻，可种卑湿。命后稷予众庶难得之食。食少，调有余相给，以均诸侯。禹乃行相地宜所有以贡，及山川之便利。”若此记载属实，则洪水持续的时间起码超出22年。对于这么大的洪水，不要说在社会物质条件和生产力水平极其低下的上古时期，就是在今天，人类只怕也要束手无策，但当时的摄政王舜却以治水无状的罪名将受命率众治水九年的鲧诛杀。这对鲧来说，显然是不公平的。所以，后来也出现了一种说法，称鲧之被诛，是因反对尧传位于舜，此说可能比较接近事实，也反映了尧、舜、鲧之间复杂的权力竞逐关系。

夏禹像

据《史记·五帝本纪》记载：黄帝二十五子，其中有两个儿子为其正妃嫘祖所生，一个叫玄嚣，一个叫昌意。昌意之子高阳有圣德，于黄帝死后继位，是为帝颛顼也。

颛顼有子三：鲧、穷蝉、称。但死后继其位者非其子，而是玄嚣之孙高辛，是为帝喾。帝喾又传位给自己的儿子尧，故尧对堂叔父鲧一直怀有戒心。当群臣推举鲧职掌治水之责时，他竟不惜以“负命毁族”（即违背天命、毁败宗族）的恶名诋毁鲧的为人，但因当时的天子只是部落联盟共主，行事尚需征求群臣四岳（亦即各个部落首领）的意见，不可独断专行，而四岳对鲧又极其支持，认为他贤于众人，尧才不能不让鲧来治水。就事论事，治水的确是件苦差事，既要有较高的组织能力和领导才能，也要任劳任怨，有时甚至会吃力不讨好。但在抗洪救灾时期，治水又是最重要的一项工作，可以最大限度地调动人力物力，积累政治实力，提高社会威望。所以，帝尧对鲧一直相当提防。孰料鲧的侄子虞舜（系穷蝉之子）在政治上更有才干，早年即以孝行闻名获得人望，后又通过尧的考验，得到了他的信任，开始参与朝政。在此过程中，舜起用素有贤明之称的“八元”“八恺”分别职掌土地与教化，又将与朝廷有过节的所谓四凶族流放到边远荒蛮之地，以此排除异己，厚植根基。后终被四岳推举为帝尧的继承者，并迫使尧让位于己。但因当时水灾仍在继续，而治水又是夏鲧部落的特长，舜在处死鲧之后，仍不得不听从四岳的建议，让禹子继父职，这就为夏部落重振旗鼓创造了条件。

按照传统的说法，禹继鲧之后，治水成功，主要是因为他吸取了父亲的教训，在德、能、勤、绩各方面都有更好的表现。除了“居外十三年，过家门不敢入”的优秀事迹以外，后人最

为称道的是他所采取的以疏导为主的治水方式。据说，这是他能避免重蹈其父“壅防”（即筑坝治水）方式失败之覆辙、取得治水成果的关键。但现在看来，这种说法恐怕是不能成立的。因为，治水通常都会采取疏和堵两种方式。所谓“疏”，就是疏通河道或开渠引流，将水流从高处排到低处，或从低处排到更低处。所谓“堵”，就是筑坝挡水，防止上涨的水流淹没田园房舍。一般来说，当洪水上涨之时，只要不是处在已被淹没的低洼地带，而是处在高地和山陵，人们肯定会以堆土石坝的方式来阻挡从低处漫上来的洪水，而对从高处漫下来的水流，则会采取挖沟导流的方式，使之不至于冲垮人的住处。但是，一旦洪水上涨势头猛，筑坝就无济于事了，疏导更无用武之地。只有当洪水退却之后，才需要用开渠的方法将积水疏导出去。可见，鲧壅防未竟其功，是因洪水不断泛滥之过，而禹疏导有功，不过是洪水退却后的因势利导之举。事实上，大禹接替其父的治水之责是在鲧治水九年之后的事，此时洪水应该已经开始退却，所以才不需要筑坝挡水，而是要疏通河道，将高处的积水引到低处，将平地的积水引到河道。然后将谷种分给百姓，让他们可以种在低湿的地方（即上述引文中的“可种卑湿”之意）。这表明当时洪水的确已经退却，也说明大禹除了治水以外，还承担了恢复重建的工作。因为灾后粮食缺少，大禹就在部落之间进行调剂，并对各地的物产和交通状况进行实地考察，因地制宜，确定各地的财赋和贡品的数量。这些措施，无疑扩大了他对各个部族的影响力，为他后来从虞舜手中夺得最高权力奠定了基础。

众所周知，传说中的尧、舜、禹，是儒家膜拜的三代圣王；复三代圣王之治，是包括孔子在内的许多儒家士人的社会理想。但从古籍中的相关记载来看，帝尧后期和帝舜前期正是洪水肆虐之时。尧、舜、禹之间的所谓禅让，其实也只是被迫让位的一种虚饰之辞。那么，为什么后人还对三代之治心向往之呢？除了对上古时期的理想化心态以外，笔者认为，有两个真实的因素是值得重视的。（1）三代之时，虽有君主，但君主只是部落联盟共主，需要通过各部落共同推选，重要事项要由各部落首领与部落共主共同商议决定，这种部落共治的形式对君主权力构成了强有力的制衡，使得君主不能任意把自身的利益或本部落的利益凌驾于整个部落联盟之上，同时也使选贤任能成为了一种可能，这正是后世的君主专制和世袭制所不可及的，也是后代士人对三代之治表示艳羡的一大原因。（2）三代之时，虽然水灾严重，生存环境恶劣，但在各部族的共同努力之下，毕竟还是有不少人生存了下来，使种群和文明得以延续，而没有回到蛮荒时代。洪水过后，通过治理，自然环境逐步得到改善，农业生产得到恢复，部族发展有了新的物质基础。尤其值得一提的是，在抗洪过程和事后的恢复重建过程中，各部族和部族之间的社会组织化程度也得到了很大的提高，这也为向更高形态的文明进展创造了条件。夏禹继位之后，出现了中国历史上第一个王朝形态的国家组织。这并不是偶然的，而是社会组织化程度提高的结果，也是中国早期文明演化进入新的历史阶段的标志。因此，虽然我们今天不必像古人那样将三代之治理想化，也不必讳言三代权力斗争的血腥和历史演进的艰辛，但是我们仍有非常充足的理由对唐、虞、夏诸部落先民们延续和开拓文明的伟大业绩表示追慕和崇敬。

阅读链接：

（西汉）司马迁：《史记·夏本纪》，浙江古籍出版社，2000年版。

徐旭生：《中国古史的传说时代》，科学出版社，1960年版。

吴文祥、葛全胜：《夏朝前夕洪水发生的可能性及大禹治水真相》，《第四纪研究》，2005年11月。

夏与越：传说与现实

传说大禹治水，东渐于海，西被于流沙，行迹及于蛮荒之地，其中也包括当时的大越之地。据《越绝书·外传记地传》记载："禹始也，忧民救水，到大越，上茅山，大会计，爵有德，封有功，更名茅山曰会稽。"另据《国语·鲁语下》记载："吴伐越，堕会稽，获骨焉，节专车。……仲尼曰：'丘闻之：昔禹致群神于会稽之山，防风氏后至，禹杀而戮之，其骨节专车。此为大矣。'……客曰：'防风何守也？'仲尼曰：'汪芒氏之君也，守封、嵎之山者也，为漆姓。在虞、夏、商为汪芒氏，于周为长狄，今为大人。'"《韩非子·饰邪》亦称："禹朝诸侯之君会稽之上，防风之君后至而禹斩之。"那么，这位因开会迟到而被大禹斩杀示众的防风氏，究竟是何方神圣呢？

据三国时吴国人韦昭为《国语》所作的注："封，封山；嵎，嵎山。在今吴郡永安县。"吴郡永安县即今之浙江湖州德清，故可推断防风氏应系良渚文化故地遗民部落首领。据东汉赵晔所著《吴越春秋》一书分析，禹之所以要以违命为由斩杀防风氏，主要目的就是要向诸侯宣示他的权威，表示"天下悉属禹"的意思。这种小题大做、草菅人命的做法，用现代法治和人道观念衡量，当然是很不靠谱的，但却是新朝立威最常用也最有效的恐怖手段。可见大禹当时事实上是以外来征服者的身份君临越地的，斩杀越地部落首领，正是为了确立夏王朝对越地的统治。这也是越地归附于中原王朝的开始。但越地当时只是夏王朝的边陲地带，朝廷统治鞭长莫及，加之人口稀少，物产贫瘠，故夏禹在杀了防风氏之后，并没有在越地封爵，只是交代群臣："吾百世之后，葬我会稽之山；苇椁桐棺；穿圹七尺，下无及泉；坟高三尺，土阶三等……"（东汉赵晔《吴越春秋·越王无余外传》）据《史记·夏本纪》记载："十年，帝禹东巡狩，至于会稽而崩。"如此说来，夏禹应该是葬在了会稽。据说绍兴大禹陵的墓葬，正与《吴越春秋》中的描述相似，所以有人认为，这是大禹葬在会稽的证据。但反过来说，也有可能是汉代人根据当时的大禹陵的样子，编造出禹的一段遗嘱。这就说不清楚了。

到目前为止，对夏与越渊源关系的叙述，大多出自汉人所著的三部史籍，即《史记》《越绝书》和《吴越春秋》。《史记》比较简约，除了关于夏禹东巡死于会稽的记载外，只有《越王勾践世家》开头的这一段叙述："越王勾践，其先禹之苗裔，而夏后帝少康之庶子也。封于会稽，以奉守禹之祀。文身断发，

绍兴大禹陵山水

绍兴大禹陵

披草莱而邑焉。后二十余世，至于允常。允常之时，与吴王阖闾战而相怨伐。允常卒，子勾践立，是为越王。”《吴越春秋》中的记载则比较详细，情节也比较生动。书中称，禹死后传位于益，益服丧三年后又让位于禹子启。“启使使以岁时春秋而祭禹于越，立宗庙于南山之上。禹以下六世而得帝少康。少康恐禹祭之绝祀，乃封其庶子于越，号曰无余。余始受封，人民山居，虽有鸟田之利，租贡才给宗庙祭祀之费。乃复随陵陆而耕种，或逐禽鹿而给食。无余质朴，不设宫室之饰，从民所居。春秋祠禹墓于会稽。无余传世十余，末君微劣，不能自立，转从众庶为编户之民。禹祀断绝。十有余岁，有人生而言语，其语曰：‘鸟禽呼嚥喋嚥喋。’指天向禹墓曰：‘我是无余君之苗末。我方修前君祭祀，复我禹墓之祀，为民请福于天，以通鬼神之道。’众民悦喜，皆助奉禹祭，四时致贡，因共封立以承越君之后。复夏王之祭，安集鸟田之瑞，以为百姓请命。自后稍有君臣之义，号曰无壬。壬生无曎，曎专心守国，不失上天之命。无曎卒，或为夫谭。夫谭生元常。常立，当吴王寿梦、诸樊、阖闾之时，越之兴霸自元常矣。”（东汉赵晔《吴越春秋·越王无余外传》）这里说的“元常”，就是《史记》中说的勾践之父允常。允常之时，已是春秋末年周敬王在位时期。若从允常上推至无壬，不过只

有四代，加上无余之后的十余代，算起来最多也只有司马迁所说的二十余世，而周朝仅周武王到周敬王就有二十六代，商朝从成汤到帝辛（即纣王）有三十一代，夏朝从少康到桀也有十代，加起来足有六十七代，可见司马迁和赵晔的说法定然有大的纰漏：要不就是中间少算了四十代左右，要不就是不存在这么长的可以横跨夏商周三代的王侯世家。答案很明显，肯定是后一种。因为一个历七十余代（允常后还有将近十代）而不坠的诸侯国，只可能存在于传说与想象之中，不可能是一种真实的历史存在。

那么，究竟如何看待夏与越之间的关系呢？对于这个问题，我们可以分两个时段进行分析，其中前一个时段应限定在夏代的范围。据《史记·夏本纪》记载，夏王朝从少康中兴到夏桀亡国，其间共传了十代，这与《吴越春秋》中所说的“无余传世十余”代的时间正好大致相当。在此期间，无余及其后人作为夏王室后裔驻守在会稽，主要承担的就是护卫宗庙、主持祭祀的职责。当时社会生产力水平和社会组织化程度都很低，夏宗室虽有宗庙田产（亦即所谓“鸟田”）可供越人耕种，收取租赋和贡品作为宗庙祭祀的费用，但要维持生存，仍需自己动手从事农耕围猎，因而不可能像中原王室那样去建造宫室。从无余躬耕陇亩，“不设宫室之饰，从民所居”的情形来看，他很可能只是被封了一个爵位，将宗庙周边作为采邑，向在鸟田耕种的越人收取租赋，向到庙里祭拜的民众收取一些香火费而已。不要说作为一个国王，就是作为领主的资格也不具备，因为领主起码有城堡，有家丁，而无余及其后人所有的只是一处

庙产而已，只有庙产和祭祀才是他们夏宗室贵族身份的标记。但是，夏王朝覆灭之后，宗庙祭祀对于夏人来说已经失去了延续夏朝国祚的意义，对于越地民众来说也不再具有王室的权威，无余的后人也就不可避免地失去了贵族的身份，“转从众庶为编户之民”。这并不是因为“末君微劣，不能自立”，而是因为中原已经改朝换代，越地边鄙，自然不可能再奉夏为正朔，而必须归附新朝殷商。

那么，为什么后来越国又会打出“夏禹之后”的旗号呢？道理很简单，因为当时正是诸侯争霸时期，周天子的权威已经失坠，地处边鄙的越国不可能挟天子以令诸侯，而要在诸侯国之争中赢得话语权，与那些血统高贵的列国诸侯相抗衡，借助三代圣王的名义显然是一个好办法，这也正是历来被视为蛮夷的越国君主必须抬出夏禹这样的神人作为祖宗的真正原因。而要证明自己为夏禹之后，恢复禹庙祭祀显然是必不可少的一步。因此，有人便采取巫术手段，以装神弄鬼的手法骗取民众的信任，使得民众相信他具有通天的能力，从而获得主持禹庙祭祀的资格，然后又以主持禹庙祭祀的行为反过来证明自己是夏禹之后，具有统治民众的正当权威，这也

大禹陵香火不息

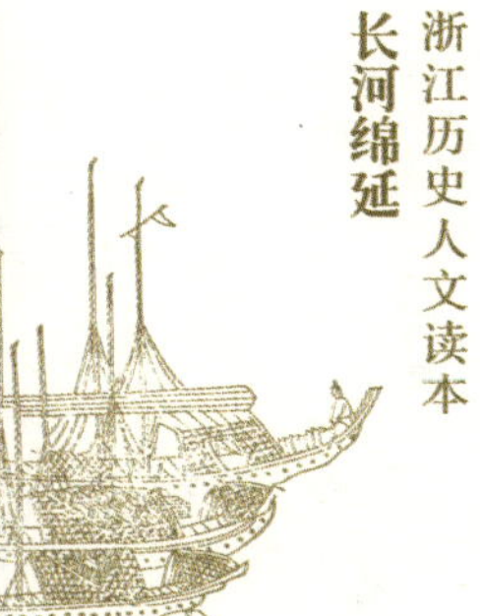

正是《吴越春秋》中描述的无壬事迹。但无壬此人若是生活在禹祀断绝仅十余岁之时，肯定不可能被民众推为新君，而只能成为一个依赖庙食的巫师，因为当时越地根本不可能有什么政治组织的存在。而从允常逆推，则无壬应为春秋时人。若此人果真存在，最初恐怕也只能成为主持禹庙献祭的一个巫师。但是，因为当时越地社会生产力发展水平已经相对比较高，部落联盟之类的社会组织恐怕已经出现，而越地从河姆渡时期开始，就有尚巫之风，故无壬和他的后人很有可能会利用巫术和主持禹庙献祭的身份，在越人部落中获取政治资源，而当他们成为部落首领之后，他们就更需要以夏禹之后的身份在更大的范围内得到认同。但事实上，除了祭禹这种象征性的仪式以外，并没有任何证据证明他们是在夏王朝覆灭之际即已沦为平民的无余后人的后人。因此，在没有充足的证据出现之前，我们不能沿用司马迁等人的说法，把春秋战国时期的越国君主视为夏禹之后，而只能说，越为禹后的说法，只是春秋战国时期越国君主的一种意识形态化妆术。

需要指出的是，在《史记》等古籍中，越为禹后的说法其实是限定在越国君主与夏禹的关系上的，并没有用来说明越族和夏族的关系。但近代以来，却有一些学者以《史记》等古籍中的一些相关论述作为文献依据，再加上一些考古资料，分析推导出越人系北方夏人迁至越地，越族为夏族之后的结论。另有一些学者，则反过来认为越地本来就是夏王朝的发源地，可以说是夏为越后。在笔者看来，这两种截然相对的说法恐怕都

是不符合历史事实的。因为越地从新石器时代以来，始终都有越人存在，即使在导致良渚文化消亡的大洪水时代，也仍有不少越人从平原地带退到山地谋生。到了洪水过后，平原露出水面，越地可能会有一些异族人进入，但当时的生存环境并不适合大规模移民，越地民众的主体仍然是土著。即使夏人有可能到过越地，越地也不可能成为夏王朝的发迹之基，故夏为越后之说和越为夏后之说皆不能成立。而在夏王朝成立之后，越地也始终只是一个边缘蛮荒地带。因此，我们还是只能从边陲与中心、本土弱势文化与外来强势文化这样的角度来理解越与夏的关系，而不能一厢情愿地以某些支离破碎的材料和主观随意的阐释方式来重构传说时代的中国古史。

阅读链接：

丁山：《古代神话与民族》，商务印书馆，2005年版。

丁山：《商周史料考证》，中华书局，1988年版。

蒙文通：《越史丛考》，人民出版社，1983年版。

诸侯争霸与越国兴衰

按照通常的说法，越国的开国是从少康封其子无余于越的时候开始的。越国君主原先是夏禹的后人，此说最早见于西汉司马迁的《史记·越世家》，并为东汉史家所作的《越绝书》《吴越春秋》等书承袭，直到今天仍是一种主流观点。但是，从《逸周书》《墨子》和《竹书纪年》等先秦典籍的相关记载来看，于越立国应该是在西周第二代君主周成王时期。

据《逸周书 · 王会解》记载，周成王七年（前 1036），东都雒邑（别称成周，即今之洛阳）建成之后，辅政七年的周公还政于成王，成王遂于成周举行祭祀仪式，并大会诸侯及四夷。与会的蛮夷部落首领中，就有来自东南地区包括东越（即闽越）、东瓯（今永嘉）、干越（今属江西余干县）、姑妹（即后之姑蔑，在今龙游）、且瓯（即闽越之西瓯）、会稽等地越族部落的首领。他们各自都带了出自本地的一种水生物（如海蛤、鳝鱼、螃蟹）作为贡品，其中要数会稽的贡品鼍（亦称扬子鳄、鼍龙、猪婆龙。系爬行动物，吻短，体长 2 米多，背部、尾部均有麟甲。穴居江河岸边，皮可以蒙鼓）最为奇特。这表明会稽等地当时还未

脱蛮荒，并没有一个比较正规的名号，更没有以越国的名目出现在成周之会中。

但是，从《墨子·非攻下》中记载的一段墨子（前468—前376）与人的对话中，我们却又看到了越国似乎已在周成王时期出现的迹象："则夫好攻伐之君，又饰其说以非子墨子曰：'子以攻伐为不义，非利物与？昔者楚熊丽始封此睢山之间，越王繄亏，出自有遽，始邦于越。唐叔与吕尚邦齐晋。此皆地方数百里，今以并国之故，四分天下而有之。是故何也？'子墨子曰：'子未察吾言之类，未明其故者也。古者天子之始封诸侯也，万有余，今以并国之故，万国有余皆灭，而四国独立。此譬犹医之药万有余人，而四人愈也，则不可谓良医矣。'"一般认为，吕尚（即姜尚）被封为齐侯，是在西周建国之初、周武王登基后不久；武王之子、成王之弟唐叔虞受封，是在周公旦率军征服唐国之后。这两人都是周室的核心成员，受封为诸侯的过程自然比其他诸侯顺利得多。相比之下，楚人的立国之路则比较曲折。据古籍记载，楚

绍兴印山越国王陵

人早年居住在荆山与睢山之间，商、周争霸之时，楚熊丽之父芈熊蚤率部西行投奔周室，受到周文王的器重。但周武王继位后，有图南之意，楚熊丽不得已，只得率部重回故地。直到周成王继位之后，楚人才被周室重新接纳，楚熊丽之孙熊绎才于周成王三十七年（前1006）被封为楚君。从细节上来看，楚熊丽始封睢山的说法恐怕是不确切的，但从整个过程来看，楚人建国的时间又与吕尚邦齐到唐叔封晋的时间大致吻合。可见与墨子对话的那个"好攻伐之君"是在武王到成王年间这么一个时间段里谈论楚、越、齐、晋四国的来历的。而从对《逸周书·王会解》的分析中，我们又知道，周成王七年（前1036）成周之会时，并没有出现一个越王，有的只是几个不知名的越地部落首领，可见越王翳亏"始邦于越"的时间肯定比这一年要迟。那么，它究竟是在哪一年呢？

依笔者之见，越王翳亏"始邦于越"应该是在周成王二十四年（前1019）。因为，据《竹书纪年》记载，周成王二十四年（前1019），"于越来宾"（宾，即宾服之意，并非单纯的国事访问。据《尚书·顾命篇》称，周成王葬礼上，"越玉五重陈宝"，此或即于越来宾时所贡），可见于越是在这一年与周室建立朝贡关系的。西周实行五服制度，按照关系亲疏和地理位置的远近将列国分为邦内甸服、邦外侯服、侯卫宾服、夷蛮要服、戎狄荒服五种，"甸服者祭，侯服者祀，宾服者享，要服者贡，荒服者王。日祭，月祀，时享，岁贡"（《国语·周语上》）。于越是东南地区少数部族，属于蛮夷要服之列，只有

以岁贡的形式向周室表示臣服，将周王朝视为宗主国，才能得到周天子对其自主权的认可，否则就有可能受到周室和其他诸侯国的讨伐。这对于越国这样的蛮夷国家来说，显然是很不平等的。因此，当周室的实力一度削弱以后，越国就与东夷一些国家一道，脱离了周天子的控制。

据《竹书纪年》记载，周穆王三十七年（前 940）“大起九师，东至于九江，架鼋鼍以为梁，遂伐越，至于纡”。这表明，越与周之间的朝贡关系在当时已经破裂。周惠王六年（前 671），楚成王即位，遣使朝拜天子，周惠王在赏赉使者之时，又交代楚国要“镇尔南方夷越之乱，无侵中国”（《史记 · 楚世家》）。当时，周惠王从内乱中复位还只有两年，力量微弱，对诸侯国缺乏统驭之力。南方夷越对周室并不臣服，且常有侵扰中原之举，故周惠王将镇抚之责交托给南方强国楚国。楚国于是趁机扩张，将疆域扩张到南北千里的范围。公元前 601 年，楚兴兵灭舒蓼（在今安徽舒城），至滑汭（在今安徽巢县一带），召吴、越两国会盟，确立盟主地位。越国势单力薄，只得服从，并向楚国纳贡。但靠近中原的吴国并不甘心受到楚国的控制。公元前 585 年，吴国君主寿梦称王，次年与中原大国晋国结盟，发兵征讨楚国及其属国巢、徐二国，夺取了楚国的州来邑，将原属于楚的蛮夷地带收归已有，吴国从此成为大国（《左传·成公七年》）。其后，吴、楚两国经常交战，越国因与楚国结盟，且与吴国有地缘政治利益冲突，因而也被卷入到与吴国的战争中。

公元前 544 年，吴人与越人交战，俘获越军士兵为其看守舟船，结果导致吴王余祭在观舟时被俘虏击杀。公元前 537 年，楚以诸侯及东夷伐吴，越大夫常寿过率师会楚于琐（今安徽霍丘东），闻吴师出，楚军强迫越军随从，因疏于防备，为吴师所败。公元前 518 年，楚兴舟师伐吴，越国派人到豫章劳军，并率师跟从楚王，攻至圉阳后返回。吴人随后发起反攻，反趁楚军不备，攻取巢及钟离。公元前 510 年夏，吴国首次挥师南下，讨伐越国，越王允常率军迎战，不敌吴军，越国边境重镇檇李（在今嘉兴至桐乡一带）被吴国占领。公元505年春，越闻吴王阖闾攻楚入郢，后方兵力空虚，乘机对吴国发动突然袭击，收复失地。楚因得秦之助打败吴师。吴王阖闾之弟夫概乘机自立为王，阖闾只得引兵回国，夺回政权。夫概事败奔楚。公元前497年，越王允常卒，其子勾践继位。次年，吴王阖闾兴师伐越，勾践陈兵檇李抵御，用计大败强敌。阖闾被戈击伤，卒于陉，去檇李七里。其子夫差继位，为报父仇，日夜练兵。勾践得知，欲先发制人，于公元前494年出兵犯吴，与夫差率领的十万大军在夫椒（今江苏苏州西南太湖边）决战，结果大败，只带了五千残兵退回会稽。吴军乘胜追击，突破浙江天堑，兵临会稽山下。越王勾践迫不得已，遣使入吴，请委国为臣妾，

木客大冢为勾践之父允常墓

越王者旨於睗剑

夫差乃罢兵去。

经此一役，越国元气大伤，不但要向吴国纳贡称臣，就连疆域范围也被压缩到钱塘江南岸宁绍平原一带。勾践卧薪尝胆，欲图自强，改弦更张，将大本营从山区迁往山会平原，开始建造勾践小城和山阴大城。与此同时，他又听从大夫文种的建议，采取了一些与民生息的政策，省其赋敛，缓刑薄罚，使经济得到了恢复，也为东山再起打下了根基。而当时吴国随着势力的扩大，又将战略重心转到了北方，对越国放松了控制。勾践七年（前 490），夫差将原属于越的钱塘江北部地区还给了越国，又“增之以封。东至于勾甬，西至于檇李，南至于姑末，北至于平原（今属海盐），纵横八百余里”（《吴越春秋・勾践归国外传》）。〔另据《国语・越语上》记载：“勾践之地，南至于句无（今属诸暨），北至于御儿（今属桐乡），东至于鄞（今属鄞州），西至于姑蔑（今属龙游），广运百里。”〕这也使得吴国自己失去了一个防御越国进攻的缓冲地带。到了公元前 482 年，吴王夫差率兵伐齐，北会诸侯于黄池，做了名义上的霸主。早已重振旗鼓的越国又乘其后方空虚，起兵伐吴，攻入吴都姑苏，杀了吴国太子。后因自度未能灭吴，故与吴议和，停战三年。公元前 478 年，勾践再次起兵伐吴，在吴地笠泽（今江苏吴江附近）大败吴师。此后，越国又向吴国发起多次进攻，终于在公元前 473 年冬消灭吴国，将其疆域纳入越国版图。

公元前 468 年，勾践将国都从会稽迁至琅琊（今山东诸城县东南）。此时，越国国力已超过齐、楚、晋三大国，越王勾践也成为雄踞南方的新的“霸王”。据考

证，勾践之后三四代，越国都保持着强盛之势。直到越王翳晚年，才由盛转衰，不得不于公元前379年将国都从北方的琅琊迁到江南的旧吴故都姑苏。然而，就在这种弱势状态下，越国君主仍不改其好战的风格。据《史记·越王勾践世家》记载，公元前333年，“王无彊时，越兴师北伐齐，西伐楚，与中国争强。……齐威王使人说越王……于是越遂释齐而伐楚。楚威王兴兵而伐之，大败越，杀王无彊，尽取故吴地至浙江，北破齐于徐州。而越以此散，诸族子争立，或为王，或为君，宾于江南海上，服朝于楚”。由此可见，好战争强正是越国走向衰亡的一大主因。但越国此时并未灭亡，而是分裂成了几个小国，散布在以会稽为中心的于越本土以及东瓯、闽越等地，一直延续了一百多年，直到秦汉之际才渐次消亡。

由于越国称霸是浙江本土政权在历史上最强盛的一个时期，而勾践灭吴的事迹又富有传奇色彩，因此，后人对吴越争霸史往往津津乐道，对越王勾践忍辱负重、卧薪尝胆并最终报仇雪耻的英雄事迹，更是多加礼赞，称其作为体现了越人的坚韧品格。从越国政权本位的立场上来看，勾践的霸业的确是值得高度肯定的。在春秋战国诸侯混战的背景下，越国作为一个部族国家，的确需要以武力维护自身的利益，同时也有扩大势力范围的现实需求。但从道德角度来看，勾践的许多作为是并不值得称道的，如在槜李之战两军对垒之际，他就采取了派敢死队自杀于吴军阵前的办法，趁吴军惊惶之际率军突击，这种残忍的手段是连吴王阖闾也不敢领教的。又如吴王夫差在夫椒

大败越军之后，本可一举歼灭强敌，最后却放过了勾践，而勾践后来在吴王兵败，要求得到同等待遇时，却没有放过夫差，虽说这不是为了复仇，而是为了防止吴王卷土重来，但论贵族气度，显然是有欠缺的。更何况，“春秋无义战”（《孟子·尽心下》），诸侯争霸并没有道义上的正当性，勾践所成就的霸业并没有给越人带来好的结果。对于越国、吴国及其他交战国的民众来说，连年征战的结果，是社会的急剧动荡和生命财产的严重损失，这是任何人都不能无视的历史事实。站在今天的时代高度，重新打量2500多年前的历史，我们理当有新的眼光和新的价值尺度。

阅读链接：

许倬云：《西周史》，生活·读书·新知三联书店，1994年版。

徐建春：《浙江通史·先秦卷》，浙江人民出版社，2005年版。

孟文镛：《越国史稿》，中国社会科学出版社，2010年版。

区域特质与文化异同

说到先秦时期的越国与中国其他区域的文化异同，人们首先想到的肯定是吴国。由于吴国与越国都处在长江下游流域，两国互为紧邻，地缘尤其接近，文化形态也有不少相似之处。人们在探讨中国各大区域文化的特点时，常将吴文化和越文化连在一道，称作吴越文化，与齐鲁、燕赵、秦晋、荆楚、巴蜀等地的文化相提并论。如上海人民出版社 1999 年出版的百卷本《中华文化通志》，就将中国区域文化分为秦陇文化、中原文化、晋文化、燕赵文化、齐鲁文化、巴蜀文化、荆楚文化、吴越文化、闽台文化、岭南文化等类型。这种分类方式的基本特点，就是根据地理环境和风俗习惯上的一些共同点，将春秋战国时期的两个相邻国家凑成一对，作为一种区域文化类型。

应该说，这种做法是有历史渊源的。即就吴越而论，早在先秦时期，就有人将两国相提并论，甚至视为一体，如《管子·轻重甲》中的“齐民之游水，不避吴越”“四夷不服……吴越不朝”，就是将吴越作为一个具有特殊意涵的专有名词。其后，还有人将吴越连在一起，作为一个区域讨论其风俗特点。如《孔丛子》

战国螭纹青铜鼎

记载："文子曰：'吴越之俗，无礼而亦治，何也？'孔子曰：'夫吴越之俗，男女无别，同厕而浴，民轻相犯，故其刑重而不胜，由无礼也；中国之教，为外内以别男女，异器服以殊等类，故其民笃而法，其刑轻而胜，由有礼也。'"这显然是将吴越作为一个独立的文化类型与中原（即"中国"）文化进行比较的。文中托名孔子所做的比较，也代表了当时许多中原士人对于吴越文化的看法，直到今天仍是一种较为主流的观点。

但吴与越毕竟分属两国，所处的地理位置、自然环境和地缘政治背景都有相当大的区别，表现在文化上也有相当大的差异。对此，与吴、越同时代的古人就有一定的认识。据《战国策》记载，赵武灵王在决定胡服骑射时，曾与人论及吴越服饰之异："被发文身，错臂左衽，瓯越之民也。黑齿雕题，鳀冠秫缝，大吴之国也。"（《战国策·赵策二》）由此看来，吴人与越人在外表上的区别是相当明显的：越人的特点是披头散发，衣襟左掩，四肢上刺着花纹；吴人的特点是牙齿染黑，额上刺着花纹，头上戴着用鲇鱼皮制成的冠，身上穿着的衣服针脚很粗。与精致的中原服饰文化相比，吴越服饰都显得比较粗野，但越与吴相比，又显得更为原始朴拙。这也体现了越文化、吴文化与中原文化在文野之别上的层次性。

据《史记·吴太伯世家》记载："吴太伯，太伯弟仲雍，皆周太王之子，而王季历之兄也。季历贤，而有圣子昌，太王欲立季历以及昌，于是太伯、仲雍二人乃奔荆蛮，文身断发，示不可用，以避季历。季历果立，是为王季，而昌为文王。太伯之奔荆蛮，自号句吴。荆蛮义之，从而归之千余家，立为吴太伯。"虽说兄弟揖让一说并不可信，但有不少文字史料和考古材料表明，吴国是南下的周人建立的，其君主正是周室后裔。这与越国君主以夏禹之后自居，在文化认同上构成了鲜明的差异。从文化渊源上来看，吴文化的前身是湖熟文化，湖熟文化遗址主要分布在南京、镇江以及太湖流域，典型遗址都在宁镇地区，而越文化的前身是良渚文化和马桥文化，两者之间也有很大的差异。据学者考证，西周时期吴越两国原以太湖为界，吴国的势力范围主要还在宁镇地区，直到春秋时期，才扩大到太湖流域。其后，随着无锡梅里王城和姑苏城的建成，太湖流域逐渐成为吴国统治的核心地带，浙北湖州大部和嘉兴一部分（包括嘉善、平湖）也被纳入吴国范围。杭嘉湖平原一带于是既成了吴越两国交战的主要场地，同时也成了吴越文化交流融合的主要场域。在交流融合的过程中，吴文化和越文化无疑都接受了彼此的一些影响，并逐渐显示出某些共同的特性。但就核心层面而言，这两种文化的差异还是相当明显的。其中最主要的差异，就体现在中原文化的影响上。

据《左传》记载，襄公二十九年（前 544），吴公子季札（寿梦之子）出使鲁国之时，曾请乐工为其演奏周乐，乐伎为其表演歌舞，并对每一首都作了精到的点评。当乐工演奏到《颂》时，他赞叹说：“至矣哉！直而不倨，曲而不屈，迩而不逼，远而不携，迁而不淫，复而不厌，哀而不愁，乐而不荒，用而不匮，广而不宣，施而不费，取而不贪，处而不底，行而不流。五声和，八风平。节有度，守有序。盛德之所同也！”当乐伎为其表演了歌舞《韶箾》后，他又给予了最高的礼赞：“德至矣哉，大矣！如天之无不帱也，如地之无不载也！虽甚盛德，其蔑以加

于此矣。观止矣！若有他乐，吾不敢请已！”由此可见，季札是从比德的角度对周乐进行赏鉴的，他对中原礼乐文化的深入理解并不亚于齐、鲁等地的高雅士人。越王则反之，据《吕氏春秋·遇合篇》记载：“客有以吹籁见越王者，羽角宫徵商不谬，越王不善，为野音而反善之。”虽说这个记载不无传说成分，却也颇能体现吴、越两国上层人士对中原礼乐的理解和接受程度。

作为周室的后裔，吴国君主对于中原文化一直是比较向慕的。为了得到周室和中原诸侯国的承认，吴国君主不但向楚国开战，还冒着被越国进攻的危险与中原诸侯会盟，这表示他们对中原文化有着相当的认同。吴国地处太湖流域和江淮平原，除东部滨海以外，面临着来自北部、西部、南部的挑战，外部环境相对比较复杂，故以外交与军事并重（近现代亦多有知名外交家），总要通过合纵连横，与一方结盟的方式，形成某种势力，然后再去攻击另一方。越人偏居一隅，除了北部和西部以外，后方没有挑战力量，无需瞻前顾后，故可放手一搏。而当其强力征服取得成

战国青铜编钟

功之后，越国君主更是表现得无所顾忌，并不以受征服地区的观感为重。据《越绝书·外传记地传》记载："勾践伐吴，霸关东，从琅琊起观台。台周七里，以望东海。死士八千人，戈船三百艘。居无几，躬求贤圣。孔子从弟子七十人，奉先王雅琴，治礼往奏。勾践乃身被赐夷之甲，带步光之剑，杖物卢之矛，出死士三百人，为阵关下。孔子有顷姚稽到越。越王曰：'唯唯。夫子何以教之？'孔子对曰：'丘能述五帝三王之道，故奉雅琴至大王所。'勾践喟然叹曰：'夫越性脆而愚，水行而山处，以船为车，以楫为马，往若飘风，去则难从；锐兵任死，越之常性也。夫子异则不可。'于是孔子辞，弟子莫能从乎。"可见越地民风与中原士风的确有着很大的差异，越人对以儒家为代表的中原主流文化是比较疏离的。

春秋战国时期，越国虽然一度称霸，甚至雄视中原诸国，但在文化、经济和社会发展水平上与中原地区尚有相当大的差

战国原始瓷带流罐

距。由于地理环境的不同，越人的生产方式、生活方式和战争方式都与中原地区有着很大差别。中原地区平原辽阔，可以组织大规模集体行动，利于集体耕作，利于车马行驶、行军布阵，故在西周时代，出现了“千耦其耕”的大集体耕作情形，同时也发展了以车战为主的战斗形式。越人水行山处，以舟楫为主要交通工具，出没无常，只能以个体和小规模群体行动为主。春秋时期，吴人已习车战，越人则更习水战。浙江境内多山地丘陵，少平原，耕地较少，平原上又河网密布，没有大面积连成一片的田地，不需要像中原地区那样，把许多人集中到一块土地上劳动，在生产上更多采取一家一户为主的耕作方式。据《越绝书·外传记地传》记载，“大越海滨之民，独以鸟田，小大有差，进退有行”，早在夏代，浙江海滨地区的民众就已利用大小不等的海涂滩地进行轮荒耕作。这说明了浙江耕地资源的稀少，也体现了浙人精耕细作的生产特点和小规模生产经营的特色。而在家庭生活中，小家庭分居模式也比大家庭群居模式更为盛行。这种生产方式和生活方式使得浙江人表现出了更多的个体性和独立性，对于适应工商社会生活有着积极的意义，但在传统集权体制的社会中，却是不那么适应的，这也正是浙人在中原地带往往很难赢得最高权力和社会资源的一个重要原因。

如果说，对中原文化越人表现出了疏离的一面，对楚文化则表现出了更多的接近。越国与楚国地缘相近，基本上处在同一纬度，都属于亚热带稻作文化区，在自然环境、生产方式和生活方式等方面都有着共同之处。据《史记·货殖列传》所述：“楚越之地，地广人希，饭稻羹鱼，或火耕而水耨，果隋蠃蛤，不待贾而足，地势饶食，无饥馑之患，以故呰窳偷生，无积聚而多贫。是故江、淮以南，无冻饿之人，亦无千金之家。”可见春秋战国时期，楚、越两地的生产方式都是比较落后的，民众的生活水平也是比较低的。此外，楚、越两国在民情风俗上也有不少相似之处。如《荀子·议兵篇》即称，楚兵“轻利僄遬，卒如飘风”，《商君书·弱民篇》亦云“楚国之民，齐疾而均，速若飘风”。这与“往若飘风”的“越之常性”就很相似。而在

阅读链接：
卫聚贤：《吴越文化论丛》，吴越史地研究会，1937年版。
董楚平：《吴越文化新探》，浙江人民出版社，1988年版。
何光岳：《百越源流史》，江西教育出版社，1989年版。

信巫鬼、重淫祀这一方面，楚、越两地都表现出了南方民族的共同特点。但在文明开化程度和精神文化发展水平上，楚、越两地却存在着很大的落差。楚人虽也尚巫，但因开化较早，并不一味信巫惧鬼，而是发挥浪漫想象，创造了瑰丽雄奇的文学作品。如楚辞中的湘君、湘夫人、山鬼等形象，都不是什么面目狰狞的角色，而是可亲可近，可同游于自由之境的。而越人因生存环境相对比较严酷，对鬼神往往多有畏惧。如钱塘江边民众供奉的潮神，相传就是为吴王夫差所杀的伍子胥。据王充《论衡·书虚第十六》所述："传书言：吴王夫差杀子胥，煮之于镬，乃以鸱夷橐投之于江。子胥恚恨，驱水为涛，以溺杀人。今时会稽、丹徒大江，钱唐浙江，皆立子胥之庙。盖欲慰其恨心，止其猛涛也。"虽然此处记载的是东汉时期的情形，但伍子胥被杀一事是在吴越争霸之时发生的。他在民间传说中被加工为以溺杀人的方式向吴王报复的潮神，表明越人心目中的潮神和那些兴风作浪的大人物一样，都是凶狠莫测，令人恐惧的。人们祭拜潮神，与其说是要向神灵祈福，还不如说是为了避免神灵的加害。畏多于敬，巫术不能进于宗教。巫风盛行，亦为思想贫弱之证。春秋战国时期，思想领域百家争鸣，文艺领域诗骚并举，中原楚地各擅胜场，越地在精神文化方面却无以表见。这是越地在整体文明水准上不及其他先进地区的一个极其明显的表征，也是制约越文化进一步发展的一个内在因素。

秦汉转型

随着中原文化的强势进入，越地在政治、经济、文化上都被纳入到了以中原统治者利益为主导的格局中，越文化逐渐成为一种边缘文化，失去了作为区域主流文化的地位。

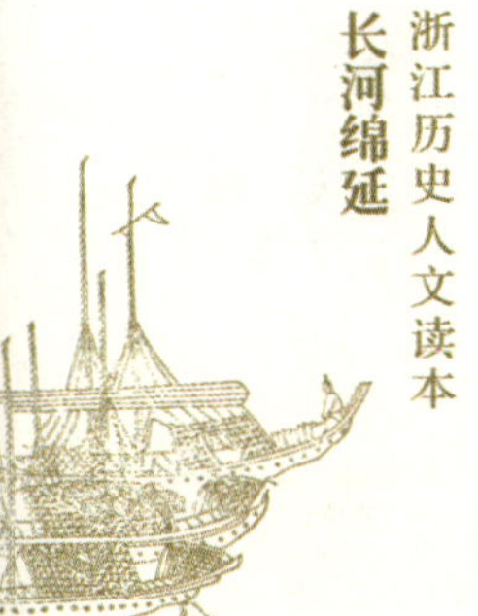

在中国古代史上，秦汉时期是一个极其重要的历史转型期。在此期间，中国社会的政治制度和文化形态都发生了历史性的转变。在政治上，经由军事征服，中国由多元并存的诸部落国家被整合成了一个大一统的中央帝国。随着郡县制的推行，一个自上而下的官僚体制逐渐形成，以君主专制为核心的中央集权体制得到了强化，国家对社会的控制和支配也日益加强，使得社会的发育和发展都受到很大的限制。在国家权力的强势主导下，发端于中原地区的华夏民族文化迅速向周边地区扩散，取代周边地区的本土文化，成为该地区的主流文化。这一方面固然加快了各民族文化的交流融合，但同时也造成了区域文化特性的丧失和文化的趋同化，对中国区域文化的多元发展造成了相当大的负面影响。虽说秦王朝在统一中国之后，只统治了十五年就被推翻，但在其后两千年间，历朝历代基本上都延续了秦代创设的这种以君主制为核心的中央集权的官僚政治体制，同时也继承了以中原文化为主流的大一统的文化体系，这就使得其影响一直延续了下来。因此，要深入了解中国传统的大一统体制的弊端，就必须追溯到秦汉时期的社会转型。

越地在先秦时期一直处在中原政治和文化主流之外，是一个相对独立、自成一体的本土政权和文化系统，其政治、经济、文化发展都具有自主性的特点。但是，自从公元前222年被秦国征服之后，越地就成了中原王朝的属地，在政治、经济、文化上都被纳入到了以中原统治者利益为主导的格局中。秦汉时期，为了削弱越人的势力，防止越人重新建立自己的部族国家，

中原统治者不但在政治上逐步限制并取消了越人的地方自治权，将越地纳入到了郡县制之下，还以武力为后盾，实行强制性的民族迁移政策，将许多越人迁到外地，又将许多外地人尤其是中原人迁到越地，使得越人在越地渐渐地变成了少数族群。这对越地来说，不但意味着居民结构的改变，也意味着文化特性的变化。随着中原文化的强势进入，越文化逐渐成为一种边缘文化，失去了其作为区域主流文化的地位。而取代越文化在越地成为主流的中原文化，相对于在中原地区继续得到发展的中原文化，事实上也只是一个边缘的支流而已，并不可能取代后者在全国范围的主流地位。这也正是浙江区域文化发展长期以来一直受到限制、未能在全国范围产生重大影响的深层原因。

秦政之治，越地之变

公元前224年，秦将王翦率领60万大军攻破楚国，取得郢陈以南至平舆，俘虏楚王负刍。楚将项燕立楚国公子昌平君为楚王，反秦于淮南。次年，又被王翦、蒙武率军打败，昌平君死，项燕自杀。公元前222年，王翦挥师南下，平定楚江南地，又攻占会稽，降伏越君，将越地及原已被楚占领的吴地合并为一个郡，称作会稽郡，郡治设在吴（原吴国故都，今江苏苏州）。自此之后，会稽一带就从于越部族的核心变成了中原王朝的边陲，越人也从一个部落国家的主体族群变成了中原王朝统治下的边鄙之民。

公元前221年，秦将王贲率军征服齐国，实现了秦国统一中国的目标。秦王嬴政即帝位，加尊号为“始皇帝”，欲开千秋万世之基业，乃与群臣商讨国家体制与治国方略。当时，秦国征服的大多数地方都已设置了郡县，只有少数征服不久的原诸侯国没有确立郡县制。于是，丞相王绾等人建议秦始皇在离秦国首都较远的燕、齐、楚三地实行封建制，立始皇诸子为王加以控制。此议得到了群臣的赞同，唯独廷尉李斯认为：“周文武所封子弟同姓甚众，然后属疏远，相攻击如仇雠，诸侯更相诛伐，周天子弗能禁止。今海内赖陛下神灵一统，皆为郡县，诸子功

臣以公赋税重赏赐之，甚足易制。天下无异意，则安宁之术也。置诸侯不便。”（《史记·秦始皇本纪》）意思是说，周朝开国时分封了大批同姓子弟作为诸侯，目的是要以宗法维持各诸侯国与天子之间的隶属关系，但诸侯代代相传，越到后来，血缘关系就越疏远。各诸侯国拥兵自重，反目成仇，相互征伐，就连周天子也不能禁止。如今海内仰赖秦始皇的力量实现了统一，已经设置了郡县，由朝廷直接管辖，便于控制，不能采取分封的方式重启乱源。秦始皇深以为然，决定在全国范围内推行郡县制，“分天下以为三十六郡，郡置守、尉、监。更名民曰黔首”，通过自上而下的官僚体制对民众进行控制。与此同时，他还颁布诏令，“收天下兵，聚之咸阳，销以为钟鐻，金人十二，重各千石，置廷宫中。一法度衡石丈尺。车同轨。书同文字。地东至海暨朝鲜，西至临洮、羌中，南至北向户，北据河为塞，并阴山至辽东。徙天下豪富于咸阳十二万户”，采取了一系列有助于巩固君主专制和中央集权体制的措施。

会稽郡原辖有 24 县，其中在今浙江境内的有 16 县，包括钱塘江以南的 9 个县，即大越（今属绍兴）、诸暨、上虞、余姚、句章（宁波）、鄞、鄮（今鄞县东部）、乌伤（义乌）、大末（衢州），以及钱塘江以北的 7 个县，即鄣（安吉）、於潜（今属临安）、余杭、钱唐（今属杭州）、乌程（今属湖州）、由拳（今属嘉兴）、海盐。公元前 221 年，秦始皇统一中国后，为了分而治之的需要，又将会稽郡西部（包括今属浙江的鄣、於潜两县和安徽南部、江苏西南部诸县）分置为鄣郡，治所设在鄣县（今安吉西北鄣吴镇）。当时，会稽以南的瓯越、闽越一带尚在勾践后裔邹摇和无诸的实际控制之下，秦王朝为了一统天下，就派兵攻打两地，迫使两位越王降伏，将其废为君长，并将两地并入新设置的闽中郡。但是，由于山高路远，偏僻荒凉，秦王朝对闽中郡并不能实施有效的统治，而越国故都大越一带的民众对于暴虐的秦政也并不顺从。因此，秦始皇在公元前 210 年东巡会稽祭拜大禹之时，又采取强制性的移民政策，将大越民众迁往余杭、伊攻、故鄣等地，同时将其他地方犯了罪的

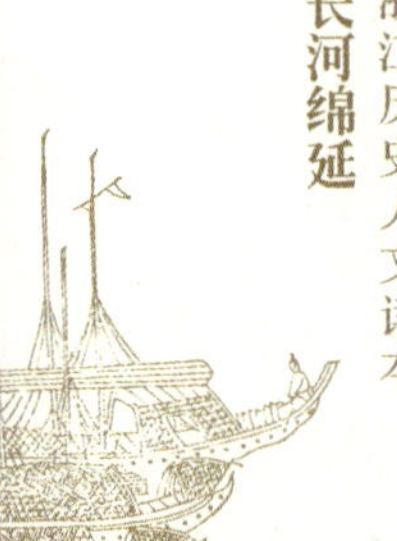

秦始皇会稽刻石清代拓片

官吏和庶民流放到大越海滨，用来防备东海外越。这就改变了越地的人口构成，使越人在原越国核心地带反而成了少数族群。

为了抹去越人对越国的集体记忆，唤起他们对中原王朝的臣服之心，秦始皇还将大越改名为山阴，并于会稽东山刻石勒铭。铭辞曰：

> 皇帝休烈，平一宇内，德惠攸长。卅有七年，亲巡天下，周览远方。遂登齐稽，宣省习俗，黔道齐庄。群臣诵功，本原事迹，追道高明。秦圣临国，始定刑名，显陈旧章。初平法式，审别职任，以立恒常。六王专倍，贪戾慠猛，率众自强。暴虐恣行，负力而骄，数动甲兵。阴通间使，以事合从，行为辟方。内饰诈谋，外来侵边，遂起祸殃。义威诛之，殄熄暴悖，乱贼灭亡。圣德广密，六合之中，被泽无疆。皇帝并宇，兼听万事，远近毕清。运理群物，考验事实，各载其名。贵贱并通，善否陈前，靡有隐情。饰省宣义，有子而嫁，倍死不贞。防隔内外，禁止淫佚，男女絜诚。夫为寄猳，杀之无罪，男秉义程。妻为逃嫁，子不得母，咸化廉清。大治濯俗，天下承风，蒙被休经。皆遵度轨，和安敦勉，莫不顺令。黔首修絜，人乐同则，嘉保太平。后敬奉法，常治无极，舆舟不倾。从臣诵烈，请刻此石，光垂休铭。

这篇铭辞是始皇命李斯撰文并书写的，其意旨在颂秦德、罪六国、明法规、正风俗，并不讲究文采，但它却是古籍中记载的在越地出现的第一篇骈体文，对中原文化在越地的传播有一定的影响。而从其内容上来看，它也显示出了专制王权与地方民俗的对立。越族本不重礼教，男女关系比较自由宽松（直到汉武帝时尚有朱买臣妻改嫁之事），此铭辞却特别强调“防隔内外，禁止淫佚，男女絜诚”，对改嫁、通奸等行为实施严刑峻法，显然是要运用国家权力将中原礼制强加给少数族群，改变越族的生活方式和风俗习惯，使其成为大一统体制下的顺民，更好地为实现秦帝国的整体目标服务。

钱穆先生认为："郡县政令受制于中央、郡县守令不世袭，视实际服务成绩为任免进退，此为郡县制与宗法封建性质绝不同之点。自此贵族特权阶级分割性之封建，渐变而为官僚统治之政府。"（钱穆《国史大纲》）与分封制相比，郡县制有利于强化中央集权，避免权力分散，的确是与大一统帝国相适应的一种地方行政组织形态，但它同时也造成了地方权力的弱化和对地方利益的损害。因为在分封制下，领主的利益就在其封地上，如果对民众采取竭泽而渔式的掠夺，就会使自己的长远利益受到损害，而在郡县制下，自上而下的官僚体制是以落实朝廷旨意为目标的，很少会考虑到地方的利益和民众的需求，当地方利益与朝廷旨意发生矛盾时，地方官的选择基本上都是与朝廷保持一致，这也正是实行郡县制后国家目标更易实现、地方和民众利益却更易受损的原因。因此，虽然秦始皇以强力推行郡县制，但是朝野上下却始终存在着反对的力量。

据《史记·秦始皇本纪》记载，公元前213年，秦始皇在咸阳宫举办寿宴，仆射周青臣进酒致辞，颂扬秦始皇一统天下，"以诸侯为郡县"的不世之功，得到秦始皇的欢心。不料在座的七十博士（系掌通古今之士，相当于今之政府参事）之一、齐人淳于越却起而反对，表示殷周时期长达一千多年，都分封子弟功臣作为枝辅。如今秦始皇以子弟为匹夫，如果手下大臣图谋篡位，没有诸侯辅佐，又何以相救？"事不师古而能长久者，非所闻也。今青臣又面谀以重陛下之过，非忠臣。"始皇下其议。丞相李斯认为，"五帝不相复，三代不相袭"，治道要应时而变，

不能以古代为法。过去天下散乱，莫之能一，诸侯并争，厚招游学，给了士人横议的空间。如今天下已定，法令出一，是非黑白皆由帝王一人判别裁决，再也不能让诸生各以其学非议当世，惑乱百姓。因此，他建议采取严刑峻法，禁止士人以古非今，以私学非议朝政，烧毁各诸侯国史籍和在民间流传的诸子百家典籍。其具体措施为："史官非秦记皆烧之，非博士官所职，天下敢有藏《诗》《书》、百家语者，悉诣守、尉杂烧之。有敢偶语《诗》《书》者弃市。以古非今者族。吏见知不举者与同罪。令下三十日不烧，黥为城旦。所不去者，医药卜筮种树之书。若欲有学法令，以吏为师。"李斯的建议被秦始皇采纳之后，在全国实施，引起了极大的恐慌。次年，因其礼遇的方士花费巨资为其炼长生奇药不成，且有多人遁逃，秦始皇大为恼火，又迁怒于议论时政的诸生，于是就派御史把诸生抓来一一审问，让他们互相检举揭发，最后查出犯禁者460余人，"皆坑之咸阳"，又将更多的人"发谪徙边"，即流放到边境充当戍卒。

在秦始皇和李斯等人看来，只要对反对者实行严厉惩罚，甚至在肉体上加以消灭，则专制统治自然能够稳固。但专制统治和暴政在本质上就是与民众相敌对的，每一项有助于强化专制统治的措施，反过来都会给社会造成损害，从而激起民众的反抗。况且，秦朝的专制统治是建立在对各诸侯国的军事征服基础上的，原诸侯国的贵族不但在秦统一天下的过程中利益严重受损，而且在秦统治之下也被作为镇压防范的重点对象，他们对秦的统治是不可能完全接受的。楚国作为南方大国，春秋战国时期一直是与秦争霸天下的主要对手之一，也是秦灭六国过程中最大的受害者。楚地上下，无论贵族民众，对秦的暴政始终都是比较抗拒的，且贵族对民众也有一定的号召力。因此，当秦王朝的统治因内部权力斗争和实施暴政而出现危机之后，出身楚地的贫民陈涉、吴广首先揭竿而起，在原属楚地的蕲县大泽乡戍边士卒中发起暴动，并打出"张楚"的旗号，楚国旧贵族项羽和原楚国属地沛县小吏刘邦亦应时而动，分别在吴中和沛县起事，举兵响应，后来又推出楚怀王作为反秦复国的象征，

阅读链接：

（西汉）司马迁：《史记·秦始皇本纪》，浙江古籍出版社，2000年版。

（西汉）司马迁：《史记·东越列传》，浙江古籍出版社，2000年版。

钱穆：《国史大纲》，商务印书馆，1996年版。

其目的都是要发动楚地的贵族和民众参与起义行动。事实表明，这些措施都是相当有效的。

越国虽在战国中后期先后亡于楚国与秦国，但因归附楚国之日相当长久，且其文化与楚文化相近，对楚人并不抵触，“秦夺其地，使其社稷不得血食”则是发生不久的事，直接损害到当时已被废为君长的闽越王无诸和东越王摇的利益。因此，他们在秦末起义爆发后不久，就分别率部加入了反秦的阵营。据古籍记载，无诸和摇最初加入的是鄱阳令吴芮（又称番君，人称其系吴王夫差后裔）率领的部队。“及项羽相王，以芮率百越佐诸侯，从入关，故立芮为衡山王，都邾。”（《汉书·吴芮传》）但无诸和摇未被项羽封为侯王，因此在楚汉之争中又弃楚归汉，帮助刘邦与楚人作战。汉王朝成立后，一度实行封建制和郡县制混合的体制，闽越族首领无诸因追随汉人灭楚有功，且地处偏远，实力较强，故在汉高帝五年（前 202）就被复立为闽越王，“王闽中故地，都东冶”。而瓯越首领摇被立为王，则是六年后的事——“孝惠三年，举高帝时越功，曰闽君摇功多，其民便附，乃立摇为东海王，都东瓯，世俗号为东瓯王”（《史记·东越列传》）。现在看来，汉高祖在位之时，不论功行赏，封摇为王，显然是没把实力较小的瓯越部族放在眼里；而吕后当政之时，却又以高帝时闽君摇在越族中多有功劳为由封其为王，这一来是为了安抚瓯越部族，二来恐怕也是为了牵制瓯越附近的其他诸侯，尤其是闽越王无诸，不让他们过于坐大。这种分而治之的羁縻政策和政治平衡手段，对瓯越与闽越之间关系的变化产生了相当大的影响。

封建制的兴衰与越人的命运

就在闽越、东瓯两地先后复国的同时，会稽一带也曾先后成为诸侯的封地，并因诸侯更迭而多有变动。公元前 202 年正月，汉高祖刘邦（前 256—前 195）徙齐王韩信为楚王，以秦之东海郡、会稽郡、泗水郡、薛郡、陈郡置楚国，都下邳。次年废韩信为淮阴侯，将楚国分为荆、楚二国，立刘贾为荆王，领东阳郡、鄣郡、吴郡（后改为会稽郡）五十三县，都广陵。公元前 196 年，淮南王英布起兵反汉，荆王贾为其所杀。汉高祖刘邦御驾亲征，方将英布之乱平定。次年，因“患会稽轻悍”，需要一个得力的诸侯王镇守，刘邦将曾以骑将身份随其平定英布之乱的侄子沛侯刘濞（前 215—前 154）立为吴王，置吴国，领刘贾荆国故地，定国都于广陵（即后江苏之扬州）。

刘濞不但打仗了得，也颇有治国之才。他在即位之后大力发展经济，“内铸消铜以为钱，东煮海水以为盐”，利用鄣郡丰富的铜矿资源采铜铸钱，利用会稽郡近海优势煮海水产盐，利用境内三江五湖的便利发展渔业和造船业，较好地解决了财政和民生问题，使吴国成为当时最富强的诸侯国。由于国用富饶，吴王不但不向百姓收取赋税，还“岁时存问茂才，赏赐闾里”，时不时地对才德秀异之士和平民百姓给予慰劳和犒赏。当时成年男子每年要在本县服一个月的无偿劳役，称作更役，有钱人可以出钱请人代替服役，没钱的人只好自己去践更，吴王就按照民间雇人替代服役的平价给予报酬（这就是《汉书 · 吴王濞传》中所说的“卒践更辄予平贾”

的实质意涵。前人解作让雇人服役的人按平价出钱，由政府居中收取，再交给替代他人服役的人，此说殊不可通。又及，当时不出更役的人也可直接向朝廷交纳更赋，一个月需三百钱，按五十钱一石的价格计算，可换算成六石粟，相当于一个人四个月的食粮。雇人代替服役应该少于此价，且有价格浮动，故有平价一说）。与此同时，吴王还招致四方之士为其效力，并对流亡到吴国的游士提供保护，使得吴国在全国范围产生了很大的影响，这些都招致了朝廷的猜忌。

对于朝廷来说，分封诸侯本来就是天下初平之时的权宜之计，一旦统治稳固之后，势必要拿诸侯王开刀。刘濞既然在诸侯中最有影响力，朝廷自然也就把他作为首要目标。公元前 180 年，吕后去世，开国功臣周勃、陈平等人诛灭诸吕，扶高祖四子刘恒（前 202—前 157）即位，是为汉文帝。文帝即位之初，

陕西出土六博棋盘

为了牵制周勃等外臣，采取了拉拢刘姓诸侯王的策略。但其长子刘启（前188—前141）在被立为太子之后，表现得非常跋扈。有一次，刘濞的儿子刘贤陪他饮酒博戏，因争棋路而互不相让，刘启就拿棋盘击杀了刘贤。事后，汉文帝派人将刘贤遗体送回吴国安葬。吴王恼怒道："天下一宗，死长安即葬长安，何必来葬！"又将灵柩运回长安落葬。此后吴王称疾不朝，朝廷又将吴国使臣囚禁治罪，加以拷问，太子家令晁错还数次上书，称吴王之过可至削藩，但因此举牵涉过大，没有把握能够顺利进行，汉文帝后来还是作了妥协，以照顾老者的名义赐予吴王坐几、手杖，允许他不来朝拜，于是相安无事二十余年。

到了公元前157年，刘恒驾崩，刘启继位，是为景帝。晁错得其重用，当年即被提升为主管京城的内史，一年后又被提升为御史大夫，名列三公。晁错又向景帝提议削藩，认为齐、楚、吴三国封地分天下半，"今吴王前有太子之隙，诈称病不朝，于古法当诛"，"今削之亦反，不削亦反"，不如及早削藩。前元二年（前155）冬，楚王戊来朝，晁错称其往年为薄太后服丧时私自在居丧之所与人通奸，要求景帝杀了楚王。景帝下诏，赦去楚王死罪，削其东海郡作为惩罚。又以其他莫须有的罪名削去赵王遂的常山郡和胶西王卬的六个县。次年正月，景帝又下诏削去吴之会稽、豫章二郡，将其纳入朝廷直接掌控之下，只保留地处江淮的东阳郡作为吴王封地。吴王没有退路，即与楚王戊、赵王遂、胶西王卬、济南王辟光、菑川王贤、胶东王雄渠相约，以"诛晁错，清君侧"的名义起兵反叛。东越作为盟友，也加入了这场战争。据《史记·吴王濞列传》记载："七国之发也，吴王悉其士卒，下令国中曰：'寡人年六十二，身自将。少子年十四，亦为士卒先。诸年上与寡人比，下与少子等者，皆发。'发二十余万人。南使闽越、东越，东越亦发兵从。"让从14岁到62岁的所有男丁都投入战场，可见吴王破釜沉舟之决心。但与朝廷相比，七国兵力毕竟有限，虽然开头势如破竹，一直打到河南东部，迫使景帝腰斩了晁错，但当朝廷

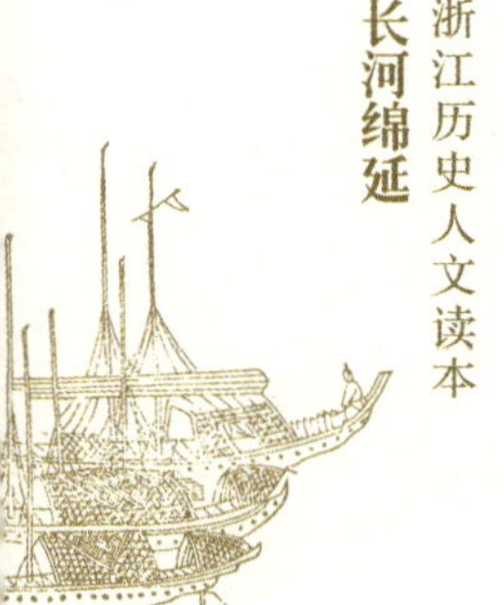

内部调整过来，派出大将军窦婴、太尉周亚夫领军以后，局势就被迅速扭转了。二月中，吴王兵败，景帝以诸将“深入多杀为功”，将职级在三百石以上的叛军尽行斩首，不得释放，结果“诸将破七国，斩首十余万级”（《汉书·景帝纪》）。

据《史记·吴王濞列传》记载，吴军在下邑（今安徽宿州砀山县）兵败粮绝，士卒多有饥死，余下逃散。吴王与其麾下壮士数千人乘夜渡江，奔赴镇江丹徒东越军大营。东越有兵万余人，又使人收聚逃兵，准备固守。朝廷暗中派人向东越王诱之以利，东越王就骗吴王出营劳军，使人将其刺杀，并将其首级献给朝廷。胶西王卬、楚王戊、赵王遂、济南王辟光、菑川王贤、胶东王雄渠得知吴王身死，大势已去，尽皆自杀。由此看来，东越王的反复是导致七国最终败亡的关键。这从道义上来看，显然不足为训，但就结果而论，却也使得其避免了被削藩的危机。七国之乱平息后，汉景帝乘机削减诸侯封地，将原属于吴国的会稽郡收归于汉，分吴国之东阳郡、鄣郡置江都国，徙汝南王刘非为江都王，同时取消诸侯自行任命官吏和征收赋税的特权，规定诸侯王不得治理民政，只能“衣食租税”，这就消除了汉姓诸侯王把持地方权力，向中央发起挑战的可能。但瓯越、闽越两国仍自成一体，并不受朝廷管治。直到武帝时期，这种情况才被改变。

据《史记·东越列传》记载，武帝建元三年（前138），因吴王濞之子刘驹煽动，闽越王发兵北击东瓯。东瓯国新君邹望见势不能敌，请求朝廷发兵增援。太尉田蚡以为“越人相攻击，

安吉出土西汉木俑

固其常，又数反复”，自秦时即已“弃弗属”，“不足以烦中国往救”，建议武帝不要出兵。出身会稽吴地的中大夫严助表示反对，认为小国告急，天子不顾，会失去对诸侯国的影响力，“且秦举咸阳而弃之，何乃越也”。武帝颇以为然，但因当时即位未久，“不欲出虎符发兵郡国”，结果就让严助自己持节到会稽调兵。会稽太守不肯发兵，严助就斩了太守手下的一名司马，迫使太守“发兵浮海救东瓯”。援兵未至，闽越国军队已然退却，这表明闽越王只想进犯东瓯，并不想与朝廷作对。在此情况下，如果朝廷对东瓯继续表示支持，谅闽越也不敢再次进犯。但朝廷却乘机让东瓯王邹望“请举国徙中国”，率领族属军队四万多人北上，将其安置在江淮流域的庐江郡（今安徽西部的舒城地区），并将其降封为“广武侯”。三年后，闽越王郢反，汉发兵灭闽越，立无诸之孙繇君丑为粤繇王，又立郢之弟余善为东越王。

此后，汉武帝进一步加紧了对吴越一带的控制。据《汉书》记载，元狩四年（前119）冬，“有司言关东贫民徙陇西、北地、上郡、会稽凡七十二万五千口，县官衣食振业，用度不足，请收银锡造白金及皮币以足用”，可见会稽一带此前已有大量关东贫民迁入（据王鸣盛估计，移民共有十四万五千口）。元鼎六年（前111）秋，东越王余善自立为“武帝”，汉武帝发兵征讨，次年将其征服，纳入会稽郡管辖范围。“于是天子曰东越狭多阻，闽越悍，数反复，诏军吏皆将其民徙处江淮间。东越地遂虚。"(《史记·东越列传》)就这样，越人不但失去了自己的国家，也失去了自己的土地。

据人口史专家分析，东越国原先大约有10万人，经过多次迁移,基本上都到了江淮一带。闽越国的人口则有20万左右，除在东冶及闽江谷地等处比较集中以外，其余人分散在十余万平方千米的丘陵山地，不可能完全迁出。估计只有三分之二迁移到江淮，总数约十四五万人，余下五六万人则避居深山，成了化外之民（葛剑雄《中国移民史》第2卷）。其后经过繁衍，人口有了增长，有一部分人又移居到了东瓯一带，朝廷于是设置县加以管辖。汉昭帝始元二年（前85），朝廷将鄞县南部的回浦乡升格为回浦县，县治设在今台州椒江北岸的章安，并将东瓯地划入回浦，辖今浙江台州、温州、丽水全部及闽北一部。东汉光武帝建武年间改回浦为章安县。到了三国时期，因为人口有了较大的增长，故又于吴太平二年（257），分会稽郡东部

汉代铜弩机

置临海郡，郡治在章安，与会稽同隶于扬州，此后一直延续到隋开皇九年（589），临海郡建制都没有改变。

而被强制迁至江淮地区（包括庐江、九江、临淮三郡）的20多万（一说为10余万）越人，则与楚人、吴人一道生活在一起，使得该区域文化呈现出楚、吴、越、闽文化与中原文化错杂交汇的状态。到了东汉末建安年间，江淮一带成了曹魏与孙吴的相持之地，曹操为了战争需要，下令居住在江北沿岸的居民全部北撤，但当地居民原本皆系南方移民后代，故有10余万户（人口大约有4倍）纷纷渡江南下，使得当地人口几乎为之一空，以后淮南又有数万人渡江至吴国境内（邹逸麟《江淮地区的人文》，载《椿庐史地论稿》）。如此看来，越人后裔恐怕大部分都回到了春秋战国时期的越国故土，越文化的血脉应该还是在故土延续了下来。这让笔者在为越人颠沛流离的历史命运感慨欷歔的同时，多少也感到了一点欣慰。

阅读链接：

（西汉）司马迁：《史记·吴王濞列传》，浙江古籍出版社，2000年版。

（西汉）司马迁：《史记·东越列传》，浙江古籍出版社，2000年版。

葛剑雄：《中国移民史》（第2卷），福建人民出版社，1997年版。

西汉早期的吴越文化新变

如前所述，中原文化借助国家权力进入越地，是从公元前210年秦始皇东巡会稽、刻石勒铭开始的。秦朝实行文化专制主义政策，除了焚书坑儒外，还实行挟书律，禁止民间私人藏书，禁绝私学。西汉开国，首重军功，于文事无所措意，直到汉惠帝四年（前191）才将挟书律宣布废除。其后“改秦之政，大收篇籍，广开献书之路”（《汉书·艺文志》），以古籍整理和诠释经典为务的经学逐渐兴盛起来。汉文帝之时，已经设置了专治一经的儒学博士，如治《尚书》的伏生、治《诗》的申公。到了武帝时期，更是独尊儒术，“立五经博士，开弟子员，设科射策，劝以官禄”（《汉书·儒林传赞》），使经学成了士人获取功名利禄之捷径。

在推动经学方面，一些诸侯王也发挥了相当大的作用。如汉高祖少弟楚元王刘交就是汉初推动经学的第一人。刘交少时曾与鲁穆生、白生、申公从荀子门人浮丘伯学《诗》，高祖六年（前201）被封为楚元王后，即以穆生、白生、申公为中大夫。高后时，浮丘伯在长安，元王又派儿子郢客随同申公就读。“元王好《诗》，诸子皆读《诗》。申公始为《诗》传，号《鲁诗》。元王亦次之《诗》传，

号曰《元王诗》。”（《汉书·楚元王传》）汉文帝时，“闻申公为《诗》最精，以为博士”，这很有可能就是楚元王带动的结果。此后，河间献王刘德、淮南王刘安亦继之而起，成为推动汉学最为得力的诸侯。据《汉书·河间献王传》记载：“河间献王德，以孝景前二年立，修学好古，实事求是。从民得善书，必为好写与之，留其真。加金帛，赐以招之。繇是，四方道术之人不远千里。或有先祖旧书，多奉以奏献王者。故得书多，与汉朝等。……山东诸儒多从而游。”刘安则“招致宾客方术之士数千人”（《汉书·淮南王传》），赋颂、黄白之术无所不究。此外，他还亲自主持编写了《淮南子》这部巨著，被近代思想家梁启超评为汉代的第一流著述。

与楚元王、河间献王、淮南安王相比，吴王刘濞虽也有养士之名，但并不重经术。幕下之士大多系纵横家和术士之类，名士如齐之邹阳、吴之庄忌（后因避讳被改为严忌）、淮阴枚乘等，“皆以文辩著名”（《汉书·邹阳传》），有辞赋传世，并不以经术见长。汉赋源于楚辞，又糅合了齐人的纵横家之风，是南方楚文化与北方齐文化交流融合的结果。而吴地正是楚文化与齐文化的交汇之地，汉赋在此出现，是合乎逻辑的。据《汉书》记载，邹阳、枚乘在吴王与景帝交恶之时，都曾为文进谏，劝导吴王不要举兵。吴王不纳。“是时，景帝少弟梁孝

汉铜量器

王贵盛，亦待士。于是邹阳、枚乘、严忌知吴不可说，皆去之梁，从孝王游。”（《汉书·枚乘传》称枚乘初次上书在景帝即位前，吴王不纳，枚乘等去而之梁。景帝诛晁错后，枚乘又上书劝吴王还兵，且未卜先知，提醒此后可能会有“鲁东海绝粮之饷道”一事发生。两处记载互相冲突，且皆有不确。故从《汉书·邹阳传》之说。）枚乘传世辞赋《七发》，是汉散体大赋的代表作。全文两千余言，虚拟了楚太子有病，吴客以七事为其开导的情形。在一一为楚太子描述了音乐、饮食、车马、游观、田猎之妙而未见效的情况下，吴客又为其描述了八月之望吴国广陵曲江观潮的情形：

> 客曰：“将以八月之望，与诸侯远方交游兄弟，并往观涛乎广陵之曲江。（中略）疾雷闻百里，江水逆流，海水上潮，山出云内，日夜不止。衍溢漂疾，波涌而涛起。其始起也，洪淋淋焉，若白鹭之下翔。其少进也，浩浩溰溰，如素车白马帷盖之张。其波涌而云乱，扰扰焉如三军之腾装。其旁作而奔起也，飘飘焉如轻车之勒兵。六驾蛟龙，附从太白，纯驰皓霓，前后络绎。颙颙卬卬，椐椐强强，莘莘将将。壁垒重坚，沓杂似军行。訇隐匈磕，轧盘涌裔，原不可当。观其两旁。则滂渤怫郁，暗漠感突，上击下律，有似勇壮之卒，突怒而无畏。蹈壁冲津，穷曲随隈，逾岸出追。遇者死，当者坏。初发乎或围之津涯，荄轸谷分。回翔青篾，衔枚檀桓。弭节伍子之山，通厉胥母之场，凌赤岸，篲扶桑，横奔似雷行。诚奋厥武，如振如怒。沌沌浑浑，状如

奔马。混混庉庉，声如雷鼓。发怒庢沓，清升逾跇，侯波奋振，合战于藉藉之口。鸟不及飞，鱼不及回，兽不及走。纷纷翼翼，波涌云乱，荡取南山，背击北岸，覆亏丘陵，平夷西畔。险险戏戏，崩坏陂池，决胜乃罢。

此段文字绘声绘色，以汪洋恣肆的文笔，写出了江潮浩荡的气象，作为以吴越风光为主题的散文诗，其精妙恐怕只有宋柳永名作《望海潮》一词可与之媲美。值得注意的是，它是以吴客招引诸侯远方交友兄弟并往广陵曲江观潮的方式起首的，而文中对潮水声势的描述，又是以三军上阵作战的声势作比喻的，实质上也渲染了吴军的声势和吴国的气象。因此，笔者认为，这篇大赋很有可能是枚乘在吴国为官的时候写的，有招引诸侯前来会盟的用意在。而从另一方面来看，《七发》等辞赋在吴国都城的出现，也是吴越文化在文学领域取得重大突破的一个表现。

但遗憾的是，由于吴王兵败，游士散尽，广陵再也没有了繁盛的都城气象和浓郁的文化氛围。此后，会稽文士严助（严忌之子或同族兄弟之子）和朱买臣二人亦“贵显汉朝，文辞并发”（《汉书·地理志下》），并都有在会稽任太守的经历，但他们大部分时间都在京师为官，对吴越的文化氛围影响不大。严助于汉武帝建元元年（前140）被会稽郡举荐为贤良方正，颇得武帝赏识，被擢为中大夫，常与东方朔、司马相如、吾丘寿王等大臣商辩朝政，撰写文稿且又勇于任事，曾因平定瓯越之功，一度担任会稽太守，后侍于内廷，为武帝文学近臣，为其捉刀草诏或作赋颂以记异事。元狩元年（前122），淮南王刘安、衡山王刘衡被告谋反，汉武帝以刘安“阴结宾客，拊循百姓，为叛逆事”等罪名，派兵进入淮南王府搜捕，刘安被迫自杀，淮南国被废，因其受牵连而被杀者多达数千人。严助因与刘安交好，亦受牵连而被弃市（即在闹市执行死刑并暴尸街头）。可见号称尊儒的汉武帝在残杀士人方面，比起焚书坑儒的秦始皇是有过之而无不及的。

与严助相比，朱买臣的人生经历相对比较复杂、曲折一些。但就仕宦轨迹及

阅读链接：

（东汉）班固：《汉书·艺文志》，浙江古籍出版社，2000年版。

（东汉）班固：《汉书·淮南王传》，浙江古籍出版社，2000年版。

徐复观：《两汉思想史》，华东师范大学出版社，2001年版。

其结局来看，这两个史上有传的会稽士人却有着极其明显的相似之处。朱买臣早年不治产业，落拓江湖，后经严助之荐，先后被任命为中大夫、待诏等职。当时，东越与汉朝关系反复无常，朱买臣听说东越王从地势险峻、易守难攻的保泉山（即今温州大罗山）退到了向南五百里外的大泽（按距离应在今福建宁德三都澳一带，此处确为大泽）中，就向武帝建议“发兵浮海，直指泉山，陈舟列兵，席卷南行”，将东越破灭。武帝见此计可行，就拜朱买臣为会稽太守，给了他衣锦还乡的机会。买臣到郡后，居岁余，治楼船，备粮食，后受诏将兵，与横海将军韩说等俱击破东越。因功征入为主爵都尉，列于九卿。“数年，坐法免官，复为丞相长史。张汤为御史大夫。始，买臣与严助俱侍中，贵用事，汤尚为小吏，趋走买臣等前。后汤以廷尉治淮南狱，排陷严助，买臣怨汤。及买臣为长史，汤数行丞相事，知买臣素贵，故陵折之。买臣见汤，坐床上弗为礼。买臣深怨，常欲死之。后遂告汤阴事，汤自杀，上亦诛买臣。”（《汉书·朱买臣传》）由此看来，朱买臣不光是个文学侍从之臣，也是个有杀伐决断的人。但在君主专制下，一切杀伐决断最终皆取决于皇帝一人。张汤借皇帝之手杀害严助，朱买臣借皇帝之手杀张汤，同时亦被皇帝下令诛杀，最终凸显的只是帝王之尊和臣子生命之卑而已。这是秦皇汉武的丰功伟绩掩盖不了的历史血腥，同样值得后人牢牢记取。

东汉士风与政治变局

新莽地皇四年，即公元 23 年，西汉宗室刘玄被绿林军的主要将领拥立为帝，建元“更始”。同年九月，绿林军攻入新朝都城长安，王莽死于混战之中，新朝覆灭。更始政权正式取代新朝，并复用汉为国号，就此而论，更始实为后汉之始。但因更始帝本人于两年后死于赤眉军之手，最终于公元 36 年统一中国的是从更始政权分裂出去的刘秀政权，因此人们通常都把刘秀称作汉室中兴之主，将其于河北鄗城自立为帝的这一年（即公元 25 年）视为后汉之始。又因其定都洛阳，而将后汉称作东汉。

对汉光武帝刘秀创立后汉政权的业绩，古人多有褒扬。如宋代史学家司马光即称：“自三代既亡，风化之美，未有若东汉之盛者也。”（《资治通鉴》卷六十八）明末清初的王船山也称：“光武之得天下，较高帝而尤难矣！自三代而下，唯光武允冠百王矣。”（《读通鉴论》卷六）近人梁启超对东汉士风亦赞美有加，称“东汉尚气节，崇廉耻，风俗称最美，为儒学最盛时代”（《新民说》）。据清代史学家赵翼分析：“西汉开国，功臣多出于亡命无赖，至东汉中兴，则诸将帅皆有儒者气象，亦一时风会不同也。光武少时，往长安，受尚书，通大义。及为帝，每朝罢，数引公卿郎将讲论经理。故樊准谓帝虽东征西战，犹投戈讲艺，息马论道。是帝本好学问，非同汉高之儒冠置溺也。而诸将之应运而兴者，亦皆多近于儒。”（《廿二史札记》卷四“东汉功臣多近儒”条）当代史学家余英时更进一步指出：“东汉政权的建立实以士族大姓为其社会基础。光武集团之所以能在群雄并起的形势下获得最后的胜利，除了刘秀个人的身世，及其所处的客观环境较为有利外，它和士族大姓之间取得了更大的协调，显然是其最主要的原因之一。”（《东汉政权之建立与士族大姓之关系》）这也是其推崇儒学、尊重士人的主要原因。

在君主专制下，帝王好尚正是风会转移的一大关键。光武帝一朝君臣崇儒尊士，使士人有了比西汉时期较多的生存空间。以会稽余姚士人严光（字子陵，一名遵）为例。据《后汉书·逸民列传》记载，严光少有高名，与刘秀同游学。刘秀即帝位后，严光隐姓埋名，不欲出仕。帝思其贤，欲得其辅佐，遣使聘之，又亲至馆所探访。严光表示“昔唐尧著德，巢父洗耳。士故有志，何至相迫”，拒绝接受光武帝授予他的谏议大夫一职。十七年后光武再次征召，并致函表示：“古大有为之君，必有不召之臣，朕何敢臣子陵哉。惟此鸿业若涉春冰，辟之疮痏须杖而行。若绮里不少高皇，奈何子陵少朕也。箕山颍水之风，非朕所敢望。”意思是说治理天下少不了严子陵的辅佐，不希望他仿效隐居箕山、颍水的许由和巢父。但严光仍不愿屈己为臣，光武帝也只得作罢。后严光于 80 岁寿终正寝，“帝伤惜之，诏下郡县赐钱百万、谷千斛”，表示对这位隐士的礼敬之意。现在看来，光武帝优待严光，可能与他对士族的依赖有很大的关系。刘秀本南阳士族，他能夺取政权，主要是因为得到了士族势力的支持，故即位后对士族多有笼络，他几次三番征召严子陵，恐怕也有笼络吴越士族大姓的成分，但士族能对王权有所制约，皇帝对士人尚有所顾忌，也算是士人之幸了。

除了帝王以外，政府官员对社会的影响也是相当大的。更始元年（23），刘玄任命南阳士人任延为大司马属，拜会稽都尉。据《后汉书·任延传》记载，任延12岁为诸生，学于长安，名显太学，号为“任圣童”。任会稽都尉时，年方19。当时“天下新定，道路未通，避乱江南者皆未还中土，会稽颇称多士”。任延到任后，先派人备礼到延陵季子（即春秋时以观乐知名的吴公子季札）祠拜谒，又聘请董子仪、严子陵等高行之士，敬待以师友之礼。当时太末（今龙游）有一位名叫龙丘苌的隐士，在王莽时曾数度拒绝接受当朝公卿的征召。任延尊重他隐居的意愿，经常派遣功曹前去慰劳，对其礼敬有加。一年后，龙丘苌自愿出仕，担任议曹祭酒，不久后因病去世，任延亲自参加葬礼，且“不朝三日”，以示哀悼。此外，他对属吏和平民也多有照顾，在任三年期间，“省诸卒，令耕公田，以周穷急”，对掾吏贫者，常分奉禄以赈给之，“每时行县，辄使慰勉孝子，就餐饭之”。故士民归心，郡中贤士大夫亦乐于出仕，为其辅佐。

严子陵像

另据《后汉书·包咸传》记载：“包咸字子良，会稽曲阿人也。少为诸生，受业长安，师事博士右师细君，习《鲁诗》、《论语》。王莽末，去归乡里，于东海界为赤眉贼所得，遂见拘执。十余日，咸晨夜诵经自若，贼异而遣之。因住东海，立精舍讲授。光武即位，乃归乡里。太守黄说署户曹史，欲召咸入授其子。咸曰：‘礼有来学，而无往教。’说遂遣子师之。举孝廉，除郎中。建武中，入授皇太子《论语》，又为其章句。拜谏议

阅读链接：

（南朝宋）范晔：《后汉书·逸民列传》，浙江古籍出版社，2000年版。

（南朝宋）范晔：《后汉书·包咸传》，浙江古籍出版社，2000年版。

（南朝宋）范晔：《后汉书·钟离意传》，浙江古籍出版社，2000年版。

大夫、侍中、右中郎将。永平五年，迁大鸿胪。每进见，锡以几杖，入屏不趋，赞事不名。经传有疑，辄遣小黄门就舍即问。显宗以咸有师傅恩，而素清苦，常特赏赐珍玩束帛，奉禄增于诸卿，咸皆散与诸生之贫者。病笃，帝亲辇驾临视。”可见当时礼尊士人，已成为一种风气，而士人亦颇自重身份，无论在官员和帝王面前，都表现得不卑不亢。这在官本位时代是相当难得的。

士人自重，并非自命清高，而是行其当行，止所当止。据《后汉书·钟离意传》记载，会稽山阴士人钟离意（字子阿）少为郡督邮，时部县亭长有受人酒礼者，府中将其登记在案，要他查办，他却将记录封还，入府对太守说：“《春秋》先内后外，《诗》云：‘刑于寡妻，以御于家邦’，明政化之本，由近及远。今宜先清府内，且阔略远县细微之愆。”太守认为他很贤能，就委任他到县里任职。建武十四年（38），会稽大疫，死者万数，时人避之不及。唯独钟离意亲自去抚恤百姓，筹集医药发放给病人和家属，结果救了不少县民。后来他举孝廉，又被征辟到大司徒侯霸府上为属员。时值寒冬，府上让他负责押送刑徒去河内，很多刑徒病不能行。路过弘农，钟离意擅令该县做徒衣。属县不得不从，又上书言状。钟离意亦具奏说明情况。光武览奏，很有感慨地对侯霸说：“君所使掾何乃仁于用心？诚良吏也！”钟离意得知，又在途中解去刑徒桎梏，结果刑徒没有逃亡，一个个都如期到达目的地。汉显宗即位后，钟离意曾一度高升为尚书。因常有谏诤，帝感其诚，而又不耐，就将其外派到鲁国为相。后德阳殿成，百官大会，汉显宗想起钟离意，就对公卿说："钟离尚书若在，此殿不立。"今人常将诤谏视为古代臣子对君主的体制内监督，以为诤谏的目的是要让君主明白事理。但从汉显宗此言来看，君主拒绝纳谏，有时并不是不知道有些事情不应该做，而是因为他有不受限制的权力，可以去做对他自己有利而对社会有害的事。没有对最高权力的外部制衡，光靠体制内以下犯上的监督，是不可能制止当权者的胡作非为的。

上虞出土东汉黑釉熊形灯

东汉一代君主，虽因士族势力支持而起，取得政权以后，对士族也刻意拉拢，但其目的是为了巩固而不是削弱君主专制。为了防止出现西汉末期大臣专权乃至王莽篡位的情况，自光武帝始，即破坏宰相制度，限制相权，将权力集中于皇帝一人。但君主专制，仍需臣子辅佐，不可能以一人之力治天下，故又常任用近臣代行外官的职能，遂造成了内外关系的混乱。东汉中叶之后，又因幼主临朝，太后垂帘听政，任用外戚辅政，造成外戚专权的局面。而幼主成年后，为了从太后和外戚手中夺回最高权力，又常任用内廷宦官与外戚争斗。因外戚多为士族，且常以士林为后援，遂又引发宦官与士人之冲突，以致酿成两次党锢之祸。东汉末叶，宦官秉政，政治日趋腐败，崇尚气节的正直之士备受摧残，民不聊生，终于激起黄巾之乱。为了平息叛乱，朝廷不得已将军政大权授予地方，结果又造成州牧割据的局面，最终断送了延续将近二百年的东汉王朝。由此可见，无论统治者最初多么礼贤下士，尊师重道，只要推行君主专制，追求不受限制的最高权力，就不可能与士人分享权力，实行士人梦想中的君臣共治，更不可能还政于民，让公权力真正为民所用——这个理念直到近代才进入士人的思想世界。因此，我们不能超越时代强求古人，而只能正视君主专制下皇权压倒一切的历史事实，对处于弱势地位的历代士人以公共利益和道德理想约束专制君主强势作为的努力给予应有的肯定。

会稽士人与经史之学

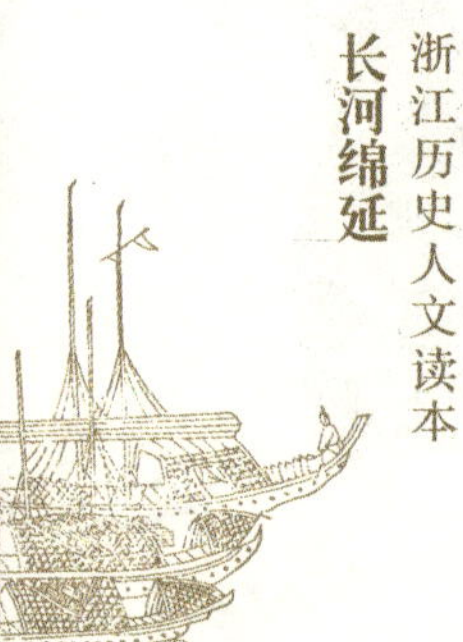

从文化史的角度来看，东汉时期吴越地区最值得注意的进展，就是对《越绝书》的整理及《吴越春秋》《论衡》《周易参同契》等一批著述的出现。它们是发端于中原地区的经史之学在吴越地区的滥觞。

《越绝书》，又名《越绝记》，是一部记载春秋战国时期吴、越两国史实的杂史，保存有东汉以前吴、越地区的许多史料，特别注重伍子胥、子贡、范蠡、文种、计倪等人的军事外交活动。据其首篇《外传本事》所述："越者，国之氏也。""绝者，绝也。谓勾践时也。"晚清朴学大师俞樾对此作了解释，说《春秋》绝笔于获麟，《越绝书》意在记吴、越之事以续补《春秋》，而重点更在于越，故曰"越绝"。此书原为三十五篇，北宋初亡佚了五篇，现在只剩十九篇。其中首尾两篇属于序跋性质，中间十七篇有内经、内传和外传。因该书不著撰人名氏，历代对其作者多有争论。有说是伍子胥的，有说是子贡的，更有说是东汉时期会稽士人袁康（著者）和吴平（校订者）的。现在看来，《越绝书》的作者应该不是伍子胥和子贡这样的名人，而是其后的吴越贤者和辩士。他们的著述动机就是要像传说中的孔子

作《春秋》（实为删定）一样，保留关于吴、越的历史记载。东汉时期的袁康和吴平做的主要是整理修订工作。

据《隋书·经籍志二》云："后汉光武，始诏南阳撰作风俗，故沛、三辅有耆旧节士之序，鲁、庐江有名德先贤之赞，郡国之书，由是而作。"所以，有专家认为，"《越绝书》是在郡国之书编纂之风兴起的历史背景下编辑成册的"（王志邦《浙江通史·秦汉六朝卷》）。"郡书者，矜其乡贤，美其邦族。"（刘知幾《史通·杂述》）《越绝书》也正体现了这个特点，书中"贬大吴，显弱越"（《越绝外传本事第一》），彰显越王勾践的霸业，无异于一部越族英雄史诗，体现了越人对本族历史文化的认同。作为浙江有史以来出现的第一部史书和第一部集体著述，它在浙江文化史上具有开创性的意义，其地位是以后任何别的著作都不可取代的。

继《越绝书》之后，东汉初还出现了另一部以春秋战国时期吴越争霸为主题的著作，这就是会稽山阴士人赵晔所著的《吴越春秋》。据《后汉书·赵晔传》记载："赵晔字长君，会稽山阴人也。少尝为县吏，奉檄迎督邮，晔耻于斯役，遂弃车马去。到犍为资中，诣杜抚受《韩诗》，究竟其术。积二十年，绝问不还，家为发丧制服。抚卒乃归。州召补从事，不就。举有道。卒于家。晔著《吴越春秋》《诗细历神渊》。蔡邕至会稽，读《诗细》而叹息，以为长于《论衡》。邕还京师，传之，学者咸诵习焉。"古礼男子年二十而加冠，未满二十岁为"未冠"，可称"少时"，则赵晔抛家别妻到犍为资中（今四川资阳）从杜抚就读《韩诗》应是在 20 岁以前。据《后汉书·杜抚传》记载："杜抚字叔和，犍为武阳人也。少有高才。受业于薛汉，定《韩诗章句》。后归乡里教授……弟子千余人。后为骠骑将军东平王苍所辟，及苍就国，掾史悉补王官属，未满岁，皆自劾归。时，抚为大夫，不忍去，苍闻，赐车马财物遣之。辟太尉府。建初中，为公车令，数月卒官。其所作《诗题约义通》，学者传之，曰《杜君法》云。"可知杜抚应辟到洛阳的时间应是永平四年（61），因为东平王刘苍第一次还国

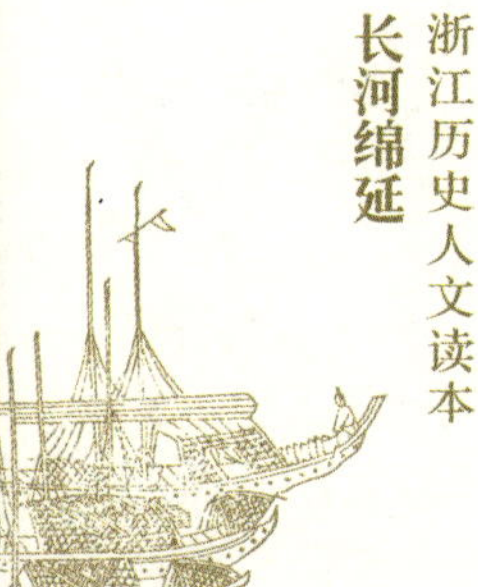

的时间是在永平五年（62）。（据《后汉书·光武十王列传》："五年，乃许还国，而不听上将军印绶。以骠骑长史为东平太傅，掾为中大夫，令史为王家郎。"）此后，杜抚就应辟去了太尉府（永平三年，虞延代赵熹为太尉），后又曾任校书郎。（据《后汉书·马援列传》："永平十五年，皇后敕使移居洛阳。显宗召见，严进对闲雅，意甚异之，有诏留仁寿闼，与校书郎杜抚、班固等杂定《建武注记》。"）直到建初中去世。建初有九年，时在公元76—84年间，则杜抚去世之年大约在公元80年。可见赵晔随杜抚求学的二十年基本上都是在京师度过的。由此推断，赵晔应是在公元41年后出生的，而《后汉书》记载的后汉时期第一次荐举有道术之士的时间是在永初元年（107），第二次是在建光元年（121），考虑到人生七十古来稀的事实，则应为公元107年。当时各州郡都有荐举有道的任务，但入选名额全国只有一个。如果赵晔入选了的话，应该到京师生活，但他最后却老死家中，可见他只是被荐，而未入选。赵晔能够在撰述上取得较大的成就，与他的师承及在京时受到的训练有着很大的关系。从著作性质上看，《诗细》一书传承韩诗，大概应该是他早年的撰述，《吴越春秋》则应是他回乡后的作品，所以其中既有历史叙述，也有许多传说和基于谶纬之说的演绎。

与《越绝书》和《吴越春秋》的作者不同，《论衡》的著者王充（27—97）对有关越国的历史传说有着较多的怀疑。如在《偶会篇》中，对于大禹鸟田的传说，他就作了这样的分析："雁鹄集于会稽，去避碣石之寒，来遭民田之毕，蹈履民田，啄食

草粮。粮尽食索，春雨适作，避热北去，复之碣石。象耕灵陵，亦如此焉。传曰：‘舜葬苍梧，象为之耕。禹葬会稽，鸟为之佃。’失事之实，虚妄之言也。”“疾虚妄”是《论衡》一书的主旨，也是它备受后世推崇的原因。对于当时流行的谶纬之说、天人关系理论，以及“好新师而从古”的学问态度，王充都毫不隐讳地提出了批评，显示了迥超时流的识见。

作为一个撰述家，王充对文化的价值也多有体认。他在《论衡·按书篇》中写道：“东番邹伯奇，临淮袁太伯、袁文衡，会稽吴君高、周长生之辈，位虽不至公卿，诚能知之囊橐，文雅之英雄也。观伯奇之《元思》、太伯之《易童句》（按，“童”疑作“章”），文术之《箴铭》，君高之《越纽录》，长生之《洞历》，刘子政、扬子云不能过也。”在他看来，东汉初年东番、临淮、会稽一带的士人在著述方面已经取得了相当高的成就，并不亚于以文章名世的刘向、扬雄，“文雅之英雄”也是衡量人生成就的

余杭出土汉代铁凿

一种尺度。这应该也是王充本人的自期自许。

据《后汉书》本传记载："王充字仲任，会稽上虞人也，其先自魏郡元城徙焉。充少孤，乡里称孝。后到京师，受业太学，师事扶风班彪。好博览而不守章句。家贫无书，常游洛阳市肆，阅所卖书，一见辄能诵忆，遂博通众流百家之言。后归乡里，屏居教授。仕郡为功曹，以数谏争不合去。充好论说，始若诡异，终有理实。以为俗儒守文，多失其真，乃闭门潜思，绝庆吊之礼，户牖墙壁各置刀笔。著《论衡》八十五篇，二十余万言，释物类同异，正时俗嫌疑。刺史董勤辟为从事，转治中，自免还家。友人同郡谢夷吾上书荐充才学，肃宗特诏公车征，病不行。年渐七十，志力衰耗，乃造《养性书》十六篇，裁节嗜欲，颐神自守。永元中，病卒于家。"王充在《论衡·自纪篇》也对自己的身世作了叙述，称其祖上曾因军功受封会稽阳亭，但仅一年就因变乱失去了封地，因而只得在当地落户，以农桑为业。其世祖王勇脾气火爆，灾荒年头"横道伤杀，怨仇众多"。适逢兵荒马乱，怕受到仇人报复，其祖父汎就带着全家搬到了会稽郡钱唐县，以经商为业。后又因其子蒙、诵二人"勇势凌人，末复与豪家丁伯等结怨，举家徙处上虞"。王充 6 岁发蒙，8 岁出于书馆。书馆小童百人以上都有受责罚的经历，唯独王充表现良好，学业进展顺利。长大后在县为至掾功曹，在都尉府亦为掾功曹，在太守为列掾五官功曹行事，入州为从事。但王充并未说自己有"到京师，受业太学，师事扶风班彪"的经历，却称自己"未尝履墨途，出儒门"，所以也有学者怀疑《后汉书》

记载不实。

据《后汉书·王充传》唐李善注引东晋袁山松所著《后汉书》曰："(王)充幼聪明，诣太学，观天子临辟雍，作六儒论。……充所作《论衡》，中土未有传者，蔡邕入吴始得之，恒秘玩以为谈助。其后王朗为会稽太守，又得其书，及还许下，时人称其才进。或曰：不见异人，当得异书。问之，果以《论衡》之益，由是遂见传焉。"又引东晋葛洪所著《抱朴子》曰："时人嫌蔡邕得异香，或搜求其帐中隐处，抱数卷持去。邕丁宁之曰：'唯我与尔共之，勿广也。'"可见王充在世时，《论衡》还是默默无闻的，直到东汉晚期才传入中原，东晋时王充事迹已经有些被传奇化了。通行的《后汉书》作者范晔（398—455）是南朝宋人，去汉之时更远，将传闻当作事实的可能性还是存在的。但无论如何，《论衡》为王充所著，却是一个确定不移的事实。王充人以文名，以著作家身份进入历史，因立言而不朽，亦可谓得其所矣。

如果说，西汉早期的严忌、严助、朱买臣是会稽士人中的仕宦名士和文学之士，东汉初期的严子陵、包咸、钟离意是有独立品格和道德风范的气节之士，那么《吴越春秋》的作者赵晔和《论衡》的作者王充可以说是东汉时期典型的著述之士。他们的身上都体现了吴越士人的独特品格，他们的存在也共同构成了汉代吴越精英文化的整体风貌。

阅读链接：

（东汉）袁康，吴平辑录：《越绝书》，上海古籍出版社，1985年版。

周生春：《吴越春秋辑校汇考》，上海古籍出版社，1997年版。

黄晖：《论衡校释》，中华书局，2006年版。

曹娥传奇，巫孝合一

在人类文明发展的早期阶段，巫文化占有一个相当重要的地位，它是原始文化的一种主要形态，也是初民们把握世界的一种基本方式。中国的巫术传统大致上起源于新石器时代，据张光直考证，在仰韶文化的半坡遗址和半山遗址中遗留下来的彩陶的纹饰上，已经出现了古代巫师的形象。到了殷商时期，巫觋之风更是大为盛行。在当时的社会生活中，巫师扮演着一个极其重要的角色。他们承担着降神、献祭、卜筮、观象、释梦、预测、祈雨、医疗等诸种职能，相传能以某种方式（如歌舞及祭献仪式）沟通神人，调动鬼神之力为人消灾致福，在社会上享有很高的地位，以巫术著称的巫咸、巫贤等人皆官至相位。周克殷后，虽然改变了殷人“率民以事神，先鬼而后礼”的行为方式和价值体系，“尊礼尚施，事鬼敬神而远之，近人而忠焉”（《礼记·表记》），以礼乐文化取代了巫觋文化的主流地位，相应降低了以降神为职司的巫觋的地位。但是，对于祭祀和卜筮之类，仍然相当重视。为了卜筮、祭祀等活动的需要，还专门设置了太卜、太祝、太史（兼掌天文星历）之类的官职。

到了汉代，巫觋依然在朝廷中存在，并有着一定的影响。据司马迁《史记·封禅书》记载，汉高祖刘邦即位后，即在朝廷中设置“七巫”之职，隶属太祝，其职责是主管各种祭礼。武帝元封二年（前109）灭南越后，又增设了“越巫”，使官巫达到八种之多。其后，由于政治原因，朝廷对官巫的态度发生了一些变化。建始二年（前31）成帝接受匡衡、张谭等的建议，罢黜长安旧祠475所、雍地188所，同时废除高祖所立的七巫中除河巫之外的六巫，而且还遣还了候神方士、木草待诏等70多人。大批巫师流落到民间，社会地位相当低，但巫术在民间仍有相当大的影响。据桓宽《盐铁论》记载，汉昭帝始元六年（前81），在野的贤良文学在与御史大夫桑弘羊等政府官员的争论中说：“今世俗饰伪行诈，为民巫祝，以取厘谢，坚额健舌，或以成业致富，故惮事之人，释本相学。是以街巷有巫，闾里有祝。”可见汉代巫风之盛。而在各个地域中，越地又是巫风较盛的。据东汉应劭所撰《风俗通义》一书记载：“会稽俗多淫祀，好卜筮，民一以牛祭，巫祝赋敛受谢，民畏其口，惧被祟，不敢拒逆；是以财尽于鬼神，产匮于祭祀。或贫家不能以时祀，至竟言不敢食牛肉，或发病且死，先为牛鸣，其畏惧如此。”

然而，就在这种浓厚的巫文化氛围中，越地却出了一个最早以“孝女”之名被写入正史的历史人物，她就是东汉时期的上虞女子曹娥。据《后汉书·列女传》记载：“孝女曹娥者，会稽上虞人也。父盱，能弦歌，为巫祝。汉安二年五月五日，于县江溯涛婆娑迎神，溺死，不得尸骸。娥年十四，乃沿江号哭，昼夜不绝声，旬有七日，遂投江而死。至元嘉元年，县长度尚改葬娥于江南道傍，为立碑焉。”关于曹娥，历朝历代相关文字记载颇多。其中年代最早、最有原始文献价值的就是汉恒帝元嘉元年（151）上虞县令度尚为其所立的曹娥碑。碑文中称：

孝女曹娥者，上虞曹盱之女也。其先与周同祖，末胄荒沉，爰兹适居。盱能抚节按歌，婆娑乐神。汉安二年五月时，迎伍君逆涛而上，为水所淹，不得其尸。娥时年十四，号慕思盱，哀吟泽畔，旬有七日，遂自投江死。经五日，抱父尸出。以汉安迄于永嘉青龙辛卯，莫之有表。

度尚设祭诔之词曰：伊唯孝女，晔晔之姿，偏其反而，令色孔仪。窈窕淑女，巧笑倩兮。宜其室家，在洽之阳。大礼未施，嗟丧慈父。彼苍伊何，无父孰怙。诉神告哀，赴江永号。视死如归，是以眇然轻绝，投入沙泥。翩翩孝女，载沉载浮，或泊洲屿，或在中流，或趋湍濑，或逐波涛。千夫失声，悼痛万余。观者填道，云集路衢。泣泪掩涕，惊动国都。是以哀姜哭市，杞崩城隅。或有刻面引镜，剺耳用刀，坐台待水，抱柱而烧，于戏孝女，德茂此俦。何者大国，防礼自修。岂况庶贱，露屋草茅，不扶自直，不斫自雕。越梁过宋，比之有殊。哀此贞励，千载不渝，呜呼哀哉。

铭曰：名勒金石，质之乾坤。岁数历祀，立庙起坟。光于后土，显昭夫人。生贱死贵，利之仪门。何怅花落，飘零早兮。葩艳窈窕，永世配神。若尧二女，为湘夫人。时效仿佛，以昭后昆。

据曹娥碑碑文所述，“盱能抚节按歌，婆娑乐神”，可见他的身份就是一个巫者。东汉许慎《说文解字》一书释巫字云：“巫，祝也，女能事无形，以舞降神者也。”而《尚书》亦载：“敢有恒舞于宫，酣歌于室，时谓巫风。疏曰：巫以歌舞事神，故歌舞为巫觋之风俗也。”郑玄《诗谱》亦云：“古代之巫，

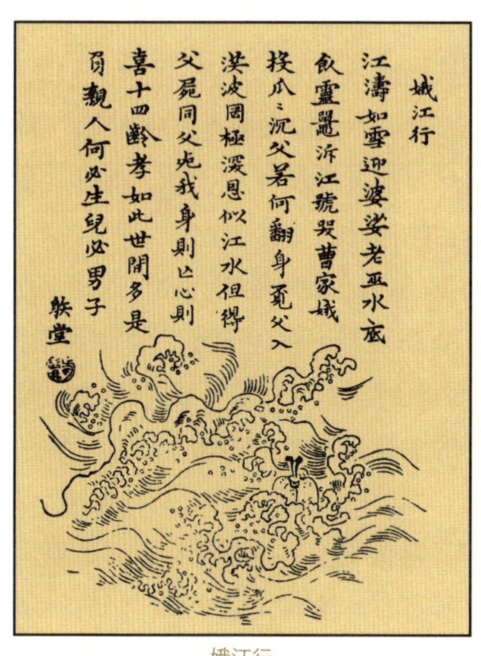

娥江行

曹娥像（清康熙年间山阴金古良绘）

实以歌舞为职。”此处描述的情形，正是曹盱的作为，所以《后汉书》等在写到曹盱的时候，亦径称其为巫祝。而曹盱的死也正是在其“迎伍君逆涛而上，为水所淹”之时发生的，可以说是其巫术活动的一个始料未及的结果。它也构成了曹娥投江故事的背景。

以研究巫术著称的英国人类学家弗雷泽指出：“在许多地区和民族中，巫术都曾声称它具有为人们的利益控制大自然的伟力。”“在公众巫师为部落利益所做的各种事情中，最首要的是控制气候，特别是保证有适当的降雨量。”（《金枝》第128、95页）上虞位于宁绍平原中部，北濒钱塘江，中有曹娥江。“曹娥江潮汐之险，亚于钱塘，坍沙蹈溺，舟行苦之，故号称‘铁面曹娥江’。”（清沈志礼辑《曹江孝女庙志》十卷之三《名胜记载》“郡志一则”。）大潮汛期，受潮汐影响，常有海潮倒灌的洪涝现象出现，当地民众深以为患。当时人们抵御自然灾害的能力极其薄弱，对自然规律又缺乏充分认识，习惯于从超自然的角度解释自然现象。《后汉书》写到大水时，即引《五行传》作为解释依据，称："《五行传》曰：'简宗庙，不祷祠，废祭祀，逆天时，则水不润下。'谓水失其性而为灾也。"据西汉司马迁所著《史记 · 伍子胥列传》记载，子胥死后，"吴人怜之，为立祠于江上，因命曰胥山"。到了东汉时期，伍子胥更是被神化，成了吴越人心目中的潮神。东汉会稽山阴人赵晔所著《吴越春秋 · 夫差内传》称："吴王乃取子胥尸，盛以鸱夷之器，投之于江中。……子胥因随流扬波，依潮来往，荡激崩岸。"相传为东汉袁康、吴平所著的《越绝书》亦称："（胥死后）王使人捐大江口。勇士执之，乃有遗响，发愤驰腾，气若奔马；威凌万物，归神大海；仿佛之间，音兆常在。后世称述，盖子胥水仙也。"上虞人在五月初举行迎潮神的活动，也是出于这个目的。

作为一名巫师，曹娥的父亲曹盱在迎潮神的活动中，无疑是一个很关键的角色。他的职责就是"以舞降神"，即以今日所说的"跳大神"的形式施法，让潮神伍子胥附体接受献祭。对于经常遭受洪水、咸潮之苦的上虞人来说，潮神伍子胥能否附体到曹盱身上，接受他们的祭献，这是能否"慰其恨心，止其猛涛"的关键。所以，他们都把希望寄托在曹盱身上，希望他"抚节按歌，婆娑乐神"的巫术能够成功地在人与神之间搭起一座沟通的桥梁。但遗憾的是，曹盱在"迎伍君逆涛而上"的时候，却"为水所淹，不得其尸"。这对曹盱来说，

东汉原始瓷明器一组

不但意味着生命的终结，也意味着巫术的失灵。而对其他人来说，曹盱的死于非命则不但是一个悲惨的事件，而且是一种不祥之兆——它表明曹盱作为一个巫祝，其法术并不足以自保，更不足以与潮神沟通，保佑沿江百姓的安宁。潮水卷走他的尸体，也可视为潮神对他的惩罚。在这种情况下，作为曹盱的女儿，14 岁的曹娥面临的不仅是丧父之痛，而且有随之而来的种种现实的和心理的压力。从现实层面来看，曹盱的死亡意味着曹娥失去了生活的保障。作为一个巫祝，曹盱是以巫术换取一家人的生活资料的，他不可能在死后为曹娥留下多少财产。相反，由于从事巫祝这种特殊的职业，平常不事生产，其生产资料和生活资料恐怕比一般的农家还要少。从心理层面来看，曹盱的死于非命不但有损于他作为一个巫祝的声誉，而且会影响到家人，导致家人被他人视为不祥之人。这对曹娥这样一个“大礼未施”、待字闺中的少女来说，也是一种沉重的打击。所以，曹娥在江畔哀哭、徘徊了“旬有七日”之久，最终还是选择了投江自杀的悲惨结局。

曹娥投江，显然是在走投无路、哀苦无告的绝境下采取的不得已的举动。那么，为什么在她死去 7 年之后，上虞县令度尚要为其树碑勒铭，以孝女的名义对她进行表彰呢？这一方面与汉朝大力提倡孝道，将孝作为国家主流意识形态的政治文

化背景有很大的关系，另一方面也是因为曹娥传说中的巫术成分,为孝感天地提供了一个典型。在度尚起意为曹娥立碑之前，关于曹娥投江抱父尸俱出的传说早已在当地民间形成，它为度尚以孝女名义表彰曹娥提供了依据。对于当地民众来说,曹盱、曹娥父女两人的死固然都是悲剧，但是，如果曹娥投江五天后抱父尸出的传说是真实的话，那就意味着曹盱作法失败的后果已经由其女儿曹娥作了弥补。不管曹娥是通过施行巫术直接找到了父尸，还是因为她以生命履行孝道感动神明而间接地达到了目的,只要她的投江可以换来“抱父尸出”的结果，那就意味着她的行为已经达到了曹盱不能达到的与潮神沟通的效果，意味着人可以通过某种超自然的方式与支配着大自然的那种神秘的力量展开互动，在一定程度上降低自然灾害所造成的影响，减轻民众对于那种不可控的神秘力量的恐惧。这也正是曹娥投江 5 天后抱父尸俱出的传说能够流传开来的一个民众心理方面的原因。所以,在这个意义上,我们可以说,曹娥被封为孝女，正是吴越民间信仰与国家意识形态的合谋，它消解了人们的恐惧，迎合了人们的期盼，也掩盖了人们不敢面对的悲剧性的事实真相。

阅读链接：

（清）沈志礼辑：《曹江孝女庙志》（浙江汪启淑家藏本）。

［英］弗雷泽：《金枝》，中国民间文艺出版社，1987年版。

胡新生：《中国古代巫术》，山东人民出版社，2005年版。

六朝风华

浙江自三国时期以来，基本上处在南方政权掌控之下，先后接受了孙吴、西晋、东晋、刘宋、萧齐、梁、陈的统治。在王纲解纽，群雄逐鹿，战争烽火连年不断的三国两晋南北朝时期，越地的自主性得到了张扬，呈现出独特风华。

汉兴平元年（194），“扬州刺史刘繇与袁术将孙策战于曲阿，繇军败绩，孙策遂据江东”（《后汉书·孝献帝纪第九》）。唐至德元年（756），高阳许嵩著成《建康实录》一书，将孙策占据江东的这一年作为孙吴时期的起始。因孙权于黄龙元年（229）称帝之后不久，就将吴国都从武昌迁到了建业（后称建康，即今南京），其后的东晋和南朝的宋、齐、梁、陈四代亦皆定都于此地，故许嵩以“建康实录”为名，囊括此六朝史事。后人相沿成习，亦以“六朝”统称这六个在建康建都的王朝。

浙江自三国时期以来，除了西晋灭吴到西晋灭亡这段时间（280—316），基本上都处在南方政权的掌控之下，先后接受了孙吴、西晋、东晋、刘宋、萧齐、梁、陈的统治。三国两晋南北朝时期是中国历史上的大分裂时期，王纲解纽，群雄逐鹿，战争烽火连年不断，政治形势复杂多变，整个社会处于动荡之中，对民众生活和心理造成了很大的影响，一定程度上也阻碍了社会的发展。但大一统政治格局的崩解，也使得政治权力对社会的束缚趋于放松，促进了社会流动和区域交流，使得各个区域和各个阶层的主体性得到了强化，自主性得到了张扬。这也正是那个时代的精神文化能够在中国文化史上呈现出独特风华的主要原因。

州郡割据，孙吴崛起

钱穆先生指出，东汉末年政治有一个突出的特点，就是地方政权离心势力的增长。两汉时期郡太守地位很高，有秩（俸禄）二千石，与中央政府之九卿大致相等。在郡自辟属官，自由主持地方政事，支配地方财政，得兼地方军政。因郡吏由太守自辟，故常对太守表示效忠，乃至为之死节，而对朝廷的认同和效忠意识则比较淡薄(《国史大纲》)。州一级原本只是中央政府派驻地方的行政督察机构，地位并不高。西汉武帝时初置刺史十三人，秩六百石。成帝更为牧，秩二千石。东汉建武十八年（42），复为刺史，十二人各主一州，其一州属司隶校尉。中平五年（188），太常刘焉以为四方兵寇不息，刺史威轻，既不能禁，于是建议将其改为州牧，选派重臣担任，使其成为镇安一方的地方行政最高长官。其本意是要节制地方割据，但州牧权力扩大后，就更难以统驭了，结果反而演变成了以州牧和郡守为主导的诸侯割据的局面。

浙江在东汉时期，除了少数几个县以外，基本上都属于会稽郡的范围。因辖境广大，属县偏远，管理多有不便，顺帝永建四年（129），朝廷接受阳羡令周嘉等人的建议，以浙江（钱塘江古称）为界，将会稽郡分为两个郡。北部称作吴郡，以原会稽郡治吴为郡治，下辖吴、海盐、乌程、余杭、毘陵、丹徒、曲阿、由拳、安、富春、阳羡、无锡（侯国）、娄等 13 城，共有 164164 户 700782 人。南部仍称会稽郡，郡治设在山阴，下辖鄮、乌伤、诸暨、余暨、太末、上虞、剡、余姚、句章、鄞、章安等 14 城，共有 123090 户 481196 人。中平五年（188），朝廷接受太常刘焉建议，设置州牧一职，“出焉为监军使者，领益州牧，太仆黄琬为豫州牧，宗正刘虞为幽州牧，皆以本秩居职”（《后汉书》卷七十五），但扬、豫、兖等州并未将刺史改置为州牧。

中平六年（189）汉灵帝驾崩，少帝刘辩继位，外戚大将军何进辅政，与司隶校尉袁绍合谋诛杀宦官，私召驻守在凉州的前将军董卓入京。不料董卓在执掌京师护卫之后，却据兵擅政，废黜少帝，立陈留王刘协为汉献帝，自任太尉、郿侯、相国，独揽军政大权，其部属更在洛阳城里奸淫掳掠，胡作非为，这就激起了各方势力的反对。初平元年（190）正月，后将军袁术、冀州牧韩馥、豫州刺史孔伷、兖州刺史刘岱、河内太守王匡、勃海太守袁绍、陈留太守张邈、东郡太守桥瑁、山阳太守袁遗、济北相鲍信同时起兵，各率众数万，推袁绍为盟主，典军都尉曹操行奋武将军（即临时代理总监军）。曹操出师不利，在荥阳被董卓部将徐荣战败，丢盔弃甲一路逃窜，越过汴水直奔谯县。其弟曹洪带着家兵千余人，跑到扬州募兵。扬州刺史陈温素与洪善，为其在庐江募得上等甲兵二千人，东到丹杨复得数千人，为曹操卷土重来提供了资本。

与此同时，长沙太守、乌程侯孙坚亦率部参与了征讨董卓的行动，并借过境之际，借故先后杀死了同属讨董阵营的荆州刺史王叡和南阳太守张咨，将两人部属收入麾下。其后，孙坚率领数万兵马到达鲁阳，与袁术联手。袁术即表奏他为破虏将军，兼领豫州刺史。“使率荆、豫之卒，击破董卓于阳人。”后来孙坚还一直打到洛阳，将董卓赶出了京城。但就在这个时候，

袁绍、袁术兄弟却心怀异志而起了内讧。时逢孙坚讨卓未返，袁绍即遣其将会稽周昕夺坚豫州，结果被袁术引兵击退。此后袁术与割据幽州的奋武将军、蓟侯公孙瓒及陶谦结盟,袁绍则与荆州刺史刘表联合。初平三年（192）袁术派孙坚去征讨荆州，在战场上打败了刘表部将黄祖，结果却在野外被敌方冷箭射杀。其后，“公孙瓒使刘备与术合谋共逼绍，绍与曹操会击，皆破之”。初平四年（193），袁术引军入陈留，屯封丘，与曹操战于匡亭，大败。“术退保雍丘，又将其余众奔九江，杀扬州刺史陈温而自领之，又兼称徐州伯。”时董卓已死，汉献帝在董卓余党李傕、郭汜等人挟持之下，李傕“欲结术为援，乃授以左将军，假节（假节得杀犯军令者），封阳翟侯”（《后汉书·袁术传》）。这时，孙坚的妻舅吴景和侄子孙贲率其余部前去依附袁术，袁术就派他们带兵攻打丹杨郡，将袁绍一方的丹杨太守周昕赶走，并任命吴景为丹杨太守、孙贲为丹杨都尉。此时，侍御史东莱刘繇又被朝廷任命为扬州刺史，因州治寿春为袁术所据，刘繇畏惮袁术，不敢到寿春任职，遂移治曲阿，与吴景、孙贲和平共处。时值中原战乱，士人多南奔，刘繇携接收养，与同甘苦，甚得时誉。

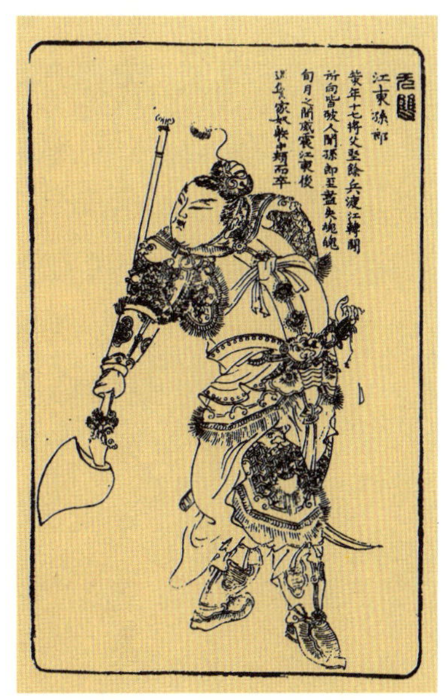

孙策像

孙坚长子孙策（175—200）起初也在舅父吴景麾下，与孙河、吕范等人“合众共讨泾县山贼祖郎”，兴平元年（194）又至寿春投奔袁术。袁术很器重他，将部分孙坚旧部交还给他。时在寿春持节安抚袁术等人的太傅马日磾亦以礼辟策，上表荐任孙策为怀义校尉。其后，袁术与盟友陶谦交恶，欲攻徐州，向庐江太守陆康索要三万斛米作为军粮。陆康不给，袁术就派孙策前去攻打，将庐江吞并。刘繇恐为袁

阅读链接：

（南朝宋）范晔：《后汉书》，中华书局，1965年版。

（西晋）陈寿撰、（唐）裴松之注：《三国志》，中华书局，1959年版。

术、孙策所并，派部将樊能、于麋、张英等分屯江边要道设防，又恐吴景、孙贲两人与袁术、孙策内外策应，就将两人逐出丹杨。不久，袁术用故吏琅琊惠衢为扬州刺史，以吴景为督军中郎将，与孙贲共讨樊能、于麋于横江，又击笮融、薛礼于秣陵，岁余相持不下。朝廷为表示对刘繇的支持，“命加繇为牧，振武将军”。当时，刘繇有众数万人，实力并不小，但战术保守，只守不攻，孙策以为可战，于是就请求袁术派他助吴景去打江东，称“家有旧恩在东，愿助舅讨横江；横江拔，因投本土召募，可得三万兵，以佐明使君匡济汉室”。袁术知道孙策志向不小，“而以刘繇据曲阿，王朗在会稽，谓策未必能定”，故表荐孙策为折冲校尉，行殄寇将军，给了他千余兵卒，数十匹骑。孙策就带着这些人马，加上原先一直追随着他的数百宾客，从寿春出发，一路收聚孙坚旧部及散兵游勇，到历阳与吴景会合时，已有众五六千人。于是，孙策挥师渡过长江，攻破樊能、于麋把守的刘繇牛渚大营，将其粮谷和战具尽数缴获。接着又分别在下邳、秣陵、牛渚、海陵等地与下邳相笮融、彭城相薛礼、樊能于麋余部及刘繇属下的其他将领进行了多次战斗，先后斩首一千五百余级，俘获男女万余人。其后，孙策又攻克湖孰、江乘两县，并与刘繇发生正面交锋。刘繇不敌，弃军遁逃，诸郡守皆弃城逃走，孙策占领曲阿，据有江东。（按：《后汉书》称孙策兴平元年占据江东，但据《三国志》裴松之注引吴录载策上表：“兴平二年十二月二十日，于吴郡曲阿得袁术所呈表，以臣行殄寇将军。”则孙策兴兵应为兴平二年间事，袁术表策

为行殄寇将军是在孙策占领曲阿之后。)

与此同时，孙坚旧部、吴郡都尉丹杨朱治也从钱唐（今杭州）起兵，北上吴郡，与太守许贡在由拳(今嘉兴南)交战,并大破之。许贡投奔乌程(今湖州)山宗严白虎。当时，严白虎与同邑邹他、钱铜及前合浦太守嘉兴王晟等，各聚众万余或数千等，处处屯聚，与孙策抗衡。吴景等欲先击破虎等，再至会稽。但孙策认为，严白虎等群盗非有大志，不足为虑，于是就引兵渡过浙江，攻打会稽。会稽太守王朗不敌，浮海至东冶（今福建福州）。策又追击，大破东冶，并将王朗擒获。此后，孙策又引兵攻打严白虎等人,皆攻破之。于是,孙策就用自己的部属更换了朝廷任命的长吏，自领会稽太守，复以吴景为丹杨太守，以孙贲为豫章太守，并分豫章为庐陵郡，以贲弟辅为庐陵太守,丹杨朱治为吴郡太守,将整个江东都纳入自己的势力范围。其后，孙策向朝廷进贡输诚，但因其所取代者皆系朝廷命官，当时朝廷并未承认他对这些地方的控制。

建安二年（197），袁术割据江淮称帝，孙策不从，致函谴责并与其断绝关系。朝廷为了拉拢孙策，派议郎王诵奉诏到山阴，以策为骑都尉，袭爵乌程侯，领会稽太守。命其与徐州牧温侯布及行吴郡太守安东将军陈瑀戮力一心，同时赴讨袁术。孙策认为骑都尉领郡为轻，欲得将军号，王诵便承制给了孙策一个明汉将军的头衔。是时，陈瑀屯扎在广陵海西，吴郡仍在孙策手中。陈瑀企图偷袭孙策，就派都尉万演等人秘密渡江，持印传三十余纽，与在丹杨、宣城、泾、陵阳、始安、黟、歙诸县割据一方的山越宗帅祖郎、焦已及吴郡乌程严白虎等人联络，使为内应，欲攻取诸郡。孙策察觉后，即“遣吕范、徐逸攻瑀于海西，大破瑀，获其吏士妻子四千人”(《三国志》裴注引《江表传》)。次年，孙策又“遣使贡方物，倍于元年所献”。曹操此时已将汉献帝掌握在手中，正要讨伐袁术等人，就任命孙策为讨逆将军，并封其为吴侯，等于在事实上承认了孙策对江南诸州郡的控制。

孙权立国及其败亡之因

孙权像

东汉建安五年（200），曹操与袁绍相拒于官渡，孙策欲奇袭许昌，迎汉帝，部署诸将。未发之时，却在一次打猎中，被故吴郡太守许贡门下游士刺杀。临终前，孙策将吴侯和讨逆将军印绶交给其弟孙权（182—252），嘱托张昭、周瑜等人尽力辅佐。“是时惟有会稽、吴郡、丹杨、豫章、庐陵，然深险之地犹未尽从，而天下英豪布在州郡，宾旅寄寓之士以安危去就为意，未有君臣之固”（《三国志・吴书二・吴主传》）。故孙权继位之后，先“分部诸将，镇抚山越，讨不从命”，巩固了对吴越的统治。当时，庐江太守李术“不肯事权，而多纳其亡叛”。孙权移书求索，李术回报说：“有德见归，无德见叛，不应复还。”孙权大怒，发兵攻打皖城，“遂屠其城，枭术首，徙

其部曲三万余人”（《三国志·吴主传》注引《江表传》）。建安八年（203），孙权又率军西伐黄祖，破其舟军，唯城未克，因此时吴越后方仍未稳固，“山寇复动”，孙权只得回师平息内乱。直到建安十二年（207），才又“西征黄祖，虏其人民而还”。十三年（208）春，孙权率水陆大军第三次征讨黄祖，攻破江夏，遂屠其城，虏其男女数万口。此后，荆州牧刘表去世，曹操大军压境，迫使刘表之子率部归附。孙权遂与刘备结盟，经由赤壁之战大破曹军，初步形成了魏、蜀、吴三分天下的格局。

此后，魏、蜀、吴三方互有征战，相持不下。其中曹魏一方最为强势，蜀汉一方最为弱势，孙吴一方实力偏中，总体上处于上升态势。建安二十四年（219），孙吴偷袭荆州成功，势力范围扩大，与蜀汉冲突激化。次年，曹丕称帝，以魏代汉。黄初二年（221），刘备亦称帝于蜀。但孙权为了缓和吴、魏关系，以腾出手来收拾蜀汉，于是反其道而行之，折节向魏国称藩，并将以前俘虏的魏将于禁等人礼送出境。魏文帝曹丕亦礼尚往来，封孙权为吴王，以大将军使持节督交州，领荆州牧事。孙权乃定都于鄂，改名武昌。黄武元年（222），孙吴陆逊部攻下蜀五屯，大破蜀军，斩杀、俘虏蜀军数万。刘备奔走，仅以身免。魏文帝为防止吴国坐大，乃遣使往吴与盟誓，又征其子以为人质。孙权不允，魏乃兴师动众，兵分三路攻打东吴。时扬、越蛮夷多未平集，内难未弭，故孙权卑辞上书，求自改厉。文帝乃以孙权亲赴朝会作为罢兵条件，孙权只能临江拒守。十一月间，狂风大作，孙吴守军溺死数千，余部退还江南。魏将曹休使臧霸以轻船五百、敢死万人袭攻徐陵，烧攻城车，杀掠数千人。吴将全琮、徐盛追斩魏将尹卢，杀获数百。孙权自知不敌曹魏，乃与蜀汉重新交往，但刘备不久后就病逝了，蜀国自顾不暇，吴国乘机扩大势力范围，将宜都、武陵、零陵、南郡四郡之地收复。其后，魏军多次犯境，都被吴军击退，曹丕只得放弃并吞东吴的图谋，返回北方。黄武五年（226）七月，孙权听闻曹丕去世，遂征讨魏国，围困石阳，夺得江夏。黄武七年（228）夏，又使鄱阳太守周鲂伪叛，引诱魏将曹休，使将军陆逊督诸将大破休于石亭，暂时消除了来自北方的威胁。黄武八年（229）四月，孙权于武昌南郊即皇帝位，改年号黄龙，国号大吴。九月，孙吴迁都建业，使江东重新成了吴国的中心，也开启了南京六朝古都的历史。

然而，就在一步一步登上帝王宝座的过程中，孙权的心态也日益膨胀起来，变得不能容人。据《三国志·吴书十二·虞陆张骆陆吾朱传》记载，孙权被封为吴王后，有一次欢宴之末，自己起来依次为众臣斟酒，骑都尉虞翻伏地佯醉，没有拿起酒樽相迎。孙权走后，虞翻起坐。孙权于是大怒，持剑欲击杀虞翻。侍坐者莫不惶遽，唯大司农刘基起来抱住孙权说道："大王以三爵之后（手）杀善士，虽翻有罪，天下孰知之？且大王以能容贤畜众，故海内望风，今一朝弃之，可乎？"权曰："曹

孙权故里富阳古城墙（明代嘉靖年间修筑）

孟德尚杀孔文举，孤于虞翻何有哉？”基曰：“孟德轻害士人，天下非之。大王躬行德义，欲与尧、舜比隆，何得自喻于彼乎？”翻由是得免。权因敕左右，自今酒后言杀，皆不得杀。但事实上，孙权欲杀虞翻，并非酒后一时糊涂，而是因为虞翻“数犯颜谏争，权不能悦”，所以想借过杀了他。

诚如刘基所说，孙权早年是以“能容贤畜众”，依靠张昭、周瑜、鲁肃、陆逊等一大批文臣武士起家的。但在权力稳固之后，他的态度就有了变化。老臣张昭因孙策临终嘱托他辅佐孙权，且比孙权年长许多，对孙权一向多有规劝，且常不假辞色。孙权起初还听几句，后来就“常笑而不答”，并不加以理会。黄武元年（222），孙权封王之后，众臣议以张昭为丞相。权曰：“方今多事，职统者责重，非所以优之也。”拜张昭为绥远将军，封由拳侯，等于把这位老臣闲置了起来。后孙邵卒，百官再次推举张昭，孙权又说：“领丞相事烦，而此公性刚，所言不从，怨咎将兴，非所以益之也。”乃用顾雍。嘉禾二年（233），已经称帝四年的孙权误中辽东公孙渊称藩之计，不听满朝群臣之言，遣张弥、许晏率领吏兵四百余人，赍金玉珍宝出使辽东，立公孙渊为燕王。张昭数次进谏，孙权不能忍受，按刀怒道：“吴国士人入宫则拜孤，出宫则拜君，孤之敬君，亦为至矣，而数于众中折孤，孤尝恐失计。”对张昭进行威胁。张昭亦无所畏惧，注视着孙权说：“臣虽知言不用，每竭愚忠者，诚以太后临崩，呼老臣于床下，遗诏顾命之言故在耳。”孙权感其盛意，“掷刀致地，与昭对泣”，但终究还是派大臣去了辽东。“昭忿言之不用，称疾不朝。权恨之，土塞其门，昭又于内以土封之。”后来公孙渊果然杀了弥、晏二人。“权数慰谢昭，昭固不起，权因出过其门呼昭，昭辞疾笃。权烧其门，欲以恐之，昭更闭户。权使人灭火，住门良久，昭诸子共扶昭起，权载以还宫，深自克责。昭不得已，然后朝会。”（《三国志·吴书七·张顾诸葛步传》）现在看来，孙权敌视张昭，最根本的原因，是不允许在宫廷外出现另一个权威，而他甘愿为公孙渊所骗，则是为了满足自己以天子

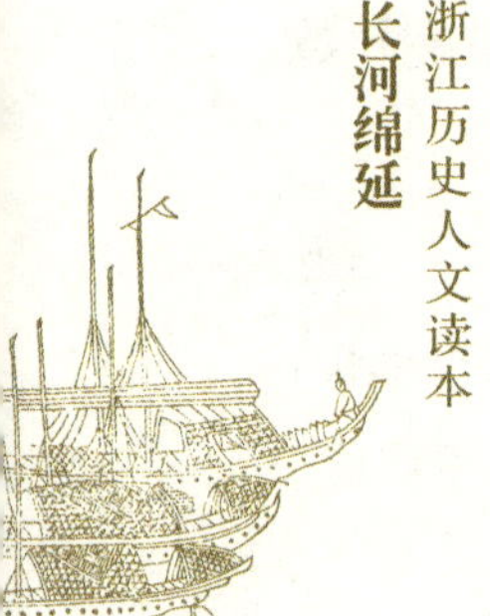

身份分封诸侯的欲望。这也正在他称帝之后第二年，即“遣将军卫温、诸葛直将甲士万人浮海求夷洲及亶洲”，试图从海外寻找藩属，建立朝贡体系的真正原因。

为了维护自己的最高权力，孙权在位之时，可谓无所不用其极，但在最高权力继承问题上，他却犯下了致命的错误。孙权共有七个儿子，次子早亡，长子孙登于黄初二年（221）孙权为吴王时即被立为太子，且素有贤能之名，对孙权亦有谏诤，被许多朝臣寄予重托。但孙权自己比较宠爱的是三子孙和，故孙登亦对孙和亲敬有加，待之如兄，常有欲让之心。赤乌四年（241）年仅33岁的孙登病卒，得宠的孙和于次年正月被封为太子。孙和精识聪敏，好学下士，亦善骑射，甚见称述，本来是继承帝位的恰当人选。但因孙权于同年八月又封四子孙霸为鲁王，“宠爱崇特，与和无殊”，且礼秩未分，结果就在两人之间形成了竞争的态势，朝臣亦各有拥立，形成两党，互相倾轧。孙权深以为患，认为“子弟不睦，臣下分部，将有袁氏（即袁绍、袁术兄弟）之败，为天下笑”，于是有改嗣之议。丞相陆逊、大将军诸葛恪、太常顾谭、骠骑将军朱据、会稽太守滕胤、大都督施绩、尚书丁密等奉礼而行，宗事太子，对孙权废嗣之举纷纷表示反对，不料却更激起了孙权对这些重臣们的猜忌之心。为了防止世家大族（尤其是江东士族）把持朝政，孙权借故对反对他改嗣的朝臣实施严厉惩罚，将不少人流放甚至诛杀，还屡次派宦官去责骂羞辱为孙吴屡立奇功的大将军陆逊，致逊愤恚而卒。赤乌十三年（250），孙权废黜孙和，改立少子孙亮为

太子，并赐鲁王霸死，鲁王霸集团中也有多人被杀。改嗣之争尘埃落定，但孙吴王朝内部的权力斗争并未止息。

两年后，孙权去世，年仅 10 岁的孙亮继位为帝，因年幼无知，大权旁落，成了宗室和权臣的傀儡。太平三年（258），宗室权臣孙綝（系孙坚弟孙静曾孙）发动政变，黜孙亮为会稽王，立孙权第六子孙休为帝。孙休在位期间，西征巴蜀，屡战屡败，武功方面无所建树，但好学尚文，博览群书，政务学业两不偏废，在士人的心目中算得上是个好的皇帝，但他的身体状况很差，即位后第七年就因病去世。其后，孙和之子孙皓继位。“皓初立，发优诏，恤士民，开仓廪，振贫乏，科出宫女以配无妻，禽兽扰于苑者皆放之。当时翕然称为明主。”但在坐稳皇位之后，他很快就变成了一个以昏庸暴虐著称的暴君。作为孙权的后人，孙皓也继承了他的酗酒之风。据《三国志・吴书三・三嗣主传》记载：“皓每宴会群臣，无不咸令沈醉。置黄门郎十人，特不与酒，侍立终日，为司过之吏。宴罢之后，各奏其阙失，迕视之咎，谬言之愆，罔有不举。大者即加威刑，小者辄以为罪。后宫数千，而采择无已。又激水入宫，宫人有不合意者，辄杀流之。或剥人之面，或凿人之眼。岑昏险谀贵

浙东山水

阅读链接：

（西晋）陈寿《三国志·吴书二·吴主传》，浙江古籍出版社，2000年版。

（西晋）陈寿《三国志·吴书三·三嗣主传》，浙江古籍出版社，2000年版。

（西晋）陈寿《三国志·吴书七·张顾诸葛步传》，浙江古籍出版社，2000年版。

幸，致位九列，好兴功役，众所患苦。是以上下离心，莫为皓尽力，盖积恶已极，不复堪命故也。”在其即位期间，孙吴与西晋的力量对比每况愈下，到了天纪三年（279）西晋大将王濬、曹彬挥师南下的时候，吴军已经组织不起有效的抵抗。结果次年就陷于敌手，孙皓本人也成了晋武帝的俘虏。

清人李慈铭曾感慨说："三国时，魏既屡兴大狱，吴孙皓之残刑以逞，所诛名臣，如贺邵、王蕃、楼玄等尤多。少帝之诛诸葛恪、滕胤，皆逆臣专制，又当别论。惟大帝号称贤主，而太子和被废之际，群臣以直谏受诛者，如吾粲、朱据、张休、屈晃、张纯等十数人，被流者顾谭、顾承、姚信等又数人，而陈正、陈象至加族诛。吁，何其酷哉！自是宫闱之衅，未有至此者也。”（《越缦堂读书记》）但事实上，早在孙策征讨江东期间，就有许多残杀士人和民众的事件发生，其中会稽盛宪宗族、周昕宗族及嘉兴王晟宗族等几被杀绝，孙策追赶王朗到东冶后，也实施了屠城行为。只是因事情发生在战争期间，后人往往不太注意罢了。现在看来，恐怕其目的并不只是为了防止敌方的军事反扑，而是要以暴力确立自己的统治地位。孙权晚期残杀群臣的目的，也是为了维护自己不受挑战的最高权力，并试图为其后继者消除挑战者。但暴力行为并不能给专制统治提供正当性，也不能为统治提供稳固的社会基础，反而常常会造成社会秩序的不稳定，以致自乱阵脚，自毁长城，这也正是孙吴政权最终败亡的一大原因。

士人心态与经学传承

众所周知，经学作为中国古代学术的主体，是从西汉开始兴盛起来的。东汉光武中兴，崇尚儒学，经学进入极盛时代，儒生遍布邦域，编牒不下万人。但到了东汉末年，由于政治状况的恶化，使得许多士人出现了生存危机，“士气颓丧而儒风寂寥”（皮锡瑞语），经学自然也免不了要走向衰落。

《后汉书》著者范晔认为：“自桓、灵之间，君道秕僻，朝纲日陵，国隙屡启，自中智以下，靡不审其崩离；而权强之臣，息其窥盗之谋，豪俊之夫，屈于鄙生之议者，人诵先王言也，下畏逆顺势也。至如张温、皇甫嵩之徒，功定天下之半，声驰四海之表，俯仰顾眄，则天业可移，犹鞠躬昏主之下，狼狈折札之命，散成兵，就绳约，而无悔心，暨乎剥桡自极，人神数尽，然后群英乘其运，世德终其祚。迹衰敝之所由致，而能多历年所者，斯岂非学之效乎？”大意是说，汉末皇权失坠之后，还能维持多年，端赖经学之力，是士林清议对权臣和群豪的意识形态约束在起作用。

现在看来，汉末权臣和群豪之所以仍然要受儒学约束，恐怕有这么几个原因：（1）儒学是汉代的主流意识形态，承担着为君主统治提供合法性论证的职能。而合法性论证，对于任何一种统治形式都是有必要的，因为任何统治者相对于被统治者都是极少数，不可能完全依赖暴力统治民众，而必须通过合法性认证得到民众的部分认同才有可能有效地行使权力。（2）东汉末期与春秋战国时期的情况不同，无论是把持朝政的权臣，还是割据地方的群雄，其权力来源最初都来自于朝廷，而不是地方本身。且初起之时，没有任何一种政治势力占据压倒性的优势，都需要与其他政治势力结盟才能获得优势地位。而借助于皇帝名义上作为最高统治者的权威，仍然是最有效的手段。这才是董卓擅权后虽然擅行废立，并纵容部属在洛阳胡作非为，但仍然要任用一批素有清望的士人担任要职，袁绍、曹操等人也图谋和实施“挟天子以令诸侯”“奉皇帝以令不臣”的策略的主要原因。在这个意义上，儒学所建构的君臣义理并不是一种绝对律令，而只是一种工具性的统治意识形态而已。

据《三国志》等文献记载，孙策征讨会稽时的会稽太守王朗是一个通晓经学的士人。王朗是东海郯（今山东郯城）人，早年“以通经，拜郎中，除菑丘长”，开始进入仕途。其后师事太尉杨赐。中平二年(185)杨赐去世后，他依礼服丧。“弃官行服，举孝廉，辟公府，不应”(《三国志·魏书十三·锈繇华歆王朗传》)，表现得相当符合儒士的规范。后被徐州刺史陶谦察举为茂才，又任为治中。初平二年（191）出任会稽太守。“会稽旧祀秦始皇，刻木为像，与夏禹同庙。朗到官，以为无德之君，不应见祀，于是除之。居郡四年，惠爱在民。”(《三国志》裴注引《王朗家传》) 孙策渡江略地之时，会稽郡功曹虞翻以为力不能拒，不如避之。“朗自以身为汉吏，宜保城邑，遂举兵与策战”(《三国志·魏书十三·锈繇华歆王朗传》)。后虽因兵败被俘，仍不愿附从孙策，直到建安三年（198）孙策被封为吴侯之时，才应曹操征辟为孙策释放。其后在魏为官，历任谏议大夫、魏郡太守、大理、御史大夫、司空等职，并先后被封为乐平乡侯、兰陵侯，位高

汉代铜镜

权重，多有谏诤，曾上疏劝文帝育民省刑，阻止明帝营修宫室。又治学不辍，勤于著述，所著《易》《春秋》《孝经》《周官传》，奏议论记，咸传于世。就此数端而论，王朗的确称得上是一个儒学名臣。但是，如果我们回顾一下王朗在被任命为会稽太守前对徐州刺史陶谦的进言，恐怕就会发现，王朗的经学是为获取权力服务的。据《三国志》记载："时汉帝在长安，关东兵起，朗为谦治中，与别驾赵昱等说谦曰：'《春秋》之义，求诸侯莫如勤王。今天子越在西京，宜遣使奉承王命。'谦乃遣昱奉章至长安。天子嘉其意，拜谦安东将军。以昱为广陵太守，朗会稽太守。"东汉末叶，州郡割据，逐鹿中原，目的自然都是为了攫取更大的权力，但王朗以"《春秋》之义"为其提供合法性论证，将勤王以求诸侯的目的和盘托出。这虽然符合历史事实，但显然背离了儒家"尊王攘夷"的春秋大义，把儒家高远的政治理想拉回到了现实政治的泥潭里。

如果说，王朗是一个运用儒学在现实政治中取得成功的士人，那么，他在会稽太守任内的功曹虞翻则是另一种典型。虞翻出身于会稽余姚士族世家，高祖虞光、曾祖虞成、其父虞歆分别担任过零陵太守、平舆令和日南太守等职，且自其高祖起，即承传孟喜之学，以阴阳灾变解说《周易》，有五世治《易》之名。王朗任命他为功曹，一方面固然有借重当地士族的因素，另一方面恐怕也是因为经学上的共同兴趣。

但两人考虑问题的出发点仍有较大差异：孙策征会稽时，虞翻主张退让，王朗坚持抵抗；会稽被征服后，虞翻归附了孙策，王朗却以俘虏自居。从王朗这一面来说，是因为有汉官的身份，需要对朝廷表示效忠；从虞翻这一面来看，则主要是为了维护本地的利益。而孙策之所以留用虞翻作为功曹，恐怕也有安抚当地士族的成分，所以，对虞翻始终以礼相待。当时东南一带与中原文化尚有一定差距，孙策有一次去寿春见马日磾，“及与中州士大夫会，语我东方人多才耳，但恨学问不博，语议之间，有所不及耳”。孙策不服，认为虞翻“博学洽闻”，不下于中原之士，故欲派虞翻到许昌一行，“交见朝士，以折中国妄语儿”。虞翻不愿去，孙策也不勉强。后来孙策去征讨黄祖，途中欲取豫章，知豫章太守华歆素有令名，故遣虞翻前去说降。虞翻从实力对比角度立论，果然不辱使命。孙策经此一事，对虞翻极其信任，仍派虞翻做功曹，为自己代理会稽太守政务，后又将其任命为故乡富春长。孙策被刺杀后，诸长吏并欲出赴丧，虞翻恐邻县山民或有变乱，因留制服行丧，诸县皆效之，咸以安宁。由此看来，虞翻应该是一个善于审时度势、比较通权达变的士人。

但虞翻同时也有坚定、固执的一面。据说孙策死后，孙权统事。其堂兄定武中郎将孙暠屯扎乌程，整帅吏士，欲取会稽，企图与孙权争夺大位。虞翻虽兵力不如对方，仍表示要率“一郡吏士，婴城固守”，为孙权除害。对方原来可能有拉拢他的用意，没有强攻的把握，只得作罢。后州举茂才，汉召为侍御史，曹操为司空辟，虞翻皆不就。对曹操征辟，虞翻反应尤其激烈，

东汉原始瓷灶

称是“盗跖欲以余财污良家邪”，表现得相当不屑。但在孙权手下，虞翻并没有得到重用，开始只做了个骑都尉（掌监羽林骑，秩比二千石），且因性疏直而不协俗，常犯颜谏争，又数有酒失，触怒孙权，差一点被孙权在酒宴上杀掉，后来被发落到丹杨泾县。但虞翻仍不改恃才傲物的本性。有一回，孙权与张昭论及神仙，虞翻在场，指着张昭说：“彼皆死人，而语神仙，世岂有仙人邪！”用今天的话来说，就是他们都是死人，说什么神仙，世上哪有什么神仙？孙权虽然在骨子里对张昭有些忌惮，但在表面上还是极其尊重的，哪里容得虞翻如此以下犯上，就把他流放到了交州（今属广西和越南，州治在广信苍梧，即今梧州）。后来孙权听说他对自己处理辽东的做法有所非议，又把他流放到交州下属的苍梧猛陵。虞翻在交州十余年，虽处罪放，尚可设学授徒，门徒常数百人。到了猛陵这样的穷乡僻壤，只能郁郁而终。

虞翻著述甚丰，除了五世相传的《易注》外，还有独力完成的《老子》《论语》《国语》训注，皆传于世。所著《易注》曾经得到孔子后人、当世名儒孔融推许。当时孔融正在许昌任少府（系九卿之一），虞翻写信给他，并示以所著。融答书曰：“闻延陵之理乐，睹吾子之治易，乃知东南之美者，非徒会稽之竹箭也。又观象云物，察应寒温，原其祸福，与神合契，可谓探赜穷通者也。”《三国志·吴书十二·虞陆张骆陆吾朱传》将其与延陵吴公子季札相提并论。但虞翻在经术上自视甚高，并不甘于只充当东南之美的代表，而是雄视八方，扶风马融、北海郑玄这样的大师都不放在眼里。他在《易注》成后，曾上书孙权称：“前人通讲，多玩章句，虽有秘说，于经疏阔。臣生遇世乱，长于军旅，习经于枹鼓之间，讲论于戎马之上，蒙先师之说，依经立注。又臣郡吏陈桃梦臣与道士相遇，放发被鹿裘，布易六爻，挠其三以饮臣，臣乞尽吞之。道士言易道在天，三爻足矣。岂臣受命，应当知经！”但孙权对他的易学并不知究竟，只对他的占卦功夫比较感兴趣。后人因其承孟喜之学，以阴阳灾异解说《周易》，亦只认其为易学别传而非正传。今人金春峰著《汉代思想史》，最后一章题为《虞翻、郑玄与两汉经学哲学的终结》，将虞翻与郑玄相提并论，认为两人的易学都有经验主义的色彩，但“虞翻把易学引入了经验主义的死胡同，郑玄却为易学向义理方向的发展揭示了新出路”。此说虽然不一定很妥当，但三国时期，北方学术由经学发展到易学，南方却还未走出两汉经学的樊篱，这是学界公认的一个事实，也从一个侧面显示了东南文化与中原文化之间的差距。

除了虞翻之外，东吴时期会稽一带还有不少知名的士人。如太子少傅山阴阚泽、偏将军乌伤骆统、太史令上虞吴范、御史中丞句章任奕、鄱阳太守章安虞翔等。阚泽一家世代务农，早年常为人雇用抄书，一边抄写一边诵读，因此究览群籍，兼通历数，对典章制度尤有心得。“泽以经传文多，难得尽用，乃斟酌诸家，刊《约礼文》及《诸注说》以授二宫，为制行出入及见宾仪，又著《乾象历注》以正时日。”而君主威仪，通常都是通过典章礼仪体现出来的。故阚泽亦以此见用。“每朝廷大议，经典所疑，辄咨访之。以儒学勤劳，封都乡侯。”（《三国志·吴书八·张严程阚薛传》）因出身贫寒，阚泽即使身居高位，表现仍很低调，即使对宫府小吏仍不失礼数。孙权即帝位后，一度重用中书吕壹，听其以典校文书为名举发大臣，重案深诬，虽丞相顾雍、上大将军陆逊、太常潘濬等重臣仍

不能免。吕壹历白将相大臣，或一人以罪闻者数四。太子登数谏，权不纳，大臣由是莫敢言。后因反弹太大，孙权不得不将以所谓“奸罪发露”为由将吕壹系狱，又派一向谨慎的丞相顾雍前去讯问，顾雍知道孙权迫不得已的情由，对吕壹和颜悦色。后有司奏请宜以“大辟”或“焚裂”等酷刑将吕壹诛杀，孙权心有不甘，特意咨访阚泽。泽曰：“盛明之世，不宜复有此刑。”这给了孙权一个说得出去的理由。不过，遇到别的官司想加重刑罚的时候，阚泽亦一概声言“宜依礼律”，倒也算得上是个守正持平之士。

阅读链接：

（西晋）陈寿：《三国志·魏书十三·钟繇华歆王朗传》，浙江古籍出版社，2000年版。

（西晋）陈寿：《三国志·吴书十二·虞陆张骆陆吾朱传》，浙江古籍出版社，2000年版。

西晋乱局，苟且之政

“王濬楼船下益州，金陵王气黯然收。千寻铁锁沉江底，一片降幡出石头。”（唐刘禹锡《西塞山怀古》）西晋太康元年（280）三月，益州刺史王濬率军攻破金陵，孙吴覆灭，中国统一。此时，晋武帝司马炎（236—290）以晋代魏已有15年，算是进入了一段相对稳定的时期。但在最高权力继承问题上，却犯下了一个致命的错误：当他发现早年按照立长的原则册立的太子司马衷（259—307）因弱智实在不堪造就时，他没有作出决断，在另外20多个儿子中选择一个智力正常的人来接替太子的位置，而是采取了别的补救措施，“遣太子母弟秦王柬都督关中，楚王玮、淮南王允并镇守要害，以强帝室”，这就埋下了后来“八王之乱”的根由。更不幸的是，他所册封的太子妃贾南风虽然“丑而黑短”，却智商奇高，惯会操弄权术。因此，当司马衷于永熙元年（290）接替死去的司马炎做了皇帝（即以“何不食肉糜”知名的晋惠帝）以后，他就成了随之升级为皇后的贾南风的傀儡。

当时，朝政把持在皇太后之父辅政太傅杨骏及其弟卫将军珧、太子太保济等人手中，弱智的晋惠帝并无实权，司马氏兄

弟亦有怨望。于是，贾后就与楚王玮、东安王繇合谋，于次年三月发动政变，以犯上作乱的罪名将杨骏、杨珧、杨济及其党羽一并诛杀，并皆夷三族。又以协同作乱的罪名，废黜皇太后为庶人，还杀了太后的母亲庞氏。此后，司马氏共推汝南王司马亮（司马懿第四子）和元老卫瓘一起辅政，贾后仍不得专权。于是，她又采取了各个击破的手段，在政变当月就将东安王繇及东平王楙免职，并将参与政变的司马繇流放到带方（今属朝鲜）。在做了充分的准备后，六月间，贾南风再次果断出手，让惠帝下手诏给司马玮，令其率领禁兵杀了司马亮和卫瓘，等到司马玮回宫复命的时候，又以擅杀大臣的罪名杀了他。此后九年，贾后就以晋惠帝之名发号施令，成了晋朝实际上的最高统治者。到了第九年，她又设计以谋逆罪名害死了时年 23 岁的太子司马遹（此人系惠帝与后宫谢玖所生，“幼而聪慧”，据说司马炎就是因他的聪慧而没有废掉其父的皇位继承人身份），这就激起了东宫禁军的怨愤和满朝文武的不满。

永康元年（300）四月三日，就在司马遹刚刚被杀后不久，掌握宿卫禁兵的赵王司马伦（司马懿第九子）矫诏率兵入宫，挟持惠帝，囚禁贾后，将其废为庶人并于几天后鸩杀。又杀了执掌大权的贾后侄儿鲁公贾谧及其一干党羽。此后，司马伦即矫诏自封为相国和大都督，独揽文武大权，将惠帝变成了自己的傀儡，并杀了素以骁勇著称的骠骑将军司马允（系惠帝之弟）及其子秦王郁、汉王迪，淮南王亲友部属被牵连诛杀者达数千人之多。次年正月，司马伦又废晋惠帝，自立为帝。三月，齐王冏在成都王颖、河间王颙、长沙王乂等人支持下，起兵打败司马伦，将他连同四个儿子一并诛杀。其后，惠帝复位，拜齐王冏为大司马。司马冏大权独揽，胡作非为，又引来河间王颙、成都王颖及新野王歆、范阳王虓等人的征讨。太安元年（302）年底，河间王颙从关中起兵讨司马冏，洛阳城中的长沙王乂趁机举兵入宫杀了司马冏，自居辅政之位。河间王颙、成都王颖不服，于太安二年（303）联合出动 27 万大军向洛阳进发，屡为司马乂所败。次年（304）正月，洛阳城里的东海王越（系

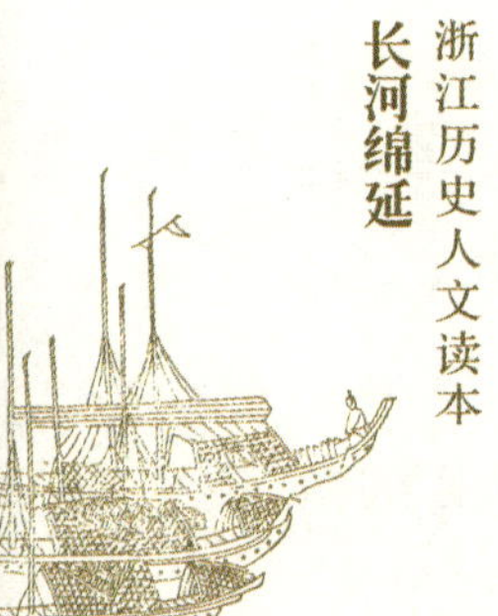

司马炎第二十五子）与部分禁军合谋，擒获司马乂，将其交给河间王颙的部将张方烧死。成都王颖被立为皇太弟，在其治所邺城“悬执朝政”。司马越不满司马颖专政，又挟持惠帝率军进攻邺城，结果被司马颖击败，就连洛阳也被司马颖的盟友河间王颙派张方率军占领。但司马越之弟并州刺史司马腾（司马越弟）与幽州刺史王浚联兵攻破了邺城，把司马颖赶到了洛阳，其后转赴长安。与司马颖结盟的匈奴贵族刘渊乘机发兵进入中原,在今山西自立为汉王,打出了反晋的旗帜。永兴二年（305），司马越从封地东海郡（今属山东）起兵进攻关中，击败河间王颙。次年又率诸侯及鲜卑等步骑迎惠帝返洛阳，诛杀成都王颖、河间王颙。八王至此死了七王，“八王之乱”遂告终结。但因司马越擅政，晋室内部围绕最高权力展开的斗争仍在持续进行。

晋代越窑青瓷

光熙元年（306）十一月，司马越毒死惠帝，推皇太弟司马炽（284—313）继位，是为晋怀帝。怀帝即位初，以司马越为太傅，将国政交托给他。后来怀帝亲政，司马越不悦，求出藩，镇许昌。继还洛阳，诬帝舅王延为乱，杀之，由此大失众望。与此同时，匈奴政权却在今山西一带得到了发展，并逐步扩大了势力范围。永嘉二年（308），刘渊称帝，定都平阳，以长子刘和为太子，四子刘聪为车骑大将军，侄子刘曜为龙骧大将军。次年由刘聪领军两度进犯洛阳，结果都被击退。但依附于刘渊的镇东大将军石勒（出生羯族，曾为奴隶）和征东大将军王弥（原系聚众反叛的盗贼）的军队却发展很快，并经常在河南、河北等地活动。永嘉四年（310），刘渊病死，太子刘和继位，因猜忌刘聪先向刘聪下手，刘聪即率10万大军一举攻入平阳，杀死刘和，自立为帝。与此同时，石勒从河北渡河南出襄阳，连续攻拔了长江以北的堡壁30多所。洛阳处在重重包围之中，东海王越惊惧之下，于十一月间带领精兵4万人出奔许昌，把晋怀帝、宗室和自己的家小都丢下不管。晋怀帝大怒，次年正月密诏苟晞讨司马越，三月又公开发布诏书讨伐，司马越在行军途中忧惧病死，众共推太尉王衍为元帅，与襄阳王范一同领军。四月间，晋军逃至苦县（今河南鹿邑）宁平城，为石勒军追及。石勒纵骑兵“围而射之”，晋军将士自相践踏，“王公士庶死者十余万”（《晋书·东海王越传》）。司马越家人得到越病死的消息，同西晋宗室四十八王逃出洛阳，中途遇到石勒军队，也全被消灭。六月间，刘曜与王弥、石勒等联军攻陷洛阳，俘虏晋怀帝，杀王公士民3万余人，并纵兵烧掠，宫殿官府皆被烧尽，后又进掠长安，史

晋代越窑青瓷堆塑罐

称“永嘉之乱”。时关中“诸郡，百姓饥馑，白骨蔽野，百无一存”（《晋书·贾疋传》）。晋臣贾疋、麴允、阎鼎等收拾残部，聚众10余万，于永嘉六年（312）屡败刘曜军。曜弃长安，驱掠关中男女8万余口，退往平阳。晋怀帝亦被掳至平阳。贾疋等遂奉武帝之孙、秦王司马邺为皇太子，建行台于长安。次年怀帝被杀，邺即位于长安，年号建兴，是为愍帝。

是时“天下崩离，长安城中户不盈百，墙宇颓毁，蒿棘成林。朝廷无车马章服，唯桑版署号而已。众唯一旅，公私有车四乘，器械多阙，运馈不继”，又无外援，虽勉力支撑，仍难以为继。建兴四年（316）“冬十月，京师饥甚，米斗金二两，人相食，死者太半。太仓有曲数饼，麴允屑为粥以供帝，至是复尽。帝泣谓允曰：‘今窘厄如此，外无救援，死于社稷，是朕事也。然念将士暴离斯酷，今欲因城未陷为羞死之事，庶令黎元免屠烂之苦。行矣遣书，朕意决矣。’十一月乙未，使侍中宋敞送笺于曜，帝乘羊车，肉袒衔璧，舆榇出降”，司马邺被刘聪封为光禄大夫、怀安侯，西晋灭亡。次年冬十月丙子，“刘聪出猎，令帝行车骑将军，戎服执戟为导，百姓聚而观之，故老或歔欷流涕，聪闻而恶之。聪后因大会，使帝行酒洗爵，反而更衣，又使帝执盖，晋臣在坐者多失声而泣，尚书郎辛宾抱帝恸哭，为聪所害。十二月戊戌，帝遇弑，崩于平阳，时年十八”（《晋书·帝纪第五》）。

西晋亡国后不久，东晋使臣干宝（283—336）著《晋纪》二十卷，对西晋53年的历史作了总结。在谈到西晋亡国的根由时，干宝认为，国家“赖道德典刑以维持”，晋室从曹魏手中夺

得政权，“创基立本，异于先代”，未修德政，“礼教崩弛”，“朝寡纯德之人，乡乏不贰之老，风俗淫僻，耻尚失所”。后又“树立失权，托付非才，四维不张”，多“苟且之政”。“夫作法于治，其弊犹乱；作法于乱，谁能救之！”现在看来，司马氏以晋代魏，未能有效整合士族势力，的确是造成晋代“礼教崩弛”、士大夫缺乏凝聚力的主要原因，而晋武帝“树立失权，托付非才”，按立长制册立司马衷为太子，托付杨骏辅政，则是导致宫廷内外出现最高权力之争的初始原因。在中央集权的君主专制统治下，由于皇帝掌握着可以任意处置他人的最高权力，觊觎其位者自然大有人在，即便有力者居之，也得时刻提防他人攘夺。而司马炎却把帝位传给一个没有能力掌控最高权力的人，这就在实质上造成了帝位和皇权的分离。历史上抢夺帝位的事情很多，如司马懿、司马昭、司马炎三代，就是从曹魏手中逐渐夺取最高权力的，魏国末世两代君主，都是徒有帝位，而实际上由司马氏掌握权力。但晋惠帝在位时的情况却有所不同，由于争夺最高权力的人都是宗室或外戚，必须在司马氏系统内部寻求合法性来源，所以，不管晋惠帝多么无能，谁都不敢废掉他的帝位，而以辅政名义掌握最高权力的人，则始终存在着僭越皇权的合法性危机，因而必然会遇到其他有力者的挑战。这也正是晋室内乱不息的主要原因。

事实上，无论在什么制度下，最高统治者都必须名实相符，如果让政治实力较弱的人在名义上作为最高统治者，而让更有力的政治强人在台前或幕后以其他身份实际掌控最高权力，两者之间势必会产生矛盾，引发最高权力之争，整个执政系统也会因无所适从而紊乱失序，甚至导致整个社会出现政治动荡。这是专制集权体制无法解决的一道难题，也是为古往今来许多事例所一再证明的一个经验法则。

阅读链接：

（唐）房玄龄等：《晋书》，中华书局，1974年版。

王仲荦：《魏晋南北朝史》，上海人民出版社，2003年版。

晋室南渡前后的政治与文化变迁

宝鼎元年（266）冬，因东吴末代皇帝孙皓迁都武昌，扬州诸郡民众溯流供给，劳役繁重。永安（今德清）施但等聚众数千人，在乌程劫持了孙和次子永安侯谦，起兵北上，一直打到建业。民变平息后，孙吴朝廷为了镇抚山越，将吴郡乌程、阳羡、永安、余杭、临水及丹杨故鄣、安吉、原乡、於潜诸县从两郡中划分出来，单独设置了一个郡，称作吴兴郡，治所设在乌程；又将会稽郡西部的长山、乌伤、永康、丰安、新安、太末、定阳、平昌、吴宁九县分置为东阳郡，治所设在长山。此前，会稽郡已于太平二年（257）将东部的章安、临海、始丰、永宁、松阳、安固、横阳八县分置为临海郡，治所设在章安。

太康元年（280）西晋灭吴之后，在今浙江境内基本上延续了孙吴时期的郡县建制，只是对一些郡县名称作了更改。太康十年（289）晋武帝封其子司马晏为吴王，食丹杨、吴兴、吴三郡，直至永嘉五年（311）“洛京倾覆，晏亦遇害”。在此期间，北方战乱不息，吴越一带也动荡不宁。太安二年（303）五月，义阳（今河南新野）蛮族张昌聚众数千人在江夏起兵反晋，攻破郡县，南阳太守刘彬，平南将军羊尹，镇南大将军、新野

王歆全部遇害。六月，朝廷派遣荆州刺史刘弘等率军征讨，结果被张昌打败。此时，张昌军队已有数万人之众。七月，张昌军队又攻陷江南诸郡，武陵、零陵、豫章、武昌诸郡太守亦皆遇害。张昌军队的另一个主帅石冰还兴兵进犯扬州，打败刺史陈徽率领的晋军，占领了扬州诸郡。八月，庚申，刘弘及张昌战于清水，斩之，但石冰一部实力仍然很强。十一月，义兴阳羡人、周处之子周玘暗中联络前南平内史王矩，共推吴兴太守顾秘都督扬州九郡军事，及江东人士同起义兵，处死石冰任命的吴兴太守区山及其部属。征东将军刘准亦遣广陵度支陈敏领军攻打石冰。永兴元年（304）三月，陈敏攻破建康，斩杀石冰，扬、徐二州终得安定。

石冰之乱平息后，陈敏因功被任命为广陵相，后又被东海王越荐任为右将军、假节、前锋都督，率兵助越兴讨豫州刺史刘乔，与越俱败于萧，因收兵东归，占据历阳。永兴二年（305）三月，陈敏假称奉了皇太弟之命，自封为扬州刺史，并任命江东首望顾荣等 40 余人为将军、郡守，扬州刺史刘机、丹阳太守王广等皆弃官出逃。敏弟昶将精兵数万据乌江，弟恢率钱端等南寇江州，刺史应邈出逃，弟斌东略诸郡，遂据有吴越之地。敏命寮佐以己为都督江东军事、大司马、楚公，封十郡，加九锡，列上尚书，称自江入河，奉迎銮驾。但陈敏刑政无章，子弟凶暴，所在为患，江东士人虽多有被胁从者，但对他的统治并不认同，周玘、贺循等人更称疾不受伪命。永兴三年（306）晋惠帝返回洛阳后，任命河南尹周馥为平东将军，都督扬州诸军事。因扬州此时尚在陈敏掌控之下，故至寿春与镇东将军刘准共事，后又代刘准为镇东将军。永嘉元年（307）初，周玘与顾荣遣使与刘准秘密联络，以为内应。二月间，刘准遣扬州刺史刘机、宁远将军衡彦等从历阳出兵讨伐，陈敏派遣其弟陈昶及将军钱广次把守乌江迎战。但钱广是周玘乡人，在周玘策动下杀了陈昶，原附从于陈敏的甘卓在周玘、顾荣的策动下亦举兵反陈。陈敏虽有部属万余人，但在内外夹击之下，溃不成军。其后，陈敏单骑逃至江乘，被擒获斩杀，会稽诸郡并杀敏诸弟无遗，陈敏之乱遂平。

此后，周馥因功被封为永宁伯，又接替了刘准的镇东将军一职，负起了都督扬州诸军事的职责。但因其与东海王越并不同调，故后者又于永嘉元年（307）七月间将依附于他的琅琊王司马睿（司马懿曾孙，东安王繇之侄）任命为安东将军，都督扬州江南诸军事、假节。九月间，司马睿即率部属从下邳移镇建邺。因其与吴地素无渊源，只是凭借东海王越的威势到此就任，故“吴人不附，居月余，士庶莫有至者”。时睿以琅琊名门王导为安东司马，由其辅政，其弟王敦曾任广武将军、青州刺史，寻进左将军、都督征讨诸军事、假节，在士林中素有威名。王导就让王敦一同来辅佐司马睿。次年三月上巳，建邺士庶照例在江边举行一年一度的禊祓（即洗浴以祛邪）活动，司马睿让人抬着大轿，打着威严的仪仗，由王敦、王导等一大批北方南迁士人骑马随从，声势浩大地到江边观禊。吴会士人见到这个阵势，知道司马睿是南渡的北方士族拥戴的新主，实力相当雄厚，不得不表示服从。于是，司马睿和王导又将江东士林领袖顾荣、贺循等人招致麾下，加以笼络，从而获得了江东士庶的部分认同。永嘉三年（309）六月西晋京都洛阳倾覆之后，中州尽弃，“中州士女避乱江左者十六七”，司马睿对其中的名门望族均加以优待，并“收其贤人君子，与之图事”，从而也扩大了自己的统治基础。

永嘉四年（310）初，吴兴人钱琻在广陵谋反，自号平西大将军、八州都督，劫孙皓子充，立为吴王，后又杀之。司马

睿遣将军郭逸、郡尉宋典等率军征讨，将其诛灭。此时，朝中是司马越的天下，江东是司马睿的天下，两人联手，威势赫赫。但同属北方士族的镇东将军、永宁伯周馥，对司马越和司马睿的威势并不服气。永嘉四年（310）底，司马越率众出许昌，以行台自随，宫省无复守卫。周馥乃与豫州刺史冯嵩、前北中郎将裴宪等上表迎晋怀帝大驾迁都寿阳，徐图再复。司马越乃以征调周馥北上不从之名，派裴硕征讨周馥。裴硕被周馥打败，去向司马睿求援。司马睿本来就容不得周馥的存在，就于永嘉五年（311）正月派将军甘卓去攻打寿春。周馥兵败被执，忧愤而死。此后，司马睿被委任为镇东大将军兼督扬江湘广交五州诸军事，七分天下已有其二，是当时唯一保存了实力的藩王。故六月晋怀帝在洛阳被俘后，司空荀籓等移檄天下，推其为盟主。江州刺史华轶不从，司马睿就派豫章内史周广、前江州刺史卫展兴兵讨伐，将其斩杀，但司马睿的所谓盟主地位并未得到其他各派的认同。

建兴元年（313），愍帝即位，改建邺为建康，“以镇东大将军、琅邪王睿为侍中、左丞相、大都督陕东诸军事”。建兴三年（315）二月，又“进左丞相、琅邪王睿为大都督、督中外诸军事”，指望他率军到长安勤王。司马睿却“遣诸将分定江东，斩叛者孙弼于宣城，平杜弢于湘州”，并未奉召到中原效力。等到建兴四年（316）底长安被破后，他才披上甲胄，带兵到野外，并“移檄四方，征天下之兵”，摆出一副“克日进讨”的样子。次年三月，司马睿在西阳王羕及群僚参佐、州征牧守的拥戴下，自立为王，称作晋王，改元建武，并立世子绍为晋王太子，以抚军大将军、西阳王羕为太保，征南大将军、汉安侯王敦为大将军，右将军王导都督中外诸军事，骠骑将军、左长史刁协为尚书左仆射，建立了一个以自己为核心的小朝廷。建武二年（318）三月，愍帝崩，司马睿改称皇帝，是为东晋元帝。

在此前后，因北方战乱不息，许多世家大族率其部曲南下渡过长江到江南避乱。据人口史专家估计，当时南方人口总数大约有1000万，南渡的北方移民总数则有

50万左右，比例并不算很高。但因北方移民开始大多聚居于都城建康以东至晋陵一带和太湖流域，且多为世家大族，其中有不少人还把持了朝廷权力，占据了州郡县的显要职位，而江东士族大多担任的都是虚职，如贺循任太常，纪瞻、陆晔为侍中，这就在政治、经济各方面与江东士族和民众产生了许多矛盾。虽然东晋朝廷通过分化、打压以及武力讨伐等各种手段，先后将拥有武装的义兴周氏、吴兴沈氏等江东世族豪强镇压了下去，但江东士人的不满仍难以遏止。在此情况下，北方侨寓士族中的一部分不得不到太湖流域以外的地区寻求发展。当时，太湖地区有吴郡的顾、陆、朱、张以及吴兴的丘、沈诸族，会稽一带则有孔、魏、虞、谢四姓等世家大族，但后者的力量远不及前者，因此许多北方世家大族如琅琊王氏、陈郡谢氏、太原王氏、高平郗氏、太原孙氏、陈留阮氏、高阳许氏、谯国戴氏、鲁国孔氏等都到会稽郡寻找侨寓之所，在此建造别业，开发庄园。有些后来还分流到南方的临海郡、永嘉郡等地。这些北方侨寓士族及其部曲的南迁，虽然造成了资源（尤其是土地和粮食）的紧张和族群的冲突，但对加强南北文化的交流融合，促进吴越一带的经济开发和文化发展，还是很有助益的。

历史地理学家谭其骧先生指出："西晋末，五胡崛起中原，晋室倾覆。元帝东渡立国于建康，收辑人心，义安江左，南方荆、扬、江、湘、交、广之地，赖以得全。于是中原人民之不堪异族统治者，相率避难斯土。初犹侨寄思归，终以二百余年中原不复，习久而安，乃不复有北风之想，其后裔遂长为南方之人矣。

王羲之兰亭集序

文徵明兰亭修禊图卷

是役为吾中华民族发展史上之一大关键，盖南方长江流域之日渐开发，北方黄河流域之日就衰落，比较纯粹之华夏血统之南徙，胥由于此也。”（《长水集·晋永嘉丧乱后之民族迁徙》）而从文化上来看，北方士族的南迁对于江南文化的繁荣也具有相当重要的意义。西晋时期，玄学在中原已经取代了经学的地位，成了思想学术的主流，但江南一带的学者仍然沉陷在传统经学之中，与时代风气相背离。直到晋室南渡之后，这种情况才逐渐有了改变。如中原盛行的玄谈之风主要就是通过侨寓士人带到江南的，这也开启了东晋盛行百年的玄言诗之风。据《晋书·王羲之列传》记载，东晋永和七年（351），北方侨寓士人、琅琊王氏王羲之任会稽内史，“羲之雅好服食养性，不乐在京师。初渡浙江，便有终焉之志。会稽有佳山水，名士多居之。谢安未仕时，亦居焉。孙绰、李充、许询、支遁等皆以文义冠世，并筑屋东土，与羲之同好”。永和九年（353）暮春上巳，王羲之等北方侨寓士人举办会稽山阴兰亭修禊雅集，群贤毕至，少长咸集，一觞一咏，畅叙幽情，游目骋怀，谈玄论道，备极一时之盛。由此可见，当时北方名士在会稽一带已经喧宾夺主，其诗酒风流的生活方式对当地士风已经产生了深刻影响。

据唐长孺先生分析，晋室东迁之后，京洛风气移到了以建康为中心的江南地区，江南名士不少接受了新学风，开始重视三玄，书法、语言等也多仿效北人，但江南土著与渡江侨寓在学风上仍然有所区别，与玄谈相比，南士仍然更重视传统经学。如会稽山阴人贺循、余姚士人虞喜等人在治学上仍以汉代董仲舒以来的礼制典章之学、阴阳律历之学、神仙谶纬之学为重（《读抱朴子推论南北学风的异同》）。不仅如此，南方士人对北方名士的放诞更是多有反感。如虞喜之弟对于北方名士放浪形骸的生活方式就很不以为然。据《晋书》记载：“预雅好经史，憎疾玄虚，其论阮籍裸袒，比之伊川被发，所以胡虏遍于中国，以为过衰周之时。著《晋书》四十余卷、《会稽典录》二十篇、

《诸虞传》十二篇，皆行于世。所著诗赋碑诔论难数十篇。”无独有偶，与虞氏兄弟同时代的史学家和文学家干宝对魏晋士人的谈玄论道之风也持有负面看法，且将其作为西晋败亡之因。据史料记载，干宝祖籍河南新蔡，其父莹仕吴任立节都尉，南迁定居海盐，干宝遂为海盐人。除了史籍《晋纪》和传奇小说《搜神记》之外，干宝还著有《春秋左氏义外传》《周易》《周官》等书，可见他和虞预一样，都是从传统的经史之学出发对魏晋玄学的社会影响提出批评。这恐怕也正是土著士人与侨寓士人的一大区别。

阅读链接：

岑仲勉：《魏晋南北朝史论丛》，河北教育出版社，2000年版。

谭其骧：《晋永嘉丧乱后之民族迁徙》，见《长水集》，人民出版社，1987年版。

王志邦：《浙江通史·秦汉六朝卷》，浙江人民出版社，2005年版。

南朝政权更迭与世风转移

公元420年，一手把持晋室军政大权的宋王刘裕迫使自己三年前册立的晋恭帝司马德文禅让，即皇帝位，国号大宋，改元永初。刘宋一朝延续60年，先后换了16个皇帝，只有第三任宋文帝刘义隆在位30年（424—453），其余大多做不了两三年就被权臣废黜甚至杀害。其中最后两个小皇帝都是被权臣萧道成杀害的。元徽五年（477）年七月，萧道成杀了只有15岁的小皇帝刘昱，立其弟刘准为帝，其后又将忠于宋室的大臣次第诛灭，为自己排除了篡位的障碍。昇平三年（479）四月，齐王萧道成迫使13岁的小皇帝刘准将帝位禅让给他，并将国号改为大齐，其后又将刘准诛杀，将诸多刘宋宗亲幽禁而死，以防刘宋复辟。但萧齐一朝只维持了23年，其间只有萧道成在位的4年和其继承人齐武帝萧赜在位的11年还算太平。等到萧赜去世之后，萧齐王朝就陷入到了宫廷内部的自相残杀之中。其继承人、皇太孙萧昭业即位不到一年，就被萧赜的堂弟、辅政大臣萧鸾废杀。帝位由其弟萧昭文继承。半年后萧鸾又废萧昭文为海陵王，自立为帝。为了防止别人抢夺皇位，萧鸾不但在登基一个月后就将萧昭文处死，还将萧道成、萧赜的其他

子孙也一并诛杀。而在他死后继位的萧宝卷，则秉承他“作事不可在人后”的遗训，宰辅大臣稍不如意，即加诛杀，以致人人自危。结果在位只有两年，就被雍州刺史萧衍等人兴兵诛杀。其后，萧衍立萧宝卷之弟萧宝融继其位，以萧宝融名义诛杀萧鸾后人，又于中兴二年（502）逼萧宝融禅位于己，并将其诛杀，从而实现了从齐到梁的朝代更迭。

梁武帝萧衍在位时间长达48年，在南朝的皇帝中列第一位，但在晚年遭逢侯景之乱，被幽禁在台城中活活饿死，其王朝也一度沦入侯景之手。后来，虽然他的第七个儿子萧绎与王僧辩、陈霸先诸将等一道发兵讨伐侯景，夺回了江山，但在萧绎即位后第三年，即公元554年，都城江陵就被西魏攻陷，萧绎本人也被杀。次年二月，王僧辩与陈霸先将梁元帝第九子萧方智迎到建康，立为梁王。此时北齐趁虚而入，派兵护送原被东魏俘虏的贞阳侯萧渊明来登梁国帝位。王僧辩起先拒不允应，后因不敌北齐军队，只得于五月间迎萧渊明入建康即皇帝位，改立梁王为太子。陈霸先不服，又与徐度、侯安都等人率兵于九月间攻入石头城，将王僧辩绞杀，重推梁王即帝位，是为梁敬帝。两年后，陈霸先废梁敬帝，自立为帝，建立陈朝，结束了梁朝55年的历史。此时，南方经多年战乱，国力已经相当衰弱，其统治范围基本上被局限于长江以南、宜昌以东的地方。到了公元583年后主陈叔宝即位的时候，隋文帝杨坚统一北方已有二年，北方势力大为增强，但陈后主只知享乐，不思振作，结果在位只有六年，就被隋文帝杨坚派兵攻破建康，成了陈朝的亡国之君。陈朝至此只存在了短短的33年。

陈霸先像

因宋、齐、梁、陈俱为南方政权，故后人将其并称为南朝。南朝是中国历史上朝代更迭较为频繁的一个时期，且除陈朝以外，都是朝廷权臣坐大，最后攘夺王位。这在历史上，只是“东汉—魏—晋”的所谓“禅让”模式的延续。历代以禅让方式取得政权的统治者，对于前朝宗室总是备加打压，甚至肆意诛杀。此外，朝廷内部为争夺最高权力而展开的自相残杀也屡见不鲜，故人称二十四史乃“相斫书”。南朝的宋、齐、梁三代都比较明显地体现了这个特点，只有陈朝的记录相对比较好一些。但陈朝一直被局限在南方，不如宋、齐、梁三朝。刘宋强盛之时，曾多次北伐，其统治地区北以秦岭、黄河与北魏相邻，西至四川大雪山，西南包括云南，南至越南中部横山、林邑一带，这是齐、梁、陈三朝所不及的。

与东吴、东晋两朝相比，南朝政治一个最大的特点就是门阀世族势力的逐渐衰落。作为南朝宋的开国君主，刘裕本人出身行伍，自幼家贫，与高门大族有天然的隔阂，取得政权后，鉴于东晋政权由于门阀势盛而威权下移的弊病，对世家大族势力进行抑制，任用寒人为中书舍人掌机要，而外藩则托付宗室，结果不但招致了世家大族的不满，也引发了宗族内部的权力斗争，这正是刘宋时期政局经常处在动荡之中的一个原因。与刘宋不同，南朝齐的统治者出自南朝著名的世家大族兰陵萧氏，但为了强化中央集权，也采取了许多压制世族、扶持寒门的行动。相比之下，梁朝宫廷与世族之间关系比较融洽，在起用寒人典掌机要的同时，梁武帝等人还广泛罗致世家旧族到朝廷任

职，但这并不能解决世族与寒门之间的矛盾，也并没有扭转世族势力由盛而衰的大趋势。经过侯景之乱，江南经济受到很大打击，许多世家大族的庄园在战乱中遭到破坏，这也大大削弱了世族势力的经济基础。到了陈朝，江东的世家旧族（如吴郡顾、陆、朱、张四姓和会稽孔、魏、虞、谢四姓）势力都已大不如前，对朝廷政治已经基本上失去影响力，只有一些在战乱中崛起的地方豪强作为次等士族在撑场面，自然就更不可能重振世族的声威了。

如果说，在政治上，南朝总体上是处于衰落的趋势，那么，在文化上，南朝与东吴、东晋时期相比则有了不少新的发展，其中最值得注意的就是文学的繁荣。三国时期，魏国是文学最繁荣的国度，魏之三祖（即魏武帝曹操、魏文帝曹丕、魏明帝曹叡）都是非常推崇文学的君主，其中尤以曹操文学成就最高，而以曹丕对文章最为推崇（“盖文章者，经国之大业，不朽之盛事”）。整体而言，三曹（曹操、曹丕和曹植）和以建安七子为代表的建安文学不但达到了当时第一流的文学成就，而且也开启了整个魏晋南北朝文学的源头，其后的正始文学在中国文学史上也具有独特的地位。相比之下，东吴地区的文学是很不足道的。西晋时期，吴郡士族中已经出现了当世第一流的文学家陆机、陆云兄弟。其中被称为“太康之英”的陆机在文学、书法和文论方面都达到了当世第一流的成就，其才华甚至使许多中原名士相形见绌，但两人大部分时间都在北方活动，吴越本土尤其是会稽郡一带的文学活动仍然相对比较沉寂。直到晋室东渡之后，随着北方士人的南迁，江南一带才相继出现了以创作玄言诗和山水诗为重心的文学新潮。如参与兰亭雅集的孙洵等人，就是当时著名的玄言诗人。

晋宋之际，山水诗取代玄言诗成为主流，著名的山水诗人谢灵运更因其诗文之才先后得到了宋太祖刘裕和宋文帝刘义隆的赏识。据《宋书》记载，太祖登祚后，征谢灵运为秘书监，寻迁侍中，日夕引见，赏遇甚厚。“灵运诗书皆兼独绝，每文

竟，手自写之，宋文帝称为二宝。”但宋文帝欣赏的只是谢灵运的文才，并不重用他。谢灵运意不能平，于元嘉五年（428）上表称疾东归。其后，谢灵运在永嘉、临海、会稽一带常与士人“游娱宴集，以夜续昼”,“以文章赏会，共为山泽之游”，有时兴师动众，至有百数十人，被人误当成山贼。因门第显赫，过于招摇，受人嫉恨，结果在临川内史任上被人察举，又因反抗拘捕被加上谋反之名而诛杀。这也反映了寒门出身的刘宋朝廷与高门士族的关系。相比之下，世家大族出身的萧齐王室对于文学的爱好和对文士的欣赏则显得比较自然和真诚。无论是齐高祖萧道成、齐武帝萧赜，还是文惠太子萧长懋、竟陵王萧子良、随王萧子隆等人，都雅好文学，乐于与文人往来。在帝王们和士人们的共同推动下，永明时期，南朝文学出现了新的高峰。据《南齐书》记载:“永明末，盛为文章。吴兴沈约、陈郡谢朓、琅邪王融以气类相推毂。汝南周颙善识声韵。约等文皆用宫商，以平上去入为四声，以此制韵，不可增减，世呼为‘永明体’。”这种注重声律的文学潮流，从形式美学的层面为中国文学增添了新的光彩，对格律诗的形成也产生了积极影响，其正面价值

谢灵运像

是不可抹煞的。

与萧齐一样，同出于兰陵萧氏的梁朝王室也多有奖挹文学之举。梁武帝萧衍在齐朝本来就以好文著名，“竟陵王子良开西邸，招文学，帝与沈约、谢朓、王融、萧琛、范云、任昉、陆倕等并游焉，号曰‘八友’”。执政之后，更是广招文学之士，“有高才者多被引进，擢以不次”（《南史》）。对前朝旧臣沈约和王、谢高门弟子都予以重用。昭明太子萧统和梁元帝萧绎等人文学修养也都很高。萧统编有或著有《文集》二十卷，典诰类的《正序》十卷，五言诗精华《英华集》二十卷，历代诗文而成的总集《文选》三十卷，是中国文学史上最著名的选家，其文学眼光是相当高超的。不过，由于宫廷生活环境的限制，梁朝文学以宫体诗作为主流，更加注重文学的娱乐功能，因而在后世往往遭到比较多的非议。有些特别注重教化的儒士，更是对魏晋南北朝时期君主们的文学好尚大加批评。如隋代的李谔在其《上隋高帝革文华书》中即称：“魏之三祖，更尚文词，忽君人之大道，好雕虫之小艺。下之从上，有同影响，

浙东山水

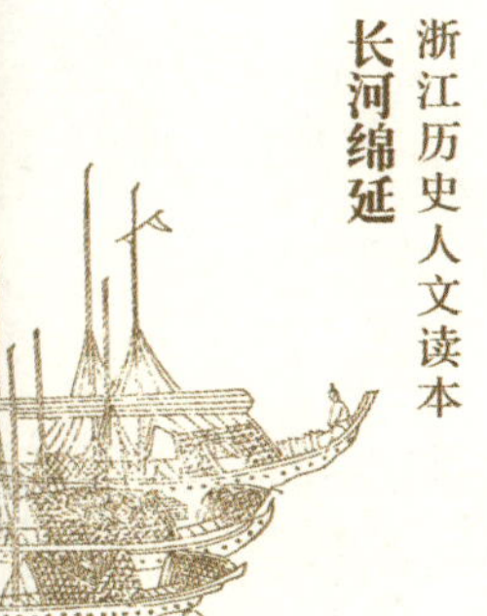

竞骋文华，遂成风俗。江左齐、梁，其弊弥甚，贵贱贤愚，唯务吟咏。遂复遗理存异，寻虚逐微，竞一韵之奇，争一字之巧。连篇累牍，不出月露之形，积案盈箱，唯是风云之状。世俗以此相高，朝廷据兹擢士。禄利之路既开，爱尚之情愈笃。”但事实上，南朝君主在提倡文学的同时，对于教化也是比较重视的，如梁武帝就曾重开经学博士科，南朝许多皇帝对于佛学都是相当推崇的，可见他们并非不重教化，只是认为文学职能不重在教化，儒学和宗教在教化方面更加有效而已。近世文学史家虽对魏晋文学多有肯定，对齐梁文学却多有訾议，视之为形式主义，但文学本来就是语言的艺术，“寻虚逐微，竞一韵之奇，争一字之巧”，正是提升文学艺术表现力的有效技能。就宫体诗而论，其中也有对于人的感性生活的发现和理性层面的审视，未可一概以轻薄视之。

阅读链接：

（南朝梁）沈约：《宋书》，中华书局，1974年版。

（南朝梁）萧子显：《南齐书》，中华书局，1972年版。

（唐）姚思廉：《梁书》，中华书局，1973年版。

（唐）姚思廉：《陈书》，中华书局，1972年版。

（唐）李延寿：《南史》，中华书局，1975年版。

造极赵宋

地处偏远的吴越之地，
不但幸运地避开了隋唐时期的许多战乱，
并且随着宋室南渡，
成为南宋时期的政治、经济和文化中心。
故对于浙江来说，
南宋时期不仅仅是一个登峰造极的历史阶段，
更是一个新的历史阶段的开始。

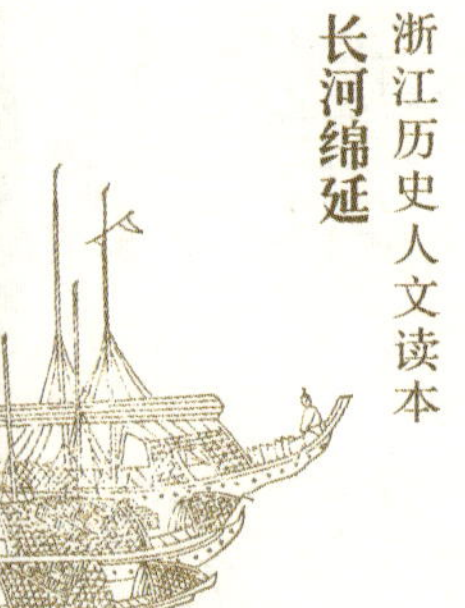

隋开皇八年（588）三月，隋文帝杨坚下诏公布南朝陈后主20条罪状，并令部下将诏书抄写30万份，在江南一带散发。十月间，杨坚任命其子晋王杨广为统帅，率领50多万大军，分成八路大举攻陈。次年正月，隋军从采石、广陵渡过长江，攻克陈朝都城建康，俘虏陈后主，四月平定陈朝全境。此后，政治文化重心重新往中原和西北偏移。吴越地区又成了中原王朝统治的一个边缘地带。隋唐时期，中原地带出现了胡汉文化交流融合的趋势，其后又因融合的失败而导致大规模、长时期的内乱，吴越因地处偏远，避开了中晚唐时期的许多战乱。虽说到了唐末，黄巢军队曾经进犯浙西，浙东浙西一度处于地方军阀割据状态，但在临安钱镠统一两浙之后，浙江的局面就稳定了下来，出现了一个自成一体的本土政权——吴越国，在五代十国的纷争中，维持了70多年较为平稳的地方割据局面。

到了太平兴国三年（978），吴越国归附宋室，浙江又被纳入到了中原政权的统治体系之下，由一个自成一体的小国变成了两浙路的一部分，在政治上失去了五代十国时期的地位，但经济发达，市场繁荣，已经成为朝廷财政收入的一大来源，故亦为世所重。建炎四年（1130）前后，宋室南渡，定都临安，杭州成为南宋政治、经济和文化中心。在此背景下，浙人不但在政治上有了更多的参与机会和更高的地位，而且在思想文化领域也有了更大的建树。陈寅恪先生认为："华夏民族之文化，历数千载之演进，造极于赵宋之世。"（《邓广铭〈宋史职官志考证〉序》）而对于浙江来说，南宋时期则不仅仅是一种登峰造极的历史阶段，更是一个新的历史阶段的开始。

隋唐行政建置与浙江区域开发

历史上，凡是短命的朝代，往往都会被后人加上许多恶评。这是因为古人往往以道德化的眼光看待历史，将不施仁政作为一个朝代迅速衰亡的主要原因，另一方面是因为每一个朝代的正史往往都是后一个朝代的人书写的，新朝本来就是通过讨伐旧朝进而取代旧朝的，如果旧的朝代存在时间较短，只有几个皇帝，新朝的史官肯定不会对他们有多少好评。隋朝存续的时间只有 37 年，历史上对其总体评价向来不太高，末代皇帝隋炀帝更是常被人视为暴君。但就事论事，隋朝在不少方面的成就还是很值得肯定的。其最大的成就自然是征服南方，统一中国，结束了长达 400 年的分裂局面。值得注意的是，隋朝对南方的征服“是以最小的流血牺牲和破坏完成的”（崔瑞德《剑桥中国隋唐史》）。而在取得对全国的统治权后，隋朝又实行了一系列新的政策和措施，如改革中央和地方行政体制，改州郡县制为州县制，废九品官人法、开科取士等等，这些结构性的变化都对后世产生了深远影响。

中国古代的地方行政体制，长期以来一直实行州、郡、县三级管理体制，州与郡之间在管理职能上存在着重叠的现象，而且州郡管辖范围多有变动，给社会生活造成了一定的混乱，魏晋南北朝时期，又因分裂割据，导致郡县数量猛增，食禄的官吏数量也随之大增，给社会增加了许多负担。针对这种情况，一些有识之士提出了改革的主张。开皇二年（282），就在隋文帝杨坚登基一年后，河南道行台、兵部尚书杨尚希上表指出，“当今郡县，倍多于古，或地无百里，数县并置，或户不满千，

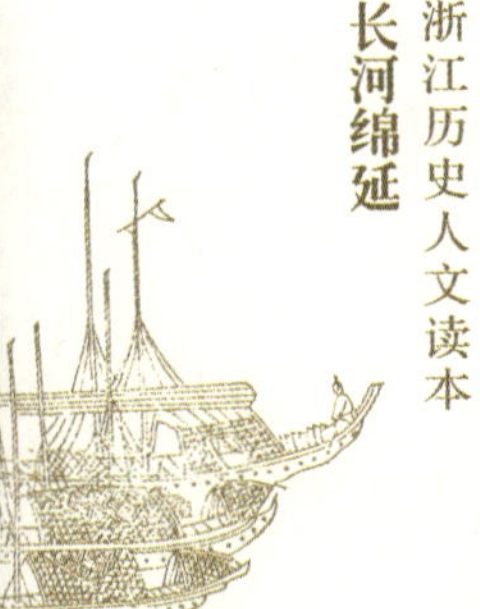

二郡分领。具僚以众，资费日多；吏卒人倍，租调岁减。清干良才，百分无一，动须数万，如何可觅？所谓民少官多，十羊九牧"，因此他建议"存要去闲，并小为大"，如此"国家则不亏粟帛，选举则易得贤才"（《隋书·列传第十一·杨尚希传》）。杨尚希的这个建议，不但考虑到了官吏众多所造成的财政负担，也考虑到了选拔人才的不易，的确是很有见地的。但"存要去闲，并小为大"，只是在保留现行体制的前提下采取的一种治标手段，并不能真正解决问题。因此，隋文帝虽然对其表示嘉许，但采取的措施却比他的建议更加彻底，这就是"罢天下诸郡"，废除州郡县三级体制中的郡一级。开皇九年（589），隋灭陈后，在南方实行州县二级制，废会稽郡置吴州，废钱唐郡置杭州，废新安郡置歙州，废东阳郡置婺州，废永嘉郡置处州。这些州基本上都只有原先郡的规模，可见当时的废郡实质上是废掉了郡的名称保留了郡的建制，新增了州的名目却废掉了原先居于郡以上的行政建制。但以中国之大，由中央政府直接管理几百个州，有其实际上的困难，所以隋炀帝时又改州为郡，并在郡之上置司隶刺史，分部巡察。

到了唐初，郡又被改为州，后又于州上设立道，作为军事区域和监察区域。唐太宗贞观元年（627），分天下为关内、河南、河东、河北、山南、陇右、淮南、江南、剑南、岭南十道。今浙江境内诸州皆隶属于江南道，道治苏州。开元二十一年（733）废江南道，分置江南东道、江南西道和黔中道，江南东道除原属江南道的润、常、苏、湖、杭、睦、歙、明、衢、处、温、婺、越、

台、建、泉诸州外，还有从岭南道划来的福、漳、汀三州，共计 19 州。乾元元年（758）江南东道又分置为浙江东道、浙江西道和福建道。浙江西道领长江以南，至新安江以北的原江南东道，下辖润、常、苏、湖、杭、歙六州，治所设在润州（今镇江），后罢领。浙江东道领新安江以南、福建道以北的原江南东道，下辖睦、越、衢、婺、台、明、处、温八州，治所越州。此时藩镇割据，道由监察区域逐渐变为行政区域。总的来看，初唐时期，现浙江境内各地区大致范围已基本确定。到了晚唐时期，浙东、浙西乃至于浙江亦已成为行政区域名称。这对于浙江区域文化意识的形成是有重要意义的。

钱塘考

在区域开发方面，隋唐时期浙江最重要的变化就是杭州的崛起。杭州前身钱唐在秦汉时期只是会稽郡中的一个县，东汉永建四年（129），分原会稽郡的浙江（钱塘江）以西部分设吴郡，钱唐属吴郡。南朝梁武帝太清三年（549），侯景升钱唐县为临江郡，隶吴州。此为杭州设置郡级政区之始，不久即废。直到陈后主祯明元年（587）才又重新设立钱唐郡，下辖钱唐、富阳、新城、於潜4县，隶于吴州。隋文帝开皇九年（589），灭陈，废钱唐郡，并桐庐、新城入钱唐县，割吴郡盐官、吴兴郡余杭，及富阳、於潜共5县置杭州，杭州之名始此。州治始设余杭县，次年迁至钱唐县（在今岳庙至灵隐一带）。一年后又州县并移治于柳浦西，并在凤凰山麓肇建新城。“自此僻处山中的钱唐县，乃一变而为江干的杭州——水居江海之会、陆介两浙之间，适宜于都市发展的杭州。”（谭其骧《杭州都市发展之经过》）隋大业元年（605），隋炀帝下旨以东都洛阳为中心，开凿连通南北的大运河。在北方河道开通之后，隋炀帝又于“大业六年冬十二月，敕穿江南河，自京口至余杭，八百余里，广十余丈，使可通龙舟，并置驿宫、草顿，欲东巡会稽”（《资治通鉴·隋纪四》）。江南运河开通之后，杭州成为大运河水运的一个起讫点，商贸日益发达，地位大为提高，开始具备成为大都会的基础。

到了唐代，杭州进入繁盛时期。据《乾道临安志》记载，隋废郡为州时，杭州有居民15380户，唐贞观中已达到30571户（153729口），开元中更是达到了86258户，可见唐代杭州

的发展速度是相当快的。唐代宗永泰元年（765），曾任杭州司户参军的翰林学士李华撰文盛赞杭州为“东南名郡”，称其“咽喉吴越，势雄江海”，“水牵卉服，陆控山夷；骈樯二十里，开肆三万室”（《杭州刺史厅壁记》）。唐宪宗元和八年（813），卢元辅任杭州刺史，白居易撰文称“江南列郡，余杭为大，征赋尤重”（《卢元辅袭杭州刺史制》），可见杭州当时的政治、经济地位在江南一带是非常重要的。这对整合浙东、浙西形成一个整体性的浙江也具有十分重要的意义。

杭州成为浙江的区域中心之后，长期以来一直居于越地中心的越州地位相应下降。唐武德四年（621），以鄮县、鄞县、句章县设鄞州，治鄮县（今宁波市鄞州区鄞江镇）。武德八年（625），废鄞州。开元二十六年（738），鄮县分为慈溪、翁山（今舟山定海）、奉化、鄮县四个县，增设明州以统辖之，州治设在鄮县。长庆元年（821），明州刺史韩察将明州州治迁到三江口，并筑内城，标志着宁波建城之始。唐乾宁五年（898），刺史黄晟又建明州外城，“周围长二千五百二十七丈许，计一十八里”。自此之后，明州城池范围大致确定，并逐渐成为浙东地区的商贸中心。与此同时，湖、衢、婺、处、台、温各州也都得到了新的开发，州治大多经过整修，商业活动也日渐活跃，从而为整个浙江经济的发展打下了新的基础。

阅读链接：

崔瑞德：《剑桥中国隋唐史》，中国社会科学出版社，1990年版。

谭其骧：《长水集》，人民出版社，1987年版。

周祝伟：《7—10世纪杭州的崛起与钱塘江地区结构变迁》，中国社会科学文献出版社，2006年版。

科举取士与精英文化

世界上任何地方，只要有政府在承担社会管理的职能，就存在着如何选拔政府官员的问题。在现代民选制度出现之前，统治者往往是依靠暴力手段取得国家政权，对政府官员的任用也局限于少数人的圈子里，与社会大众并不相干。中国古代的政府官员，基本上都是朝廷任命的，所以有“朝廷命官”的说法。即使是先秦时期的那些“世卿世禄”的世袭贵族，最初也是经过朝廷任命的。西汉时期，开始实行察举征辟制度。所谓“察举”，就是由州、郡等地方官，在本辖区内考察人才，以“孝廉”“茂才异等”“贤良方正”等名目推荐给中央政府，经过一定的考核和见习，任以相应的官职；所谓“征辟”，是由皇帝或地方长官直接进行征聘。魏晋南北朝时期，在察举的基础上，又发展出了一套以品第之法选拔官吏的九品官人制。由于察举存在着“以名取人”“以族取人”的弊端，不利于选贤任能，且易为门阀世族所操纵和利用，以至于后来出现了“上品无寒门，下品无世族”的情形，使得社会阶层固化，妨碍了社会流动。因此，不但寒门子弟对此相当不满，就连朝廷也不满意。

为了把选拔官员的权力收回到朝廷手中，在广大的范围内

选拔人才，扩大士人的参与，隋朝成立之后，不但废除了九品中正制，还开始试行科举考试。据《隋书》记载，隋开皇七年（587），隋文帝令京官五品以上总管、刺史，以“志行修谨”“清平干济”二科举荐人材。隋炀帝大业三年（607）四月，诏令文武官员有职事者，可以“孝悌有闻”“德行敦厚”“结义可称”“操履清洁”“强毅正直”“执宪不饶”“学业优敏”“文才秀美”“才堪将略”“膂力骄壮”等十科举人。进士二科，并以“试策”取士。这些措施虽然还带有察举的痕迹，但已处于察举向科举转换的过程。唐灭隋后，对隋代施行的科举做了改进，使其成为一套比较完备的制度。唐制取士分制科和常科。制科由皇帝特旨召试，以待“非常之才”。制科主要试对策，科目繁多，比较常见的有直言极谏、贤良方正、博学宏词、才堪经邦、武足安边等科。应制科对策及第，高者授以美官，其次仅予出身。现任官吏也可应制科，而且可以一再应试。常科的科名有秀才、明经、进士、明法、明书、明算等，比隋代有所增加。此外，唐玄宗时还一度置道举（试《老子道德经》《庄子》），还有童子举（限10岁以下）等。常科以明经、进士二科最为重要。玄宗以后，进士科占突出的地位。唐中叶以后，官僚虽位极人臣，如果不是进士科出身，“终不为美”。因为这种新的选举制度是分科举人，故名之为科举制。与九品中正制相比，科举制的特点是不再以家世，而是通过考试选拔官员，它的产生为寒门庶族士人开辟了仕途，也为统治者选拔了管理人才。故相传“太宗在洛，登端门，见新进士缀行而出。喜曰：‘天下英雄入吾彀中矣！’”（五代王定保《唐摭言》卷一）

据不完全统计，唐代共有6427名进士，其中出自浙江11州（含江苏苏州，时嘉兴属苏州）的进士只有92人，占总数的1.4%，在全国处于落后地位。值得注意的是，东阳一县却有15名进士（一说有22名），包括太宗贞观年间的厉文才，玄宗天宝年间的楼颖，德宗贞元年间的冯宿、冯定、冯审、冯宽，宪宗元和年间的舒元舆、舒元褒、舒元肱、舒元迥、滕迈，文宗太和年间的厉元，武宗会昌年间的冯衮以及冯图，宣宗大中年间的冯涓（李志庭《浙江通史·隋唐五代卷》）。其中厉、滕、冯、舒为东阳四大望族。东阳厉氏其源出于平安齐之无忌，西晋永嘉之乱时南迁至婺州洞下，至南朝宋元嘉时再迁至东阳。厉文才系贞观初年进士，初为道州刺史，贞观二年（628）功擢容州刺史兼岭南都督，履职一年便辞官回乡。其后世代为官，厉元亦为其嫡系后人，曾历任澧州、荆州刺史、监察御史、朝议大夫、殿中侍御史等职。东阳冯氏系北燕君主冯氏后裔，其远祖冯业于太兴六年（436）亡国后率三百人投奔南朝宋，定居番禺，后世代为官，到冯宿父亲这一辈才迁居婺州东阳。据《新唐书》记载，冯宿字拱之，婺州东阳人。父子华，庐亲墓，有灵芝、白兔，号“孝冯家”。宿贞元中与弟定、从弟审、宽并擢进士第，官至工部、刑部二侍郎，累封长乐县公。子图，字昌之，连中进士、宏词科，大中时，终户部侍郎、判度支。《太平广记》更称：“冯宿之三子陶、韬、图，兄弟连年进士及第，连年登宏词科。一时之盛，代无比焉。当太和初，冯氏进士及第者，海内十人。而公家兄弟叔侄八人。”（出《传载故实》）此外，舒元舆、舒元褒、舒元肱、舒元迥四人亦系兄弟，可见家族因素在科举考试中仍然是有很大影响的。

隋唐时期，浙江士人虽然在科举考试方面成绩不佳，但在其他方面仍有比较好的表现。据史籍记载，唐太宗为秦王时建文学馆，罗致四方文士，收聘贤才，以房玄龄、杜如晦、于志宁、苏世长、姚思廉、薛收、褚亮、陆德明、孔颖达、李玄道、李守素、虞世南、蔡允恭、颜相时、许敬宗、薛元敬、盖文达、

虞世南像（清刘源绘，朱圭刻，清康熙七年苏州柱笏堂刻本《凌烟阁功臣图》）

骆宾王像

苏勖十八人并为学士，讨论文献，商略古今，房玄龄为秦王府文学馆十八学士之首。后唐太宗命阎立本画像，褚亮作赞，题十八人名号、籍贯，称十八学士，藏之书府，时人倾慕，谓之登瀛洲。其中姚思廉为吴兴武康人，褚亮为杭州钱塘人，虞世南为越州余姚人。开元年间，唐玄宗仿太宗故事，在长安上阳宫食象亭，下诏以张说、徐坚、贺知章、赵冬曦、冯朝隐、康子元、侯行果、韦述、敬会真、赵玄默、毋煚、吕向、咸廙业、李子钊、东方颢、陆去泰、余钦、孙季良为十八学士，并命董萼画像，御制赞，其中徐坚为世代客居冯翊（治在今陕西大荔）的湖州长城（今长兴）人，贺知章为越州永兴（今萧山）人，康子元系越州会稽人。这两个比例都是相当高的。

就政治地位和文化成就而论，上述诸学士和诸进士都是有代表性的。如姚思廉之父姚察为隋朝史官，著有《汉书训纂》《文集》《说林》《传国玺》《西聘道里记》等，又撰写了《梁史》《陈史》，未竟而卒。姚思廉子承父业，在唐太宗贞观年间承诏与秘书监魏徵同撰梁、陈二史。“思廉又采谢炅等诸家梁史续成父书，并推究陈事，删益博综顾野王所修旧史，撰成《梁书》五十卷、《陈书》三十卷。魏徵虽裁其总论，其编次笔削，皆思廉之功。”（《旧唐书·姚思廉传》）作为著有两朝正史的史学家，姚氏父子在历代浙籍学人中是绝无仅有的。而与姚思廉同时期的虞世南，更是一个有多方面成就的大家。虞世南早在南朝时就以书法和文学知名，隋灭陈后，与其兄世基同入长安，俱有重名，被时人比作西晋时期的“二陆”（即陆机、陆云兄弟）。唐太宗时历任秘书少监、秘书监等职，赐爵永兴县子。“太宗重其博识，每机务之隙，引之谈论，共观经史。世南虽容貌懦懦，若不胜衣，而志性抗烈，每论及古先帝王为政得失，必存规讽，多所补益。……太宗以是益亲礼之。尝称世南有五绝：一曰德行，二曰忠直，三曰博学，四曰文辞，五曰书翰。”（《旧唐书·虞世南传》）死后陪葬昭陵，赠礼部尚书，谥曰文懿，后又将其列为凌烟阁上二十四功臣之一，可谓备极哀荣。除了书法和文学之外，虞世南在学术方面也颇有成就，曾著有《帝王略论》等，他所辑录的一百六十卷《北堂书钞》更是一部著名的类书。不过，唐代最有名的类书是湖州徐坚主持编写的三十卷《初学记》，“在唐人类书中，博不及《艺文类聚》，而精则胜之”（《四库提要》）。此外，徐坚的礼学在当时也很著名。

唐代是文学的时代，几乎每个著名的文士都有诗作传世。浙人也不例外，如初唐时的虞世南即有咏蝉之作，义乌骆宾王

更是名列“初唐四杰”，在文学史上具有一定的地位。唐中宗神龙年间，“(贺)知章与越州贺朝、万齐融，扬州张若虚、邢巨，湖州包融，俱以吴、越之士，文词俊秀，名扬于上京……数子人间往往传其文，独知章最贵”(《旧唐书·贺知章传》)。贺知章与李白等并称“酒中八仙”，后又被唐玄宗列为十八学士，说明他在文坛的知名度是相当高的。进入中唐之后，浙江有吴兴钱起、海盐顾况、武康孟郊、嘉兴陆贽等著名文士及诗僧寒山、拾得、皎然。其中钱起号称“大历十才子”之一，对中唐诗风转变颇有影响；孟郊开元和体之先河；寒山、拾得诗风独特，自成一家；皎然则以诗论见长，其《诗式》在中国文学批评史上具有独特地位；陆贽则不以诗而以文名世，其经济思想在中国思想史上亦有一席之地。到了晚唐时期，浙江较有名的文士有罗隐等人，罗隐以小品文见长，所著《谗书》“几乎全部是抗争和愤激之谈”(鲁迅《小品文的危机》)，倒也从一个侧面透出了末世的气息。总的来看，浙籍士人在唐初地位最高、成绩不凡，中期文化成就较丰，但未臻一流，晚唐时期地位最低，成绩也最差。这一方面反映了唐代文化由盛到衰的总趋势，另一方面恐怕也反映了江南一带在唐代日益边缘化的尴尬处境。

阅读链接：

阎步克：《察举制度变迁史稿》，辽宁大学出版社，1997年版。

[日]宫崎市定:《九品官人法研究》，中华书局，2008年版。

(唐)魏徵、令狐德棻：《隋书》，中华书局，1973年版。

(后晋)刘昫等：《旧唐书》，中华书局，1975年版。

(北宋)欧阳修、宋祁：《新唐书》，中华书局，1975年版。

吴越立国，偏安一隅

在中国古代史上，五代十国只是从唐末到宋初的一个短暂而混乱的过渡时期。作为十国中的一国，吴越国在中国史上并不具有多么重要的地位，但在浙江区域发展史上，它却具有特殊的意义。它是继春秋战国时期的越国、三国时期的孙吴和南朝陈之后由浙人建立起来的第四个王国，也是迄今最后一个在浙江建立起来的本土政权。

公元874年，12岁的小皇帝唐僖宗即位后，因连年遭受旱灾、水灾、蝗灾，造成大面积饥荒，黄淮一带流民遍地，盗贼蜂起，王仙芝、黄巢等人趁机领导发动大规模暴动。乾符二年（875），镇海（浙西）节度使部将王郢发动兵变，次年攻克温州，沿海岸线向台州、明州等地进发。朝廷派将军宋皓率兵1.5万人进行讨伐，于光启三年（887）将其剿灭。

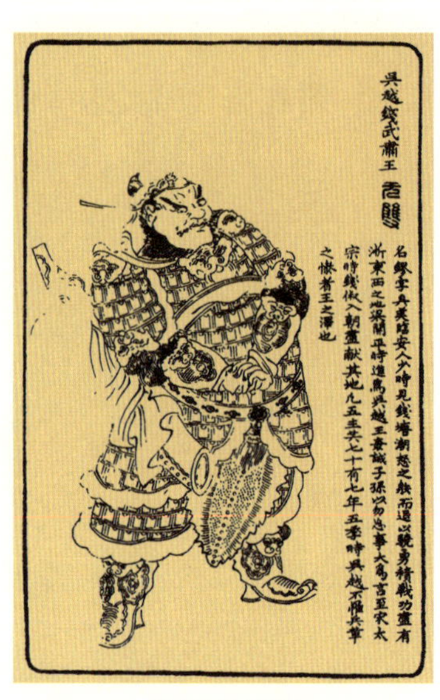

吴越王钱镠像

在此过程中，地方豪强也组织民团武装参与了征讨。事后，临安人董昌以土团讨贼有功，补授为临安石镜镇的镇将。乾符五年（878），王仙芝余党曹寇掠两浙，杭州下属临安、余杭、於潜、盐官、新城、唐山、富阳、龙泉八县各自招募乡兵1000人，号称“杭州八都”，以董昌为长，讨平曹寇。次年黄巢分兵攻掠浙东，至临安境，董昌率军驻守八百岭，成功地阻止了黄巢军队的进犯，被镇海军节度使高骈表荐为杭州刺史。临安钱镠追随董昌，骁勇善战，亦因功被任命为昌都挥使。唐光启三年（887），董昌攻破越州，被任为越州观察使，自杭州移镇浙东，由钱镠代理杭州刺史一职。同年，淮南大乱，囚高骈逐周宝，六合镇将徐约取苏州、润州，牙将刘浩取常州，推薛朗为帅。昌率镠并都将徐及、杜棱等追杀讨平之。诏改越州为威胜军，以昌为节度使，封陇西郡王。景福二年（893），钱镠升任镇海军节度使，驻杭州。昭宗乾宁二年（895），董昌自称大越皇帝，建立罗平国，改元顺天。唐昭宗任命钱镠为镇海军节度使、彭城郡王，发兵征讨董昌。乾宁三年（896），钱镠灭董昌，得越州，又迫使朝廷任命其兼任镇海、镇东两军节度使，治杭州。天复二年（902），朝廷封钱镠为越王，后又封其为吴王。开平元年（907）朱全忠废唐哀帝，自行称帝，改名为晃，建都开封，国号为“大梁”，史称“后梁”。钱镠转而向梁效忠，被进封为吴越王。次年，钱镠正式成立吴越国，并被梁末帝册封为吴越国王。

吴越国以杭州为西府，越州为东府。强盛时拥有13州，即杭州（辖钱塘、钱江、盐官、余杭、富春、桐庐、於潜、新登、横山、武康10县）、越州（辖会稽、山阴、诸暨、余姚、萧山、上虞、新昌、瞻8县）、湖州（辖乌程、德清、安吉、长兴4县）、温州（辖永嘉、瑞安、平阳、乐清4县）、台州（辖临海、黄岩、台兴、永安、宁海5县）、明州（辖鄞、奉化、慈溪、象山、望海、翁山6县）、处州（辖丽水、龙泉、遂昌、缙云、青田、白龙6县）、衢州（辖西安、江山、龙游、常山4县）、婺州（辖金华、东阳、义乌、兰溪、永康、武义、浦江7县）、睦州（辖建德、寿昌、遂安、

分水、青溪等5县)、秀州(辖嘉兴、海盐、华亭、崇德4县)、苏州(辖吴、晋洲、昆山、常熟、吴江等5县)、福州(辖闽、侯官、长乐、连江、长溪、福清、古田、永泰、闽清、永贞、宁德等11县),其范围包括今浙江全省、江苏东南部和福建东北部。在浙江区域发展史上,吴越国最大的意义就在于以杭州为中心,把整个浙江纳入同一行政区域,使两浙整合成为一体,这也进一步强化了杭州的地位,促进了杭州的发展。

在吴越国成立前后,钱镠曾多次修建和扩建杭州城。据《吴越备史》记载,唐昭宗大顺元年(890)闰九月,"王命筑新夹城,环包氏山,洎秦望山而回,凡五十余里,皆穿林架险而版筑焉"。大顺二年(891)七月,"王率十三都兵洎役徒二十余万众,新筑罗城,自秦望山,由夹城东亘江干,洎钱塘湖、霍山、范浦,凡七十里",把杭州城范围向东南拓展了一大片,相当于现在南至六和塔,东到候潮门和艮山门一带,北至武林门,西至涌金门和清波门一带。罗城设城门十座、水门三座。"由是复与十三都经纬罗郭,上上下下,如乡而应",所有城门"皆金铺铁叶,用以御侮"。这次修筑,工程浩大,历时五个月,大大扩展了杭州城的规模,奠定了杭州的基本格局,也为杭州成为国都创造了条件。后梁开平四年(910),吴越国成立两年后,钱镠又命其七子钱元瓘"扩展罗城三十里,筑子城",进一步扩大了杭州的规模,使其成了一个名副其实的都会城市。

杭州地处钱塘江畔,海潮汹涌,常有潮灾之患,又因海侵之故,临江地段土地碱性重,缺乏足够的淡水资源。为了消除

雷峰塔

水灾隐患，就在修筑子城的同一年，钱镠又调集军民数10万人，在钱塘江北岸从六和塔到艮山门一带修筑了一道长达338593丈的捍海石塘，较好地解决了杭州的防汛问题。为了解决饮用水问题，唐大历十二年（777）邺候李泌任杭州刺史时曾开挖六井，并引西湖水入城外，钱镠当政后，又命人凿井99眼，并引西湖水入城为涌金池，便利居民汲取饮用。修筑海塘之后，又设置龙山、浙江二闸，“以大小二堰，隔绝江水，不放入城，则城市专用西湖水，水既清澈，无由淤塞”（苏轼《申三省起请开湖六条状》），从而极大地改善了杭州的水资源质量。

吴越国非常重视水利建设，除了杭州钱塘江和西湖的治理工程之外，还在太湖流域建立了圩田水利系统，在越州鉴湖和明州广德湖等地也进行了水利基础设施建设，这些措施都为农业生产创造了有利条件。与此同时，吴越国也很注重发展商业和手工业，制瓷业、丝织业和造船业都比较发达，海外贸易的成就尤其显著，其经济发展水平在南方九国中居于前列。但是，由于长期与江淮一带的吴国处于敌对甚至战争状态，需要大量军费，而对其尊奉的中原王朝，又需要以朝贡手段获取承认

太湖圩田

和支持，每年都要向中原王朝进贡巨额金银财宝，这使得吴越国的国力也受到了相当大的损害。据史籍记载，钱镠在位时，每年大致上都要向后唐进贡银子数千两，绢数千匹，其中最多的一次达到金器五百两、银万两、绫万匹。后晋取代后唐后，吴越国的进贡又多有加码，还加了许多种的丝织品和茶叶之类。忠献王钱佐在位后期，后汉取代后唐，吴越“岁贡百万”，对当朝权贵亦多有馈赠，“所遗至广，故朝廷宠之，为群藩之冠”（《旧五代史》）。延至后周，吴越国钱弘俶在位，对中原王朝仍多有进贡。

显德七年（960），后周都点检赵匡胤发动政变，建立宋朝之后，采取“先南后北”统一中国的策略，先后攻灭了南平、

湖南、后蜀、南汉等割据政权。开宝七年（974），赵匡胤出兵讨伐南唐，南唐后主李煜向吴越国国王钱俶求援。钱俶虽知唇亡齿寒之理，但慑于北宋军威，不但拒绝了李后主的求援，反而于次年出兵助宋灭南唐。此后，吴越对宋朝贡更加殷勤，可以说到了任其需索的程度，仅开宝九年（976）一年就向宋室进贡10次，其中有银四五十万两，金七八万两，绢数十万匹、绵数千万两，此外各种珍异物产不计其数。但宋室“卧榻之侧，岂容他人鼾睡”（赵匡胤语），太平兴国三年（978）二月，钱俶赴开封朝觐，怕被朝廷扣留，故竭尽财力，“厚其贡奉以悦朝廷”，后又“上表乞罢所封吴越国及解天下兵马大元帅之名”以“求归本道”（《乾道四明图经》），但宋室不允，钱俶无奈，只能

保俶塔

于五月间纳土归宋，结束了吴越国对两浙的统治。

吴越国统治两浙 70 余年，历经三代五帝，每位君主都笃信佛教，在境内广种福田，建造寺庙和佛塔、经幢。据统计，吴越国时期，仅新建的寺院就有 197 所，其中杭州最多，有 45 所，其次为台州，有 34 所，加上历代寺院，共有 553 所。至于佛塔、经幢，更是数量惊人。据说忠懿王时期，吴越国境内佛塔达到 8.4 万座，著名的雷峰塔、六和塔和保俶塔等都是吴越国时所建，故吴越国亦有“江南佛国”之称。这对佛教的发展当然是很有利的，但对国计民生而言，却大有妨碍。据宋人记载：“钱氏据两浙逾八十年，外厚贡献，内事奢僭，地狭民众，赋敛苛暴，鸡鱼卵菜，纤悉收取，斗升之逋，罪至鞭背，少者数十，多者至五百余，讫于国除，民苦其政。”（《续资治通鉴长编》）虽说吴越国“赋敛苛暴”的主要原因是要“外厚贡献，内事奢僭”，并不是为了兴建寺院佛塔，但后者无疑也加重了两浙民众的负担。这也说明，弘扬佛教并不一定就是行善，对佛教的信仰也并不能约束君主作恶，只要公共权力不受制约，公共投入的流向往往会与民生背道而驰。

阅读链接：

（北宋）钱俨：《吴越备史》，杭州出版社，2004年版。

李焘：《续资治通鉴长编》，中华书局，2004年版。

何勇强：《钱氏吴越国史论稿》，浙江大学出版社，2002年版。

东南财赋，两浙为重

宋太宗太平兴国三年（978），吴越国纳土归宋，宋室兵不血刃，取得了对两浙十三州八十六县的统治权。是时，两浙有居民 550608 户，兵员 115036 人。“朝廷命考功郎中范旻知杭州”，“权知两浙诸州事”，以刘宝勋、杨克让分别担任两浙东北路、西南路转运使。太平兴国五年（980），朝廷另设福建路，两浙西南路的一部分被划到福建路，其他部分与东北路合并为两浙路。次年九月“诏选留朝臣十人复为诸路转运使”，高冕被任命为两浙转运使。此时，两浙路除了今属浙江的杭州、秀州、湖州、明州、越州、台州、温州、处州、婺州、衢州、严州十一州外，还有今属江苏的苏州、镇江、常州三个州。太宗至道三年（997），分天下为十五路，宋

京杭大运河

仁宗天寿时析为十八路，宋神宗元丰时又析为二十三路，两浙路均在其中。熙宁七年（1074），朝廷从沈括之请，将两浙路分为东、西两路，其后屡有分合，至熙宁十年（1077）又合为一路，其间转运使司仍在杭州。

北宋时路一级属于中央政府派出机构，有转运使司（又称漕司）、提点刑狱公事司（宪司）、提举常平司（仓司）三司，总称监司，承担的是交通运输、粮食供给和司法监督方面的职能，地方行政职能由府州军监及下属各县承担。各州直辖于中央，直接向皇帝奏事，并不听命于监司。杭州因系两浙路监司所在地，又是两浙的中心，故知州地位也相对较高。范旻任首任杭州知州时，一度兼管两浙其他各州知州事务，上任伊始，对吴越国时期的繁苛徭赋深有所感，曾上疏进言："俶在国日，徭赋繁苛，凡薪粒、蔬果、箕帚之属悉收算。欲尽释不取，以蠲其弊。"（《宋史・范旻传》）朝廷因两浙刚刚归附，为了收服人心，就答应了他的请求。其后各任地方官，大多也实行了与民生息的政策。咸平二年（999），御史中丞张咏为工部侍郎，任杭州知州。此年歉收，民众多贩卖私盐以自给，因犯法被逮捕者就有数百人，张咏从宽处罚，将他们全都释放了。下属官员表示异议，说："不痛绳之，恐无以禁。"张咏回应道："钱塘十万家，饥者八九，苟不以盐自活，一旦蜂聚为盗，则为患深矣。俟秋成，当仍旧法。"（《宋史・列传第五十二》）由此看来，当时杭州市民的生活还是比较艰辛的。

在中央集权的君主专制国家中，政府管制的宽严程度与民

间经济的发展一直是成反比的。凡是政府管制比较宽松的时候，民间经济就比较容易得到发展。为了促进经济的发展，北宋前期实行“轻徭薄赋”的政策，“农政的基调和重点在于开荒、劝种、劝农和户口招增”（斯波义信《宋代江南经济史研究》）。与此同时，政府也比较注重水利基础设施的建设。当时，江南农业已经采取精耕细作的生产方式，粮食亩产和总产量都高于其他地区，因此成为漕粮的主要供应区。据统计，北宋时期东南六路提供的漕粮多数年份都在660石以上，其中出自两浙路的就有155万石。故范仲淹在景祐二年（1035）就盛赞“苏、常、湖、秀，膏腴千里”，为“国之仓庾”，后来在为已故浙江转运副使段少连作碑文时又称“二浙财赋为天下之最”。此外，两浙手工业和商业都相当发达，并为朝廷提供了大量财赋。据《咸淳临安志》载，北宋熙宁十年（1077），杭州及其所属九县的夏税是：纳绢95831匹，绸4486匹，绫5334匹，绵54000两。崇宁年间，宋徽宗曾命童贯设置造作局于苏、杭，仅织绣工匠即达数千人，可知规模之大。另据《宋会要辑稿》载，熙宁十年（1077）之前，杭州每年商税12万贯左右，当年商税高达183800余贯，超过了江南大城市江宁府（57283贯）、成都府（171630贯）、广州南海郡（68695贯），还超过了首都汴京，其酒课额也名列第一，可见其商业之繁盛。

但是，就在经济增长的同时，宋朝的财政开支也有了很大的增加，中央财政和地方财政的调配方式也有了很大变化，除了加大地方岁贡增额以外，朝廷还经常让诸路上供金银钱帛存入皇家内库作为“封桩”。元祐六年（1091）夏季，浙西大水，七月十二日，翰林学士苏轼上奏“乞将上供封桩斛斗应副浙西诸郡接续粜米”，称“苏、湖、常三郡水通为一，农民栖于丘墓，舟筏行于市井。父老皆言，耳目未曾闻见，流殍之势，甚于熙宁。臣闻熙宁中，杭州死者五十余万，苏州三十余万，未数他郡。今既秋田不种，正使来岁丰稔，亦须七月方见新谷。其间饥馑变故，未易度量。吴人虽号柔弱，不为大盗，而宣、歙之民，勇悍者多，以贩盐为业，百十为群，往来浙中，以兵仗护送私盐。官司以其不为他盗，故略而不问。今人既无食，不暇贩盐，则此等失业，聚而为寇，或得豪猾为之首帅，则非复巡检县尉所能办也。”（按：苏轼奏折中道及所闻“熙宁中杭州死者五十余万，苏州三十万”事，后人不察，将此事系于苏轼上奏之年，大误。）从维持社会稳定的角度力陈加大赈济力度的重要性，要求朝廷发放封桩粮食给灾民。不过，当时也有朝臣认为地方官奏报的灾情可能有虚假成分，要求在调查核实后再按实情赈济。因此，给事中范祖禹也向宋哲宗进言，指出“国家建都于汴，实就漕挽东南之利，京师亿万之口所食，赡军养民，此乃国家之根本”，力陈东南地区对于国家的重要性，表示应以民生为重，赈济为先，得到了皇帝的认可（《续资治通鉴长编》）。九月间，刑部侍郎王觌又进言曰：“伏见东南诸路，曩岁财用最为足，故自祖宗以来，军国之费，多出于东南。……今东南财用，窘耗日甚，郡县鲜有兼岁之储。……臣亦尝询访转运司财用日耗之因，虽不能尽究其本末，然有灼然易见者，逐路用度浸广，而朝廷封桩浸多也。”（《上哲宗乞以封桩钱赐户部及诸路转运司》）意思是说，东南诸路财政窘迫，一方面是因各路开支项目增多，另一方面是因朝廷“封桩”太多。因此他请求哲宗把封桩钱拿出来赐给户部及诸路转运司，用以解决各地财用匮乏的问题。但内库封桩乃宋室祖宗法度，涉及皇家的根本利益，因此，哲宗并未接受他的建议。此后，问题愈演愈烈，并引发了更加严重的政治危机。

北宋晚期，政治腐败，边事不靖，“国家以养兵为重，而

养之之具，金缯谷粟，转江通漕，尽在东南”，“东南者，天下之腹心也；江浙者，又东南之腹心也；歙、睦、钱塘者，又江浙之腹心也”（李纲《梁溪集·上王太宰论方寇书》），故江浙一带负担尤重。宣和元年（1119），户部尚书唐恪稽考诸路上供钱物之数，全国十七路总数为15042414贯、匹、两，其中两浙路为4435788贯、匹、两，约占总数的29.5%，可谓竭尽民力。兼之又有花石纲之扰，民不堪命。宣和二年（1120）十月，睦州青溪县（今淳安）人方腊聚众千人，以诛讨大兴花石纲的朱勔为名，在青溪发动起义。时“民方苦于侵渔，果所在响应，数日有众十万，遂连陷郡县数十，众殆百万，四方大震”，直到次年八月才被剿灭。据《青溪寇轨》一书记载，方腊起义前，曾置酒召集百人聚会，席间涕泣曰：“今赋役繁重，官吏侵渔，农桑不足以供应，吾所赖为命者，漆楮竹木耳，又悉科取，无锱铢遗。夫天生烝民，树之司牧，本以养民也。乃暴虐如是，天人之心，能无愠乎？且声色、狗马、土木、祷祠、甲兵、花石靡费之外，岁赂西北二虏银绢以百万计，皆吾东南赤子膏血也。二虏得此益轻中国，岁岁侵扰不已，朝廷奉之不敢废，宰相以为安边之长策也。独吾民终岁勤动，妻子冻馁，求一日饱食不可得。诸君以为如何？”众皆愤愤曰：“惟命！（北宋方勺《青溪寇轨》）由此可见，朝廷对东南一带的“超强度掠夺”，正是激起民众起义的根本原因。

阅读链接：

［日］斯波义信：《宋代江南经济史研究》，江苏人民出版社，2001年版。

沈冬梅、范立舟：《浙江通史·宋代卷》，浙江人民出版社，2005年版。

戴扬本：《北宋转运使考述》，上海古籍出版社，2007年版。

董春林：《财政与皇权的互动——北宋内藏库运作机制之演变》，《贵州文史丛刊》，2010年第2期。

宋室南渡，冠盖鼎盛

“靖康耻，犹未雪；臣子恨，何时灭？”（南宋岳飞《满江红》）在宋朝320年的历史上，公元1126年的靖康之变是最令人耻辱的一页。此年闰十一月二十五日，金军铁蹄踏破宋朝首都汴京，俘虏当朝皇帝钦宗、其父逊帝徽宗及后宫、宗室、百官数千人，使北宋中央政权遭到灭顶之灾。次年（1127）二月，金太宗下诏废徽、钦二帝，贬为庶人，四月间，又将其押送到北方。五月初一，北宋旧臣推徽宗第九子康王赵构在应天府（今河南商丘）即帝位，改年号为“建炎”，是为宋高宗。当年十月，宋高宗以

岳王庙

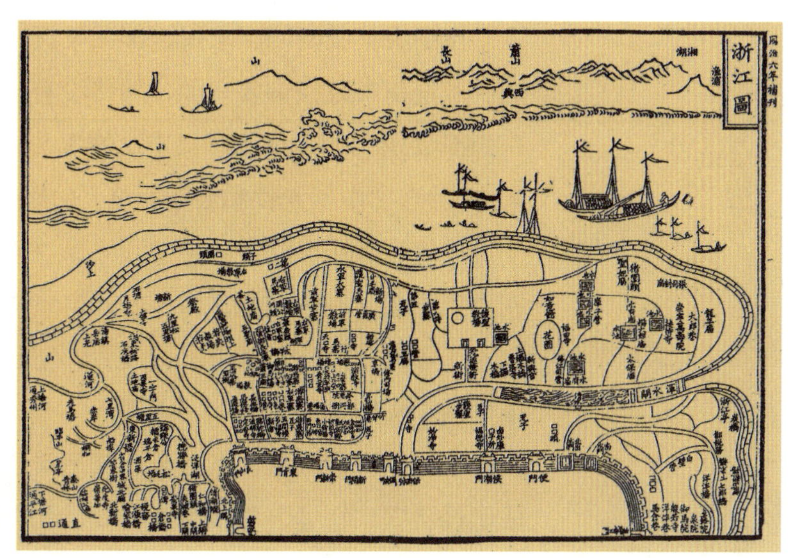

宋钱塘江下游图

“巡幸东南”的名义逃到扬州。建炎三年（1129）二月，金军进犯扬州，宋高宗等人经由镇江逃至杭州，将州治改为行在。次年五月，金军离开扬州北上，宋高宗移跸江宁府，改江宁府为建康府，七月下诏升杭州为临安府。此后，金军再度南下进犯，宋高宗又经镇江、杭州逃往越州，并于十一月间至明州（今宁波）登海舟“航海避狄”，先后逃至定海、台州等地，直到建炎四年（1130）二月金军撤走后，才于四月间回到越州驻跸。次年正月，宋高宗下诏改元绍兴，以寓“绍祚中兴”之意，并于十月升越州为绍兴府。因绍兴地处偏僻，不便漕运，亦不利抗金恢复，宋高宗又于十一月下诏移跸临安。其后，随着宋金关系的缓和，宋高宗曾一度于绍兴七年（1137）再次移跸建康，但终因惧怕金军入侵，又于次年三月第三次移跸临安府。此后，南宋朝廷一直以临安作为行在所，直到 1276 年初元军攻入临安为止，其间共有 139 年，若是加上此前的 9 年，则有 148 年。在此期间，杭州作为南宋政权的政治、经济和文化中心，发挥了前所未有的影响，浙江区域文化也获得了长足发展。

在中央集权制的国家里，都城集聚资源的功能是无可比拟的。虽说南宋政权偏安一隅，始终没有出现中兴气象，但临安作为都城，依然集中了全国最丰富的人力和物力资源。建炎之后，宋室南渡，“中朝人物悉会于行在”（南宋陆游《渭南文集》卷十五《傅给事外制集序》），“西北士大夫多在钱塘”（《宋史》卷四百三十七《程迥传》），为了安顿皇室成员和士大夫群体，绍兴十一年（1141）宋金和议达成后，朝廷开始在凤凰山东麓的旧吴越子城基础上，修建了一座周回九里的皇城，并对临安府治、仁和县署、钱塘县署作了整修，其后又进一步扩大了外城，形成了经济区、官绅区和宗教文化区，使得城市的各项活动能够比较有序地进行。此后，朝廷又着手恢复国子监和太学。北宋晚期太学规模最大时，有七十七斋，招收生员 3800 人。南宋建炎年间，恢复国子监，只有生员 36 人。绍兴十二年（1142）四月，起居舍人杨愿请以临安府学（址在吴山脚下的杭州孔庙）增修为太学，得到了宋高宗的同意。当时太学规模很小，只有 300 名生员。次年正月，宋高宗又下诏以钱塘县西岳飞旧宅（址在原浙江医科大学内）改为国子监和太学，生员增至 700 人，至度宗咸淳年间增至 1716 人，虽规模不及北宋全盛时期，但其作为全国最高学府的功能仍是相当完备的，对提升临安成为全国文教中心具有至关重要的作用。

除了国子监和太学以外，宋代的官学还有府学、州学和县学。浙江的地方学校以永嘉郡学为最早，建于东晋太宁初年。唐代以后，府州县学始广泛设置。到了北宋时期，各个府、州、学

基本上都建立了官学。建炎之后，杭州升为临安府，越州升为绍兴府，其州学也相应地改为府学，钱塘、仁和两县县学均附属于此。此外湖州、明州、衢州、处州、台州、婺州、严州、嘉兴各州府也都有自己的州学或府学，成为当地的文教中心。而在官学之外，两浙地区的私学也相当发达。宋室南渡后，士人云集两浙，私人讲学之风盛极一时，书院林立，光新建的书院就有60多所，此外还有以前（或不知年代）建立的20多所书院，这对繁荣浙江学术文化起到了十分重要的作用。南宋浙江的著名学者如吕祖谦、陈亮、叶适等人都主持过书院，或在书院讲过学。陈亮于乾道八年（1172）"开门受徒"，"欲托于讲授以为资身之策"，永康孙贯和江钱廓等人追随他学习。淳熙十二年（1185）春，亦曾"聚二三十小秀才，以教书为行户"，有时学生达100余人。此外，有不少在浙为官的外籍士人如朱熹等人也曾主持书院或到书院讲学，推动并促进了浙江教育和学术文化的发展。

正如叶适所说："今吴、越、闽、蜀，家能著书，人知挟册，以辅人主取贵仕。"（《汉阳军新修学记》）在学而优则仕的社会里，文教和科举密切相关。绍兴十三年（1143）扩建太学后，国子监司业高闶曾建言，太学教育要以经术为本，太学课士及科举考试内容要相互结合起来，设置三场科目：第一场考大经义三道，《论语》《孟子》义各一道；第二场考诗赋；第三场考子史论一首并时务策一道。宋高宗对此表示认可。这对其他官学和私学的教学肯定也会产生影响。而官学和私学的兴盛，也为科举考试打下了深厚的基础。南宋时期，两浙士人在科举考试中取得了前所未有的成功。据统计，北宋时期全国各科进士总数为9630人，其中两浙路进士共有2355人，占总数的24.45%；南宋时期全国各科进士总数为18694人，其中出自两浙路的有6102人，占总数的32.64%。究其原因，主要是北方只有流寓士人才能参与科举，使得南方地区进士比率大幅度上升，而且也不能排除南宋科举浮滥的成分，但对两浙地区来说，仍是一个有意义的进展。

宋代两浙各州府进士数

州（府）名	北宋	南宋	宋代总数
处州	193	506	699
衢州	250	359	609
明州（庆元府）	127	746	873
台州	38	377	415
温州（瑞安府）	83	1125	1208
婺州	67	466	580（其中47人年代不明）
越州（绍兴府）	153	321	474
两浙东路总计	911	3900	4858
临安（杭州）	165	493	658
秀州（嘉兴府）	75	352	427
湖州（安吉州）	242	298	540
严州（睦州）	124	222	346
常州	498	394	892
苏州（平江府）	213	317	530
润州（镇江府）	137	126	263
两浙西路总计	1454	2202	3656

（据贾志扬《宋代科举》附表二十六“方志名录编列宋代各州进士总数”整理）

更值得注意的是，北宋时期温州仅有进士 83 名，南宋时期则有 1125 名，居两浙路十四州府首位；明州北宋时有 127 名，南宋时期则有 746 名，居第二位；处州北宋时为 193 名，南宋时为 506 位，居第三位；杭州北宋时为 165 人，南宋临安府为 493 名，纵向比增长率也很高，但在两浙路仅居于第四位，在

全国各州府中仅居于第二十五位，与北宋汴京一枝独秀的状况迥异。可见南宋取士已经呈现出地方多元化的倾向。在两浙各个区域中，除了上述四个州府之外，婺州、台州、嘉兴三州也有了长足进展，而原先文化基础比较好的越州、湖州、严州则增长放慢，原属吴地、如今不属于浙江的苏州、常州、镇江三州则是略有增长或略有下降。可见南宋时期两浙各州文教事业相对平衡，浙东各州后来居上，温州、明州已经成为文化发展最为迅速的两个州。这在浙江各区域文化发展史上，是一个具有历史性意义的转折点。

从进士的层次上来看，南宋时期比北宋时期有了很大的提高。北宋时期两浙进士中只有 7 人夺魁，南宋时期则有 37 名状元或特奏状元。其中，温州最多，有 13 名；越州次之，有 7 名；余下各州都在 4 名以下，其中衢州 4 名，明州、婺州各 3 名，杭州、秀州各 2 名，湖州、台州、严州各 1 名。这与各州进士总数基本上相对应。

科举是仕进的正途。两宋注重文治，进士基本上都能得到任用甚至重用。北宋时期政治、文化重点都在北方中原地带，特别重用北人。两浙虽有 3000 多名进士，但受重用的不多，当过丞相的只有山阴的陆佃 1 人，尚书也只有 5 人。南宋时期仍以北人掌武事，武将多为北人，文臣中则以南人居多。浙人仅通过科举途径入仕并上升到官僚等级顶层的就有四五十人，其中右丞相有史浩、杜范、叶衡、留梦发、汤思退 5 人，左丞相有史弥远、莫郯、贾似道、王淮、乔行简、范钟、余端礼 7 人，内阁尚书至少有 36 人，至于任职于中枢或地方者更是不胜枚举。这些都是空前绝后的，对于提高浙人在全国的政治和社会地位具有十分重要的意义。

在学术文化上，两浙在南宋时期最大的进展就是“浙学”的出现。南宋时期的浙学，大体上可以分为两个大的分支，一个是浙东事功学派，包括以吕祖谦为代表的金华学派、以陈亮为代表的永康学派和以薛季宣、陈傅良、叶适为代表的永嘉学派；另一个是以“甬上四先生”杨简、袁燮、舒璘、沈焕为代表的四明学派。浙东学派

阅读链接：
何忠礼、徐吉军：《南宋史稿》，杭州大学出版社，1999年版。
贾志扬：《宋代科举》，台北东大图书股份有限公司，1995年版。
何炳松：《浙东学派溯源》，商务印书馆，1933年版。
陈晓兰：《南宋四明地区教育和学术研究》，凤凰出版社，2008年版。

源出于理学，但与程朱理学颇有歧异，是一个富有独创性的思想学派。其中，金华学派注重义理与考据的结合，以文献为基础，以博学为特色，与理学主流学派比较契合；永康学派特别注重功利，强调以利和义、义利并举，与程朱理学矛盾尤为尖锐；永嘉学派强调为学要切于实务，“弥纶以通世变”（南宋叶适《温州新修学记》），特别注重义理与事功的统一，其思想成就尤其突出。按照周予同的说法，“初期浙学，如陈亮之粗疏，陈傅良之醇恪，其功力与辩解，自非朱熹之敌。但自叶适之《习学记言》出，不仅与朱、陆二派鼎足而三，而且有将破坏朱氏全部哲学之势”（《朱熹与当代学派》），可见以叶适为代表的永嘉之学在浙东事功学派中具有特别重要的意义。而“甬上四先生”创立的四明学派，则是陆九渊心学在浙东的传承者，其主要意义在于解释并发挥陆学，虽然他们在心学上建树不多，不足以成为一个独特的思想学派，但对四明地区的教育和学术文化仍然产生了很大的影响。从地域文化的角度来看，浙东事功之学和四明之学的产生，也是温州、明州、婺州三地文化在南宋时期崛起的表现。

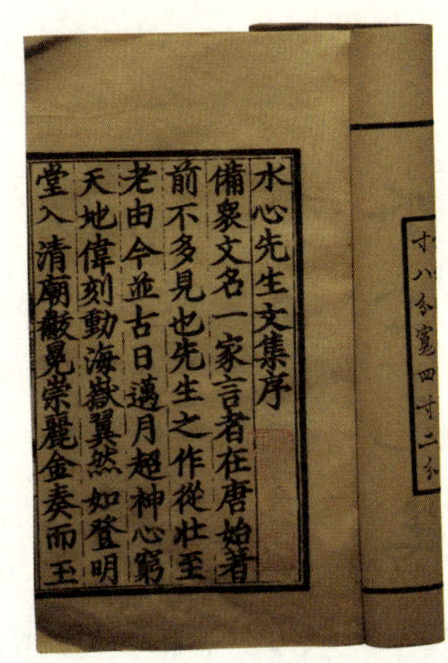

水心先生文集序
備衆文名一家言者在唐始著
前不多見也先生之作從壯至
老由今並古日邁月超神心窮
天地偉刻動海嶽翼然如登明
堂入清廟黻冕崇麗金奏而玉

南宋　叶适　《水心先生文集》书影

自成一域

元明清三代，
随着政治中心的北移，
浙江虽处于不利的
外部政治环境之下，
浙江区域经济仍取得了
长足发展，
浙人对于浙江作为一个整体的
文化认同感也在不断增强，
这些都为浙江社会的
现代转型打下了深厚基础。

在中国古代史上，元、明、清作为三个连续的朝代，既有着显著的区别，也有着非常明显的共同之处。如果说，统治族群的不同是元、明、清三代最大的区别，那么，大一统帝国则是它们最大的共同特征。与早期的秦汉帝国及中期的隋唐帝国不同，元、明、清这三个晚期帝国都是以北部的燕京而不是较为西部的西安、洛阳一带为中心，对整个中国来说，这意味着政治中心向更高纬度的北移，而对浙江来说，则意味着更大的疏离。燕地本来就处于农牧文化的交界线上，相比中原地区，与江南地区有着更大的文化差异。而且元、明、清三代除了明朝以外，都是异族统治，元代的统治者和清朝的统治者对于南方人都采取了严重的民族歧视和地域歧视政策。由于各种原因明朝统治者，也对南方士人多有歧视。这

舟山外海

对浙江的发展显然不利。

但是，在不利的外部政治环境下，浙江区域经济和文化仍然得到了长足发展。元入主中国之后，浙江首度沦于胡人之手，失去了作为全国政治中心的地位。但杭州作为江浙行省治所，依然保持了主要商业中心的地位，并成为日益活跃的海外贸易的一个重要基地。在文化上，元朝统治者虽然并不重视汉文化，但因他们并不注重思想控制，汉文化仍有一定的发展空间。到了明代，浙江作为全国十三个布政使司之一，开始成为一个独立的行政区域，区域一体化进程明显加快，浙人对于浙江作为一个整体的文化认同感也在不断增强，这对浙江思想文化的发展起到了很大的作用。明清易代之际，浙江作为江南抵抗运动的一个中心，虽然受到了很大冲击，其后在清廷制造的文字狱中，浙江士人亦首当其冲，成为受迫害的对象。但在思想文化领域，浙人仍然保持了自己的主体性，并作出了具有独创性的贡献。另外在发展商品经济方面，浙江也取得了很大的成就。这些都为浙江社会的现代转型打下了深厚的基础。

蒙元统治下的浙江

宋德祐二年（1276）正月十八日，困守孤城的南宋朝廷在求和不成的情况下，不得已向兵临城下的元军请降。次日，元军占领临安。二月初四，宋恭宗“率文武百僚诣祥曦殿，望元阙上表，乞为藩辅”（《宋史纪事本末》卷一〇七）。“是日，宋文武百司出临安府，诣行中书省，各以其职来见。行省承制以临安为两浙大都督府，都督忙古带、范文虎入城视事。辛丑，伯颜令张惠、阿剌罕、董文炳、左右司官石天麟、杨晦等入城，取军民钱谷之数，阅实仓库，收百官诰命符印，悉罢宋官府，散免侍卫禁军。”元朝正式取代宋朝，行使对两浙的统治权。同年六月，“罢两浙大都督府。立行尚书省于鄂州、临安”（宋濂《元史·本纪第九》）。十一月初七，元军攻陷瑞安府，将两浙路八府六州八十一县（时有2983672户5692650口）尽数纳入其实际控制范围。

元朝采用中央集权官僚制为统治全国的主要行政制度。除腹里地区（今河北、山西、山东、内蒙古）直辖中央中书省外，全国划为十一行省，下设有路、府、州、县，分层统治。至元十五年（1278），朝廷将杭州、扬州两处行省合二为一，称作

江淮行省，省治设在扬州，至元二十一年（1284）迁至杭州。至元二十八年（1291），江淮行省所隶江北诸部改隶河南行省，其名亦改为江浙等处行中书省，省治设在杭州。大德三年（1299），朝廷罢福建行省，以其地改隶于江浙行省。江浙行省遂辖有今浙江、福建两省全境及苏南、皖南和江西上饶地区一带，“为路三十、府一、州二，属州二十六，属县一百四十三”（《元史·地理志五》），成为元朝的东南大藩，其辖区人口达2870余万，占全国人口总数的三分之一以上。据《元史·食货志》记载，元代“天下岁入粮数，总计一千二百十一万四千七百八石”，其中“江浙省四百四十九万四千七百八十三石”，占了全国总数的37.1%。元人陈旅亦称，江浙“一省所上土赋，恒居天下十六七”（《安雅堂集·江浙省郎中实喇卜伯温之官序》），可见其经济地位的重要性。

元代行省下有“道”的建置。江浙行省下辖江南浙西道、浙东道、江东建康道和福建闽海道。今浙江辖区分属于江南浙西道和浙东道。江南浙西道下辖杭州路、湖州路、嘉兴路、建德路（含松江府等）、平江路（苏州）、常州路、镇江路，治所设在杭州。浙东道下辖庆元路、婺州路、衢州路、绍兴路、台州路、温州路。浙东道宣慰司都元帅府治原设在婺州，大德六年（1302）移治庆元（治所在鄞县）。元代杭州虽然没有南宋时期的京师地位，但作为江浙行省治所，政治地位仍然相当重要，经济上也很繁盛。据元人黄溍所述：“江浙省治钱塘，实宋之故都，所统列郡，

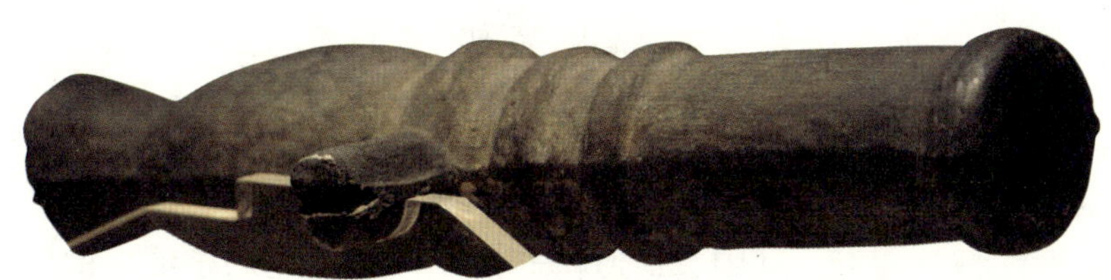

元代铜火铳

始建于元的杭州凤凰寺

民物殷富，国家经费之所从出，而又外控岛夷，最为巨镇。”（《武襄王神道碑》）一些西方旅行家如马可·波罗等人对于杭州的繁华更是留下了深刻的印象，有的甚至称它是世界上最为富丽的城市。与杭州相比，庆元的政治和经济地位当然远远不及，但在海外贸易上的重要性却有过之而无不及。庆元在宋代就是著名的海外港口，元代海外贸易十分活跃。元代在一些重要港口设立市舶提举司，庆元是设有市舶提举司的少数几个港口之一，与日本、高丽等国有着较多的贸易往来。它能取代婺州成为浙东道的治所，与其经济地位是密不可分的。除了商业和海外贸易之外，浙江的农业、手工业经济在元代也有了很大的发展。其中，最值得一提的就是棉花的种植。世界上最早种植棉花的是印度河流域人，时在公元前五至四千年。中国南北朝时

期已有棉花出现，但未形成规模。直到宋元之际，逐渐从边疆传入内地。浙人素以蚕桑为业，起初以为棉花与本地风土不相适宜，故少有种植；后经政府推广，方才大面积普及。到了元末，浙西一带已成为江南重要的产棉区，浙东庆元、婺州、温州诸路也多有种植。到了明代，两浙更是成为全国三大产棉区之一，以“浙花”知名于世。棉花种植业的普及推广，使得棉纺织业和丝织业并列成为江南一带主要的家庭手工业，促进了商业经济的发展，也为江南早期工业化打下了物质基础。

总的来看，元代浙江经济发展成就相当可观，浙江在全国的经济地位也是相当高的。但在政治上，浙人却备受歧视。浙江从秦汉到南宋，一直都有北方移民迁入，但胡人相当罕见。这与西晋以后北方汉胡杂处的状况形成了鲜明对比。南宋政权灭亡后，蒙古人成为新的统治者，随之而来的还有北方汉人以及西北地区的色目人（即除了蒙古人和汉人以外的各种人，有唐兀、乃蛮、汪古、回回、畏兀儿、康里、钦察、阿速、哈剌鲁、吐蕃等等），这就使得浙江的很多地方也出现了汉胡杂处的情

富春江

况。元朝统治者实行民族歧视政策，实行四等人制，将国人分为蒙古人、色目人、汉人（实为北方汉人）、南人（即原属南宋管辖范围的南方人，其中四川人被划为汉人）四个等级，在官吏任用、司法管辖、科举考试等方面制定并实施了一系列歧视性的政策。元世祖至元二年（1265），元廷规定："以蒙古人充各路达鲁花赤，汉人充总管，回回人充同知，永为定制"。次年又"诏省、院、台、部、宣慰司、廉访司及部府幕官之长，并用蒙古、色目人。禁汉人、南人不得习学蒙古、色目文字"。至元十八年（1281），又"敕江南州郡兼用蒙古、回回人"。据统计，"蒙古人出仕者，约有四分之三可以进至高位，西域人达五分之三以上，汉人则仅有一半略多可进入三品以上"（王明荪《元代的士人与政治》）。而在汉人之中，北人和南人的待遇又有很大的不同。至元十九年（1282），集贤直学士、中议大夫程钜夫上奏元世祖忽必烈，条陈五事，其中一条为"通南北之选"。文中称："圣主混一车书，南北之人皆得入仕。惜乎北方之贤者，间有视江南为孤远，而有不屑就之意，故仕于南者，除行省、宣慰、按察诸大衙门出自圣断选择，而使其余郡县官属指缺，愿去者半为贩缯、屠狗之流，贪污狼籍之辈。南方之贤者列姓名于新附，而冒不识体例之讥，故北方州县并无南方人士。"（《新元史》卷一百八十九）

中国历代以士为四民之首，隋唐之后又以科举为取士的主要途径，士人社会地位很高。元朝在官吏选拔中重视根脚而不重视科举，以致迟至延祐二年（1315）始恢复科举。在科举考

元代铜洗、银匜、银勺

试中又优待蒙古人、色目人，对汉人、南人则加以歧视。“蒙古、色目人，愿试汉人、南人科目，中选者加一等注授。蒙古、色目人作一榜，汉人、南人作一榜”，“天下选合格者三百人赴会试，于内取中选者一百人，内蒙古、色目、汉人、南人分卷考试，各二十五人，蒙古人取合格者七十五人”（《元史》）。而且，元代科举取士的比例相当低。据统计，从延祐二年(1315)开始实行三年一次的科举考试，到至顺四年(1333)，元代总共只有550多名进士，最多只占官员人数的2%，“从统计学的意义上说只是进入低级官僚阶层的一个小小入口”（《剑桥中国辽西夏金元史》）。故南人仕进之途相当狭隘，即使有幸入仕，亦大多屈沉下僚，不能担任要职。如婺州义乌人黄溍延祐二年（1315）进士及第，最初只被授予台州宁海县丞一职，后入朝为应奉翰林文字、同知制诰，兼国史院编修官，转国子博士，出为江浙等处儒学提举，除翰林直学士、知制诰同修国史。寻兼经筵官，升侍讲学士、知制诰同修国史、同知经筵事，地位虽然比较高，但都是没有实权的文学侍从之臣。

元代实行“户计”制度，“诸色户计”，如军、民、匠、站、儒、道、僧等，都世守其业。蒙古、色目，除去任官者外，大多纳入军户，以作政权之保障。江南上层人户，大多列入儒户，蠲免赋役。蒙古人信仰萨满教，对宗教人士给予优待，起先优待佛教和道教，后又参照僧、道待遇设置儒籍，优待儒士。因此，儒士地位虽不及宋代，但仍优于编户齐民，更非娼妓、乞丐等边缘群体可比。但因士人心理上有较大落差，故有“九儒十丐”之类的说法流传于世。元代南北儒籍设置时间不一，户数多寡相去亦远。汉地儒籍设定于至元十三年（1276），总数不过3890户，仅为汉地在籍总户数的0.16%。江南儒户于至元二十七年（1290）定籍。入籍的标准甚为宽大，尽量纳入旧宋的科第簪缨之家。据估计，纳为儒户者不下10万家，占江南总户数的0.85%。儒户的法定权利义务甚为有利。唯一的义务为须有子弟一人入学以备选用。加以科举恢复之前，儒户子弟或则为官为吏，或则担任教席，机会亦较其他户为高（萧启庆《元代的儒户》），这对儒学的发展还是比较有利的。

元代儒学以理学为主，独尊朱子理学。浙人中最有影响的是宋元之际的婺州北山四先生（即何基、王柏、金履祥、许谦）之学，其学承朱学之余绪，号称朱学正传，多有学者出其门下，后学如柳贯、吴师道、黄溍、戴良、闻人梦吉、吴莱、王祎等人都有一定的学术地位。义乌黄溍、浦阳柳贯与临川虞集、豫章揭傒斯齐名，人号“儒林四杰”。《元史》儒学传中共收入儒士45人，其中浙人占了18名（有金履祥、许谦、吴师道、胡长孺、郑滁孙、郑陶孙、孟梦恂、周仁荣、周仔肩、程端礼、程端学、韩性、宇文公谅、戴表元、杨载、牟应龙、陈孚、李孝光），这说明浙人在元代儒学方面具有重要地位。但因承续朱子之学，学术上的创获并不多。从文化史的角度来看，浙人在元代的文化成就主要体现在文学艺术领域，如绘画中的“元四家”中的王蒙、黄公望、吴镇都是浙人，浙籍书法家赵孟頫

更是元代书法第一人。会稽杨维桢为泰定四年（1327）进士，历天台县尹、杭州四务提举、建德路总管推官，仕途虽不顺利，但在诗文、戏曲、书法方面均有建树，因“诗名擅一时，号铁崖体”，为元代诗坛领袖，与松江陆居仁、钱塘钱惟善合称为“元末三高士”。以其为核心，形成了一个百余人的文学流派，其中佼佼者有张宪、袁华、贝琼等。而在代表元代文学特色的散曲和戏曲创作方面，浙江也出现了繁盛的局面。据钟嗣成《录鬼簿》所载，元末杭州籍作家约20人，原籍北方而迁居杭州的有十余人，使得杭州成为戏剧创作的中心，其中一些人还取得了相当高的成就。如庆元张可久在散曲创作方面与流寓杭州的散曲作家乔吉并称“双璧”，与济南张养浩合称为“二张”。瑞安人高明创作的《琵琶记》成为南戏创作的范本，获得“曲祖”（魏良辅《曲律》）、“南曲之宗”的美誉，在中国戏剧史上产生了深远的影响，这些都是后世不可忽视的文化成就。

阅读链接：

（明）宋濂等：《元史》，中华书局，1976年版。

［德］傅海波、［英］崔瑞德：《剑桥中国辽西夏金元史》，中国社会科学出版社，1998年版。

桂栖鹏、楼毅生等：《浙江通史·元代卷》，浙江人民出版社，2005年版。

萧启庆：《内北国而外中国：蒙元史研究》，中华书局，2007年版。

明代浙江的人口与经济状况

元顺帝至正二十六年（1366）十一月，吴王朱元璋（1328—1398）部属徐达、常遇春、李文忠等率军先后攻克湖州、杭州、绍兴、嘉兴等地。十二月间，朱元璋在杭州设置浙江等处行中书省，简称浙江行省，下辖杭州、严州、绍兴、宁波、台州、温州、处州、金华、衢州、广信等州府，又将嘉兴、湖州两府划归直隶省。次年正月四日，朱元璋在应天即皇帝位，定国号为“大明”，建元洪武。九月，朱元璋率军攻入平江，俘虏并杀死张士诚。十月，又命御史大夫汤和为征南将军，讨方国珍于庆元。十二月初五，方国珍率部24000人归降，浙江全境归入大明版图。洪武三年（1370）十二月置杭州都卫，与行中书省同治。次年，明廷将南部的广信府划归江西省。八年（1375）十月改都卫为浙江都指挥使司。九年（1376）六月改行中书省为承宣布政使司。洪武十四年（1381），又将嘉兴、湖州两府从直隶省划归到浙江，浙江省境域范围从此确定，并一直延续至今。

据《明史·地理志》记载，明代浙江“领府十一，属州一，县七十五，为里一万零八百九十九”，洪武二十六年（1393）

有 2138225 户 10487567 口，弘治四年（1491）有 1503124 户 5305843 口，万历六年（1578）有 1542408 户 5153500 口。值得注意的是，从洪武二十六年（1393）到弘治四年（1491）这 99 年间，浙江人口居然减少了 635101 户 5181724 口，户数减了约 2/7，人口居然减了将近一半，这在和平时期是很不可思议的。有些人口史学者（如何炳棣、葛剑雄等人）认为，明代赋税繁重，各地在人口登记过程中有大量隐瞒和漏报现象，是造成明代中后期浙江人口统计数字反而少于明初的主要原因。但人口本来就有自然增长，漏报过多以至于大量减少是不可能不被发现的。弘治四年（1491）的人口总数与 88 年后万历六年（1578）的数字基本上还是比较对应的，合乎人口自然增长的比率。若是弘治四年（1491）瞒报，万历六年（1578）又瞒报，只能说明明代吏治实在太混乱。也有学者认为，明代社会上普遍存在的溺杀女婴及其造成的男女性别比例失调现象，是造成明代中晚期人口减少的重要原因。据说当时问题最严重的台州府，弘治五年（1492）男女性别比竟高达 235%（陈剩勇《浙江通史・明代卷》）。但溺杀女婴现象在各个历史时期都存在，不可能在前 99 年导致人口锐减，而在后 88 年又不影响人口的平稳增长。笔者认为，漏报人口和溺杀女婴都不是导致明代初期到明代中期浙江人口统计数量锐减的主要原因，问题的关键在于移民——包括政府主导的大规模强制性移民和民间的集体逃荒或逃亡行动。

明代是中国历史上强制性移民最多的几个朝代之一。据《明史・食货志》记载："初，太祖设养济院收无告者，月给粮。设漏泽园葬贫民。天下府州县立义冢。又行养老之政，民年八十以上赐爵。复下诏优恤遭难兵民。然惩元末豪强侮贫弱，立法多右贫抑富。尝命户部籍浙江等九布政司、应天十八府州富民万四千三百余户，以次召见，徙其家以实京师，谓之富户。成祖时，复选应天、浙江富民三千户，充北京宛、大二县厢长，附籍京师，仍应本籍徭役。供给日久，贫乏逃窜，辄选其本籍殷实户佥补。宣德间定制，逃者发边充军，官司邻里隐匿者俱坐罪。弘治五年始

免解在逃富户，每户征银三两，与厢民助役。嘉靖中减为二两，以充边饷。太祖立法之意，本仿汉徙富民实关中之制，其后事久弊生，遂为厉阶。”

据人口史专家统计分析，明代洪武年间民籍移民有756万，加上军籍，总数共有1100万，占当时全国人口的15.7%。永乐年间的移民人口大约为230万，其中民籍移民为88万，军籍移民为144万，占全国总人口的3.3%。其中浙江和苏南地区，仅在洪武年间的大移民中，就有大约70万—80万的民籍人口外迁；加上军籍移民（即浙人到闽地沿海卫所戍边，闽人到浙地服兵役），约有百万之众（曹树基《中国移民史·明代卷》）。虽说江南一带是当时全国人口最稠密的地区，但如此多的人口迁出，必然会对当地社会产生影响。况且，明初被强制性迁移的江浙一带民众大多是富民和工匠，其影响更是不同寻常。如在元至正十八年（1358），朱元璋就曾将宁越七县（金华、兰溪、东阳、义乌、永康、武义、浦江）的富民子弟强制迁往应天府。明军攻占浙江之初，为了掠夺浙地民众的私有财产，防止民众依靠经济力量在地方上形成能与政府抗衡的势力，又先后将浙西嘉兴、湖州、杭州、苏州、松江五府的富户和浙东方国珍部众强行迁往凤阳和南京等地，甚至以附逆的罪名籍没了许多富户的土地和财产，并将他们流放到边地。洪武十二年（1379），朱元璋又从浙江杭州诸府调1347人往京城充力士户。洪武二十八年（1395）十一月，“诏从直隶苏州等十七府州及浙江等六布政使司所属府州县小民二万户赴京，占籍上元、江

宁二县，以充各仓夫役，名曰仓脚夫”（《明实录》）。这些富户和工匠的迁出，不但给民众造成了物质财富的损失，也给浙江造成了优质人力资源的流失，它对浙江经济和社会发展的损害是难以估量的。

众所周知，浙江五代以来的繁荣发展与海外贸易有着很大关系，活跃的民间资本始终是浙江经济发展的一大动力。明初朝廷将富户迁出浙江，本来已经对浙江经济产生了釜底抽薪的效果，朝廷为了防范沿海民众与海外结交，形成势力，还实行严厉的“海禁”政策，对民间贸易进行封堵，浙江经济更是雪上加霜。明洪武年间，朝廷在沿海地区设置大量卫所。“由于东部沿海诸省人口较多，卫所战士多自当地居民中征取，如浙江和福建即是。为了便于对军队的控制和指挥，政府仍推行非原籍政策，将闽、浙军人互徙，并由此形成军籍人口的迁移。”（曹树基《中国移民史·明代卷》）洪武十九年（1386），信国公汤和巡视海防，到浙江后，设卫所，筑城池，籍民四丁以上者，户取一丁为军，共得58750人，又以防范倭寇为名，将浙东沿海岛民强制迁往大陆。据明代地理学家、临海王士性在万历年间所撰的《广志铎》一

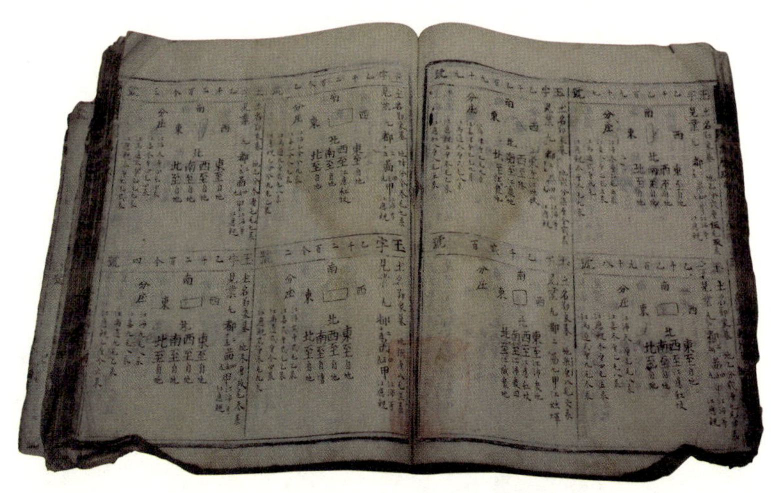

明万历九年（1581）遂安县丈量鱼鳞清册

书记载："宁、台、温滨海皆有大岛，其中都鄙或与城市半，或十之三，咸大姓聚居。国初汤信国奉敕行海，惧引倭，徙其民市居之，约午前迁者为民，午后迁者为军。至今石栏、碓磨犹存，野鸡、野犬自飞走者，咸当时家畜所遗种也，是谓禁田。"可见直到万历年间，沿海岛屿还是一片荒凉。

除了大规模强制性移民以外，明代还有不少逃荒和为逃避赋役而出走的流民。明代赋税本来就很重，吴中一带尤甚。"太祖怒吴民不即归附，故以加赋示罚，一罚至二百余年。"加之徭役繁多，且实施非常苛刻。有些地方的老百姓为了逃避赋役，不能不离乡背井，逃往他乡，成为流民。据《明实录》记载，洪熙元年（1425），仅海宁一县逃亡农户就达九千余户。"据说1441年浙江的金华已经丧失了它登记人口的40%，而在邻近的泰州的有些地方，只有1/3的户留下。类似的情况也影响到福建，1449年此省的延平和沿途千里的一些内地的府都被遗弃，人民躲藏，土地荒芜，税赋不收。"（牟复礼、崔瑞德《剑桥中国明代史》）这些都对浙江经济和社会发展造成了严重的影响。据万历《杭州府志》记载："嘉靖初年，市井委巷，有草深尺余者，城东西僻有狐兔为群者。"这对吴越时期就已开始繁盛的杭州来说，是很不可思议的。到了明代中叶以后，东南地区商业活动开始兴盛，海外贸易日趋活跃，以太湖流域为中心，江南一带出现了一大批新兴的工商业市镇，商品经济相当发达。尤其是安徽商人，更是依托皇室乡里的政治优势，在盐、典当、茶、木、米、谷、棉布、丝绸、纸、墨、瓷器等许多行业都取

得了较大的市场份额。但是，朝廷依然采取重农抑商的政策，对民间资本的集聚和扩展仍多有限制。尤其令人震惊的是，因浙江及苏松二府为财赋之地，江西士风谲诡，明代从洪武年间开始，就规定苏松江浙人不得为户部官，苏松江浙吏不得为户部吏，对江南地区士人实行赤裸裸的地域歧视政策，其目的就是要防止经济发达地区的官员掌控帝国的财政事务，以维护东南一带的经济利益。这也正是东南一带市场经济虽然活跃，甚至出现了所谓“资本主义萌芽”，却仍不能与同时代欧洲一些奉行重商主义的国家一样开始走上近代化道路的关键。

阅读链接：

［美］牟复礼、崔瑞德：《剑桥中国明代史》，中国社会科学出版社，1992年版。

陈剩勇：《浙江通史·明代卷》，浙江人民出版社，2005年版。

曹树基：《中国移民史》第五卷《明时期》，福建人民出版社，1997年版。

方志远、李晓方：《明代苏松江浙人“毋得任户部”考》，《历史研究》，2004年第6期。

君主专制与士之悲剧

在中国古代历朝中，明朝是君权思想最重的朝代之一。明太祖朱元璋开国之初，有鉴于“元氏昏乱，纪纲不立，主荒臣专，威福下移，由是法度不行，人心涣散，遂致天下骚动”的教训，致力于强化君主专制统治。明洪武十三年（1380），在以谋反罪诛杀了丞相胡惟庸以后，朱元璋索性废掉了中书省，由皇帝直接统领六部，并规定此后不得再设丞相一职。洪武十五年（1382），又改置锦衣卫，不但作为侍卫机构，还特令其掌管刑狱，赋予巡察缉捕之权，下设镇抚司，从事侦讯等活动，对臣民实行特务统治。其后明成祖朱棣于永乐十八年（1420）设立东缉事厂（简称东厂），由亲信宦官担任首领，明宪宗朱见深又于成化十三年（1477）增设西厂，进一步强化了特务统治，给社会造成了更大的祸害。

有明一代屡兴大狱，仅朱元璋一手主导的明初四大案（包括胡惟庸案、空印案、郭桓案、蓝玉案）就诛杀了10万人左右，首当其冲的正是朝廷大臣和各级官吏，以致于人人自危。“时京官每旦入朝，必与妻子诀，及暮无事则相庆，以为又活一日。”（赵翼《廿二史札记》）浙江士人在朝为官者为数不少，因各种原因

清上官周绘刘基像

获罪得咎的亦大有人在。元至正十八年（1358），朱元璋攻取婺州、处州后，为了扩大势力范围，刻意笼络浙东士人。“克婺州，召儒士许元、胡翰等，日讲经史治道。克处州，征耆儒宋濂、刘基、章溢、叶琛至建康，创礼贤馆处之。以濂为江南等处儒学提举，溢、琛为营田佥事，基留帷幄预谋议。”（《明史·选举志》）刘基（1311—1375），博通经史，精于谋略，为朱元璋擘划军务，多有贡献，被一心仿效汉高祖刘邦的朱元璋视为“吾子房也”（即“我的张良”），对其礼遇有加，“常呼为老先生而不名”（《明史·刘基传》）。但朱元璋即帝位后，重用与其一同起事的淮西武人集团，对浙江文士则加以抑制。故刘基作为浙东文士之首，也只能屈就御史中丞兼太史令一职。刘基认为宋元以宽纵失天下，新朝应该整肃纪纲，故令御史从严纠劾官员，结果得罪了许多人。中书省都事李彬坐贪纵抵罪，丞相李善长向来宠信他，请刘基缓其狱。刘基不听，报请朱元璋迅速将李彬问斩，因此与李善长结怨，后又因劝阻建都凤阳等事触怒了朱元璋本人。李善长罢相后，朱元璋欲以与刘基交好的杨宪为相，刘基称“宪有相才无相器”，以为不可。朱元璋又举了汪广洋和胡惟庸两个人选，不料刘基称汪广洋比杨宪更加“褊浅”，胡惟庸若比作拉车的马，恐怕也会毁坏车辕。于是，朱元璋就将了他一军，说看来能给我做丞相的，没有谁比先生更强。刘基只得表示：“臣疾恶太甚，又不耐繁剧，为之且孤上恩。天下何患无才，惟明主悉心求之，目前诸人诚未见其可也。”结果朱元璋仍然先后任命了杨、汪、胡三人为相。洪武三年（1370）十一月，朱元璋大封功臣，授予刘基开国翊运守正文臣、资善大夫、上护军，封诚意伯，禄二百四十石，次年赐其归老于乡，后又因猜忌而褫夺了刘基的俸禄。刘基只得入京谢罪，直到病重才被放归乡里，居乡一月而卒。据《明史》记载，刘基在京病时，胡惟庸曾派医生前来诊治。但刘基吃了这个医生开的药后，却“有物积腹中如拳石”，结果不治身亡。其后中丞涂节出首举发胡惟庸逆谋，并谓其毒基致死，朱元璋亦将此作为给胡治罪的理由之一。但胡惟庸派医生给刘基看病，应该是奉了朱元璋的旨意。若医生投毒，主谋恐怕不见得就是胡惟庸一人。

如果说，刘基死去是否是朝廷投毒谋杀，还是一个历史疑案，那么，宋濂之死则显然与朝廷迫害有关。宋濂（1310—1381），不谙谋略，以儒学和文章见长，被推为“开国文臣之首”，又因其主修《元史》等被称作“太史公”。他曾担任太子老师10余年，“凡一言动，皆以礼法讽劝，使归于道”。朱元璋亦称其“事朕十九年，未尝有一言之伪，诮一人之短，始终无二，非止君子，抑可谓贤”。但就是对这样一个人，朱元璋仍然不放心，还要派人

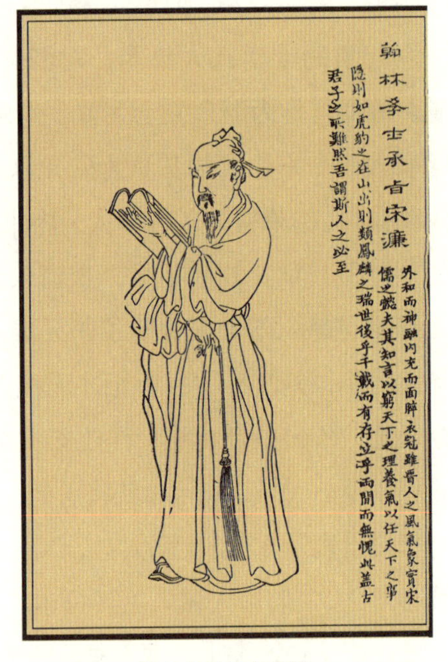

清上官周绘宋濂像

暗中监视他。洪武十三年（1380），宋濂长孙宋慎被牵连到胡惟庸案中，宋濂次子宋璲一并受到牵连被杀。朱元璋还要将宋濂处死，经皇后、太子力劝，才减轻惩罚，将宋濂流放茂州，结果宋濂于流放途中病死于夔州。宋濂门生方孝孺（1357—1402）在建文年间担任侍讲学士，为建文帝侍讲，更定官制。建文三年（1401），建文帝叔父燕王朱棣起兵谋反，廷议讨之，诏檄皆出方孝孺之手。次年六月，燕军攻破南京，建文帝自焚，方孝孺被执下狱。朱棣欲使其为己草诏，将其召至殿上。孝孺执笔愤而疾书“燕贼篡位”四字之后，投笔于地，且哭且骂曰：“死即死耳，诏不可草。”朱棣怒，命磔（即俗称之千刀万剐）诸市，并夷其十族共873人，使其成为历史上唯一被夷十族的国人。

除了青田刘基、浦江宋濂、海宁方孝孺以外，钱塘于谦、余姚王守仁和山阴徐渭等人也是明代很有影响的浙江士人，其中于、王二人还与刘基一道被嘉靖丁未进士王世贞列入其所称的“浙江三大功文臣”之中。按照王世贞的说法：“洪武三年庚戌，御史中丞刘基以谋策功封诚意伯；天顺十四年己巳，兵部尚书于谦以靖乱功加少保；正德十六年辛巳，南京兵部尚书王守仁以擒叛功封新建伯，文臣最为灼然者，皆浙人。刘赠太师、于赠太傅、王赠侯皆在易世论定之后，于事尤奇。”（《弇山堂别集》卷三）但事实上，于谦在“土木堡之变”中力挽狂澜，使得蒙古瓦剌部不能以被俘的英宗挟持朝廷，却终因英宗复辟而以谋逆罪被处死。与这种离奇的遭遇相比，封侯拜相又算得了什么呢？王守仁虽因平定宸濠之乱等军功而被封为新建伯，隆庆年间追封侯爵，但此前曾因反对宦官刘瑾，于正德元年（1506）被廷杖四十，谪贬贵州龙场（修文县治）驿丞，此后又因功高遭忌，只得辞官回乡讲学，其遭际并不能昭示朝廷的恩宠，而只能反映出明代政治的黑暗，这是非常明显的。

为了强化君主专制统治，明朝还在文化上实行专制主义政策。明太祖朱元璋以游方僧侣起事，目不知书，后虽勉力识字，粗通文墨，仍与士人有较大差距，且因

阅读链接：

（清）张廷玉等：《明史》，中华书局，1974年版。

（清）赵翼撰、王树民校证：《廿二史札记校正》，中华书局，1984年版。

丁易：《明代特务政治》，群众出版社，1983年版。

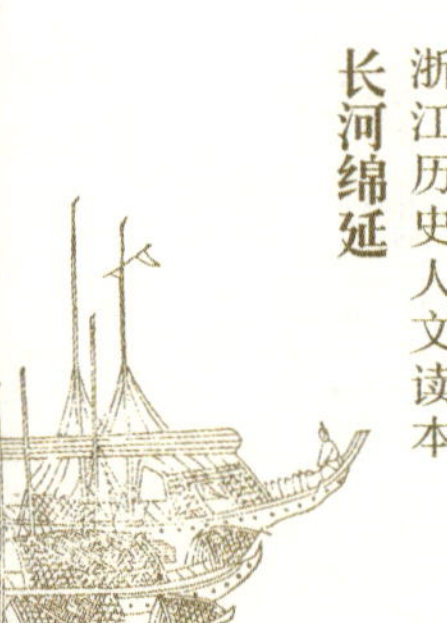

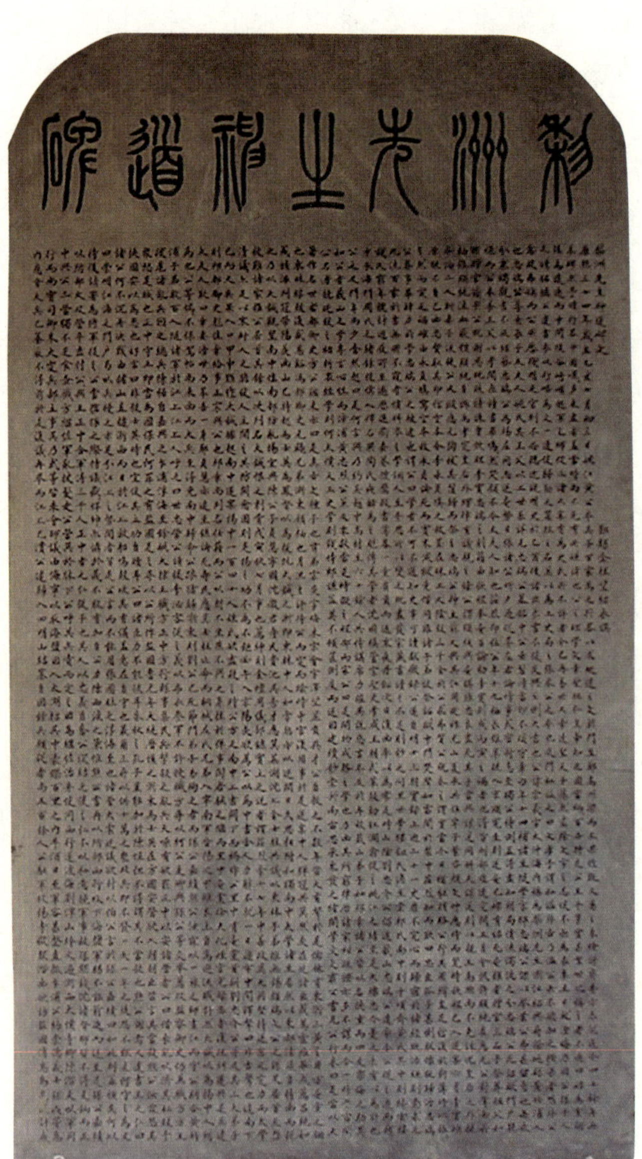

梨洲先生神道碑

顾忌士人对自己的态度，往往以文字疑误杀人，尤其不能容忍影射其做贼、做僧侣的经历。据《朝野异闻录》记载，当时三司卫所进表笺，皆令教官为之，结果有多名因表内有“则”“生”等字样而伏诛。如浙江府学教授林元亮为海门卫作谢增俸表，因表内有“作则垂宪”一词遭到诛杀；北平府学训导赵伯宁为都司作万寿表，以“垂子孙而作则”诛；福州府学训导林伯璟为按察使撰贺冬表，以“仪则天下”诛；桂林府学训导蒋质为布按作正旦贺表，以“建中作则”诛；常州府学训导蒋镇为本府作正旦贺表，以“睿性生知”诛。如此等等，不一而足。不仅如此，朱元璋还因《孟子》书中宣扬民贵君轻思想而一度将其逐出孔庙陪祀的行列，而对提倡纲常名教的程朱理学，则表示尊崇。此外，他还亲自主持编写《大诰》，试图把自己的思想作为士人的行动指南，为巩固君主专制服务。

有明一代，极重君权，士人唯有高扬道德主体性，才能坚守道统。但在程朱理学体系中，纲常名教是以忠君为中心的，这就使得忤逆君主的士人不但在现实中备受打击，而且在心理上也存在着巨大的紧张。在此背景下，王阳明于明代中叶提出了“致良知”之说，强调“知行合一”，高扬精神主体性和实践主体性，不但在理论上将陆象山心学与浙东事功之学融会贯通，建构了一个新的心学体系，也为士人打破了程朱理学的精神枷锁，开启了一个新的思想天地。其影响并不限于思想领域的王门后学（包括后世的刘宗周、黄宗羲一脉），也及于文艺领域，如明代最杰出的两位浙籍书画家山阴徐渭和诸暨陈洪绶，他们张扬个性的生活和艺术风格与王学影响颇有关系。虽说晚明王学末流流于狂禅，颇受东林志士诟病，但“明清之际，凡起兵江上，而身殉死者，大半出于王学之门”（匪石《越风篇》，载《浙江潮》第四期）。可见，王学对自我的张扬与士人以天下为己任的担当是并不冲突的。

明清易代之际的江南抵抗运动

明崇祯十七年（1644）三月，闯王李自成率领农民军攻入京师。明崇祯帝在紫禁城后的煤山（今北京景山）自缢而死，明朝灭亡。同年四月底，明山海关总兵吴三桂引清军入关。五月二日，清军在多尔衮率领下进占京师。明朝一部分大臣在陪都南京拥立福王朱由崧为帝，改元弘光，延续明王朝的宗庙社稷，史称“南明”。九月，清世祖爱新觉罗福临（即顺治帝）从盛京迁都京师，十月一日，顺治帝在天坛祭天，并于紫禁城皇极门（今北京太和门）举行登基大典，再次即皇帝位，宣布“兹定鼎燕京，以绥中国”。这标志着清王朝由地方政权开始转化为统治全中国的中央王朝。次年（1645）春，清军多铎部从虎牢关(今河南荥阳汜水镇)分兵三路,大举攻打南明弘光政权，并于五月二十四日攻陷南京。六月十三日，清军攻陷杭州，明潞王朱常淓在杭州投降。时在鄞县家中居丧的刑部员外郎钱肃乐与宁波的六位秀才一道组织数万群众起兵抗清，又派鄞县举人张煌言奔赴台州请鲁王朱以海前来监国，在绍兴建立临时政权。并与东阳士人、明兵部尚书张国维一道率军扼守钱塘江东岸，不但将清军的攻势遏制了一年，还曾多次组织反攻浙西的

战役。其后不久，礼部尚书黄道周和郑芝龙等复立唐王朱聿键于福州，改元“隆武”，南方出现了两个抵抗运动中心。

“与全国绝大多数地区一样，清朝在浙江统治的确立，首先是以军事镇压开道，是建立在血腥屠杀的基础上的。所不同的是，由于南明政权在江南地区的负隅抵抗，清朝对包括浙江在内的江南地区的征服难度比其他一些地区更为困难。遇到的反抗也最为激烈。统治者所采取的措施，除了加强军事镇压外，还实施了强制剃发易服、迁界禁海等惨绝人寰的强硬手段。”（《浙江通史·清代卷上》）据各种史料记载，顺治二年（1645）清军入浙之后，就在海宁、杭州、金华、宁波等地进行了大屠杀，每一地死难者人数都是成千上万。顺治八年（1651）清军攻破定海后，又实施屠城，被杀的人数以万计。为了巩固统治，清政府还实行强制同化政策，强迫汉人按照满人的式样改变发式和服饰，并以极其严酷的手段加以推行，这对素以衣冠发式作为文化标记的汉人无疑是一种精神上的侮辱，因此也在民间激起了强烈的反抗。

作为鲁王政权基地，浙江处于抗清斗争的前沿。张煌言更是率兵征战19年，还曾与张名振、郑成功等部向清军展开反攻，数次直捣长江，声震江淮。直到康熙三年（1664）在象山南田悬岙岛上被清兵抓获，仍然宁死不屈，最终于杭州从容就义。对张煌言及浙东抗清义军的英雄业绩和民族气节，生于清末的余杭士人章太炎曾经作过深入的阐发。他说：“南田画江之师，皆吾吴越遗老知保种者为之，所以存礼乐，绝腥膻，非独为明氏之宗稷而已也。古者世丁大过，奸人窃命，抗旌相格，殉身以蹦邮诟，与彼嘉遁海外，卉服而不返者，固以多矣。其尽瘁为一王，其陨躬为一姓，于黄农遗胄之兴替勿与焉。自宋明之季，犬羊俶扰，而作者皆以扞吾种族，与王琳尧君素之属，功实殆相悬哉。乃夫提师数千，出入江海，一呼南畿，数郡皆蒲伏，至江淮鲁卫诸豪，悉诣军门受约束，群虏詟栗，丧气而不敢动。若公者，非独超跃史何诸将相，虽宋之文李，犹愧之矣。”（《张苍水集后序》）这就是说，浙东义军奋起抗清的目的并不只

张苍水墓

是为了保卫明政权，更是为了保卫汉民族的根本利益和以礼乐文明为核心的汉民族文化。

明清易代之际，北方本来就已陷入李自成农民军之手，失却中枢之后，地方官员各自作鸟兽散，而南方尤其是长江下游的江南一带，并未受到农民起义的冲击，政府机构和武装力量保存得比较完整，可以组织有效的抵抗。北方历史上胡汉冲突不断，政权更迭频繁，胡人政权并不罕见。地方士族在动乱时期要维护家族和地方的利益，就得与各种势力周旋，相比之下不太注重大共同体的利益。如明末辽东总兵吴三桂一家作为当地士族，虽然世代为官，很受朝廷重用，但在关键时刻，还是以家族利益为重，先后做了李闯和清室的臣僚，后来谋反也是出于个人利益。而江南一带在清兵入关之前，除了元代以外，

基本上都维持了汉人政权，对汉政权和汉文化更有认同感。而且，江南一带作为商业发达的经济中心，整个地方社会都有共同利益。这也正是江南士绅和民众激烈反抗清廷军事征服和政治高压的深层原因。

为了消弭汉人的反抗意识，打击汉人的文化优越感，清廷在彻底征服中国之后，还曾多次大兴文字狱，摧残和迫害那些以维护汉民族文化为己任的汉族士人。浙人因反抗意识浓厚，更是首当其冲。如康熙初年庄廷𬓡《明史》案，雍正年间的汪景祺《西征随笔》案、查嗣庭《维民所止》案和曾静、吕留良案，以及乾隆中叶的齐周华案，其主角均为浙人。雍正当政之时，还曾发布上谕，极力诋毁以吕留良为代表的浙江士人，声称：“朕向来谓浙省风俗浇漓，人怀不逞。如汪景祺、查嗣庭之流，皆以谤讪悖逆，自伏其辜，皆吕留良之遗害也。甚至民间氓庶，亦善造言生事。如

張忠烈公年譜
會稽趙之謙纂輯
鄞張忠烈公年譜題全先生祖望輯其書出自
鄭氏鄭氏言得之姚江黃氏董君孟如修鄞志
時嘗據以校正之謙乞孟如段寫以歸今反覆
讀之有大疑焉全先生所箸書其弟子董秉純
稱三十餘種年譜有作則見於張尚書集序然
鮚埼亭集與外編所存文字於忠烈畢生志節
行誼求之惟恐不盡忠烈之女爲全先生諸母
張忠烈公年譜　一

九月初七日公赴市口占絕命詞曰我年適五
九乃逢九月七大廈已不支成仁萬事畢遂受
刑子木等從死夫人董氏子萬祺先公三日戮
於鎮江傳云夫人董先死譜稱夫人董氏獄中削髮爲尼得免魯春秋煌言妻子久禁
錢唐有僧濟齋募飯活之十年後移獄至鎮江就法　公絕命詞各本互異傳作我年四十五
今朝九月七含笑從文山一死萬事畢嘆景鐘清波小志補作我年四十九卻逢九月七大廈
已不支成仁事始畢譜則乃作復僅一字異耳今從魯春秋棱記言公臨刑口占絕命詞令人
書之偶訛一字不能改正公笑曰他日自有知之者鄞故御史紀五昌捐
金令公甥朱相玉購公首僧超直清波雜志僧問石法名超
張忠烈公年譜

清　赵之谦　《张忠烈公年谱》书影

雍正四年内，有海宁平湖阖城屠戮之谣。比时惊疑相煽逃避流离者有之。此皆吕留良一人为之倡导于前，是以举乡从风而靡也。”为了打压浙人，雍正朝还曾不定期停止浙江全省乡、会二试，并特设“观风整俗使”加以监察。虽然随着统治的稳固，清廷对浙人的打压有所放松，为了收买人心，还采取了一些表彰前朝英烈的活动，如乾隆四十一年（1776）将张煌言谥为“忠烈”之举，即属此类。但这反而给汉族士人提供了重建历史记忆的合法依据。如鄞县士人全祖望在乾隆年间即曾撰有《明故权兵部尚书兼翰林院学士鄞张公神道碑铭》，到了晚清同治年间，山阴士人赵之谦又撰写了《张忠烈公年谱》，为张煌言树碑立传。虽说其本意并不是为了反抗清朝统治，但也以著述形式延续了浙人对于明清易代的历史记忆。

阅读链接：

［美］司徒琳：《南明史》，上海书店出版社，2007年版。

［美］魏斐德：《洪业——满清开国史》，江苏人民出版社，1991年版。

叶建华：《浙江通史·清代卷》（上），浙江人民出版社，2005年版。

世变之亟

经历了晚清时期激烈动荡的几次大战乱后，浙江成为辛亥革命三个主要策源地之一，在思想启蒙、舆论宣传、政治组织、社会动员和武装起义等方面，浙江革命党人都发挥了极其重要的作用，为推翻清朝统治、建立中华民国立下了不朽功勋。

晚清时期是中国历史上社会冲突最为激烈、社会动荡最为急剧的时期之一，也是社会变迁最为迅速、社会转型最为明显的一个时期。浙江自从进入近代以后，曾先后经历了几次大的战乱：在 1840—1842 的第一次鸦片战争中，地处东南沿海的浙江作为中国海防的前沿阵地之一，首当其冲，多次遭到英国军队侵略，所辖的定海县（舟山岛）被英军占领，沦于敌手长达五年；在 1856—1860 年的第二次鸦片战争中，浙江虽然没有发生战事，但定海仍有七个月的时间被英法联军占领；太平

杭州西湖孤山秋瑾墓前汉白玉像

天国战争后期，浙江饱受战乱破坏。在此之后，清政府先后进行了三轮新政改革：第一轮是同治年间发起并延续到光绪年间的洋务新政，第二轮是甲午战争失败后实施的维新运动，第三轮是庚子事变后实行的清末新政。在这三轮新政改革中，在全国范围来看，浙江地方政府的表现虽然并不十分突出，但总的来看，还是有所作为，也较有成效。

到了辛亥革命时期，浙江更是成了非常重要的一个区域。众所周知，辛亥革命早期有三个主要的革命团体，一个是孙中山领导的以广东革命志士为主体的兴中会，一个是黄兴等人领导的以湖南爱国志士为主体的华兴会，另一个就是以章太炎、蔡元培、陶成章、徐锡麟、秋瑾等浙江爱国志士为主体的光复会。与这三个革命团体的主要活动范围相对应，广东、两湖和江浙三地也被人们称为辛亥革命的三个主要策源地。无论在思想启蒙、舆论宣传、政治组织、社会动员和武装起义等方面，浙江革命党人都发挥了极其重要的作用，为推翻清朝统治、建立中华民国立下了不朽功勋。从地方史的角度来看，辛亥革命对于促进浙江的社会变革也具有十分重要的意义。

西教东传，西学东渐

1840年，英国发动第一次鸦片战争，以坚船利炮打破了中国的海防，打开了贸易的大门，也开启了一个西力东侵和西教东传、西学东渐并举的时代。1842年，清政府被迫与英国政府签订《江宁条约》(后称《南京条约》)，“恩准英国人民带同所属家眷，寄居大清沿海之广州、福州、厦门、宁波、上海等五处港口，贸易通商无碍；且大英国君主派设领事、管事等官住该五处城邑，专理商贾事宜，与各该地方官公文往来”。1843年7月，中英谈判代表在香港签订《五口通商章程》，作为《江宁条约》的附件，内中规定：英国商民与华人倘遇有交涉词讼，须由英国管事官“移请华官公同查明其事”，“英人如何科罪，由英国议定章程、法律发给管事官照办”，此即所谓“领事裁判权”。同年10月，中英又在虎门签订《南京条约续约》，进一步明确规定：“英人得在五口议定界址内，租赁房屋，或租地自建以为居住；英人犯事交由英官收办，遇有交涉由华、英官员共查。”继英国之后，美国政府也于1844年7月和清政府在澳门望厦签订了一个《五口贸易章程》，其中第十七条规定：

晚清温州教堂铜钟

"合众国民人在五港口贸易，或久居，或暂住，均准其租赁民房，或租地自行建楼，并设立医馆、礼拜堂及殡葬之处。"这就给美国和英国的传教士在通商口岸传教打开了一道方便之门。同年10月，应法国公使要求，清政府代表又在广州黄埔与其签订了《中法五口贸易章程》，该条约以《中美望厦条约》为蓝本，使法国也获得了英美两国在华享受的各种特权和利益。嗣后，法国公使还就传教事宜与清政府进行了一系列交涉。因法国公使坚请弛禁天主教，1844年11月11日，道光皇帝密谕钦差大臣耆英，准许弛禁，但"只于通商五口地方建堂礼拜，断不可越界传教"。1846年2月20日，道光帝又发布上谕，晓示天下黎民，任各处军民人等传习天主教、会合讲道、建堂礼拜，且将滥行查拿者，予以应得处分。又将之前谋害奉天主教者时所充天主堂、学堂、茔坟、田土、房廊等件，应赔还交法国驻扎京师之钦差大臣，转交该处奉教之人。不过，上谕仍然保留了外国人不得赴内地传教的限制，使得西方传教士不得不把活动的重点放在沿海的几个通商口岸城市。

西方传教士来华，其本职当然就是传教。但在传教的过程中，他们发现直接布道效果不佳，容易受到华人社会尤其是士大夫的抵触，开展文化和教育活动则能改善传教的环境，扩大基督教的影响。因此，他们在传教的同时，也兴办了不少社会文化事业，其中包括医院、学堂和报刊等等。1844年宁波开埠后，原在南洋爪哇办学的英国东方女子教育协进会会员、新教传教士艾迪绥（Mary Ann Aldersey，通译

阅读链接：

王尔敏：《五口通商变局》，广西师范大学出版社，2006年版。

熊月之：《西学东渐与晚清社会》，中国人民大学出版社，2011年版。

"中国近代教育史资料汇编"丛书，上海教育出版社，2007年版。

作阿尔德赛，1797—1868）只身来到宁波，花大价钱在市中心祝都桥附近租了一座大屋作为校舍，开办了一所女塾，免费招收当地贫寒女童入学。当时风气未开，民众对洋人疑虑很深，有的甚至把这位独身女教士当女巫看待，造谣说她在英国杀死了自己的孩子，到中国办学，是为了骗儿童去挖眼睛炼药，有的甚至把发生的地震都算在她的账上，称是她施魔法的结果。有的人与艾迪绥接触之后，虽然不再相信谣言，但不觉得女孩子有读书的必要，反而觉得女孩子可以干活，贴补家用，不想把孩子送到学校里来。为了增加对这一部分学生家庭的吸引力，艾迪绥不但减免所有学生的学费，给她们供应伙食，还发给学生家长一天十几文的津贴，作为女孩子因入学而不能干活的补偿。就这样，经过一年的努力，她的学校招收到了 15 名学生。考虑到女学生谋生的需要，学校不但为她们开设了圣经、中文、算术等课程，还向她们传授缝纫、刺绣等生产技能，使她们在掌握一般女孩子所不具备的文化知识的同时，还能在劳动方面

Mary Ann Aldersey

女子学校

拥有一技之长。由于艾迪绥悉心为学生考虑，学生们对她都很感佩，学校规模也逐渐有所扩大，到第八年学生人数已达到了 40 名。这在当时的教会女校中已经算是规模较大的了。而在中国教育史上，这所学校更有其独特的地位：它是西方传教士在中国内地开设的第一所洋学堂，也是中国历史上第一所女子学校。无论在落实女性的受教育权方面，还是在教学内容和教学方法的改进方面，该校都打破了中国传统教育模式，对以男权为中心、以儒家经典为教育内容、以应对科举考试为教育目的的中国传统教育体系构成了潜在的挑战，并为后来的教会学校和女子教育提供了一个新的典范。

除了艾迪绥个人创办的宁波女塾，美国长老会、美国浸礼会、英国圣公会、英国循道会等机构也陆续在宁波开设了几所男女学塾。1860 年 10 月《北京条约》签订后，外国传教士逐渐深入内地，浙江的教会学校也以宁波为基点，逐渐向其他地区发展，到光绪二十六年（1900），已发展到 23 所。其中以崇信义塾的发展成就最为突出。该校是美国北长老会传教士麦嘉缔（D. B. Mc Cartee）等人于道光二十五年（1845）在宁波开办的，起初规模并不大，只招收了 30 名学生，课程也比较简单，只有圣经、中文、算术、音乐等几门。到了同治六年（1867），该校迁至杭州，改名育英义塾，学生增至 50—60 人，课程内容也更为丰富，除原有的圣经等科目外，还增设了中国经书、代数、几何、史地、化学、生理等科目。到光绪十五年（1889），育英义塾已具中学程度，是浙江省层次最高、规模最大的新式学校。光绪二十三年（1897）改名育英书院，分正科、预科，正科为大学程度，设英文、化学等专修科。后预科于 1902 年改为附属中学，正科于 1910 年改名为之江学堂（后改称之江大学）。可以说，在浙江近代教育发展过程中，该校始终走在前列，对于浙江其他教会学校和新式学堂都具有一定的示范和引领作用。

同治中兴，文教重建

浙江是人文之邦，素有重教兴学的传统。南宋时期，浙江教育已相当发达，除属于中央政府的太学外，还有州府县官学70多所、书院五六十所。到了清代，随着社会的发展，浙江教育有了更大的发展。据统计，至道光年间，浙省共有书院271所，其中92所为前代遗留书院，179所为清代新建书院。但在太平天国战争中，浙江的书院遭到了极大的破坏。据统计，在1860—1861年太平军两次攻打杭州期间，浙江遭到毁坏的书院就不下50余所。杭州四大书院中，崇文书院在咸丰十一年（1861）为太平军所毁，“仅存大门，及朱公、叶公二祠，余皆焦土”，诂经精舍也是“半鞠茂草”，一片残破荒凉的景象。因此，在战后恢复重建工作中，浙江地方政府将兴复书院视为振兴文教的第一要务。

同治三年十月（1864年11月），浙江巡抚马新贻上任后不到一个月，即礼聘丁忧在籍的前翰林院侍讲、瑞安名宿孙衣言为杭州紫阳书院山长。同治四年（1865）间，浙江布政使蒋益澧暂理巡抚一职，捐养廉金于崇文学堂原址重修诸堂斋，于其右增建了一座可供数百人居住的学舍，并动支帑金（府库资金）、筹措羡余（附加税）作为办学经费。次年，蒋益澧又动用帑金7000缗，花了五个月的工夫重建诂经精舍。同年九月，浙江按察使杨昌濬又在紫阳书院西边买地，请巡抚马新贻“出公帑增屋二十楹作南北向斋舍”。当时杭州崇文、敷文、紫阳三书院住院生很多，尤其是建在栖霞岭上的崇文书院，因占湖山之胜，求学者趋之若鹜。布政使司顾念士子贫寒，不能自给，每月供给三个书院住斋生徒每人三斗米作为口粮，合计每月共需600多石。同治七年（1868）春，因仓米供应难以为继，时任布政使的杨昌濬请示巡抚马新贻，“于善举款内拨二万缗，就质库取息以办”，终于解决了住院生的口粮问题。此前不久，马新贻又礼聘原苏州紫阳书院山长俞樾为诂经精舍山长。诂经精舍与其他专习举业的书院不同，专注汉学，独重经解，不尚时趋。俞樾在主持诂经精舍前，已经出版了其经学名著《群经评议》，其诸子学名著《诸子评议》亦已草就太半。身为学界泰斗、一代经师，俞樾主持诂经精舍讲席长达31年，不但培养了数百名有汉学根基的人才，其中包括戴望、黄以周、朱一新、章炳麟、崔适、袁昶、宋恕、施补华、王诒寿、冯一梅、吴庆坻、吴承志等知名人物，使浙江成为汉学的一大重镇，而且对整个学界的风气都产生了相当大的影响。这与马新贻等人的知人善任是分不开的。

在书院兴复之后，马新贻等人还创办了一个十分重要的出版机构——浙江书局。同治六年三月（1867年4月），布政使杨昌濬和按察使王凯泰致函请示巡抚马新贻，建议在浙设立书局。函中称：“欲兴文教，必先讲求实学，不但整顿书院，并需广集群书。浙江自遭兵燹，从前尊经阁、文澜阁所存书籍，均多毁失，士大夫家藏旧本，连年转徙亦成乌有。军务肃清之后，省城书院如敷文、崇文、紫阳，孝廉堂、诂经精舍均已先后兴复，举行月科。惟书籍一项经前兼署抚臣左宗棠饬刊《四书五经》读本一部，余尚未备。士子虽欲购求，无书可读。而坊肆寥寥，断简残篇，难资考究，无以嘉惠士林，自应在省设局重刊，以兴文教。”马新贻深以为然，即奏请在杭设立官办浙江书局，由崇文书院山长薛时雨和紫阳书院山长孙衣言具体负责，首刊经史，兼及子集。后又延请俞樾、李慈铭、谭献、黄以周、王麟书等学者参与编辑校勘，保证了图书的学术质量。该局存世 40 余年，刊刻书局一百几十种，以校注精审著称于世，这不能不说是浙江几代学人通力合作的结果。不过，若论开创之功，则应归之于马新贻、杨昌濬和王凯泰这三位大员。

作为传统社会的中坚力量，浙江士绅在振兴文教方面也出了大力。如杭州士绅吴煦曾任钦命盐运使署江南苏松太道，后因故被弹劾开革，降为候补，并于同治四年（1865）称疾归里，自称“毁家去官”，但仍乐于资助家乡文教事业。同治十年（1871）间，他捐资创办辅仁义塾一所，“访延名师，试开三斋，冀以造就孤寒”（吴煦《杭州辅仁义塾序》），其目的就是要在复兴

杭州文澜阁

文教的事业中出一把力，为自己赢得乡里的认同。事实上，当时任何一项社会事业，都离不开地方士绅的支持，而士绅对于文教事业尤其热心。其中最突出的就是丁氏兄弟保护文澜阁藏书的事迹。咸丰十一年（1861），太平军二度攻入杭州，皇家藏书阁文澜阁遭到毁坏，阁藏《四库全书》散落民间。当时丁申正避居西溪留下，在镇上开了一家米行，看到市面上卖食物的摊子都拿四库书纸包裹，十分痛惜，就召集了几个胆大的人乘夜捡拾，陆续收了数千册图书，藏到西溪的一家僧舍。其后，避居萧山的丁丙也来到西溪，与丁申一道收藏散佚书籍。清军收复杭州后，丁氏兄弟即将收集到的《四库全书》残本万余册送到府学尊经阁储藏。光绪六年（1880），丁氏兄弟建请浙江巡抚谭钟麟重建文澜阁，后又多方搜集和补钞《四库全书》，直到光绪十四年（1888），才将其基本补全。此外，丁氏兄弟尤其是丁丙还在同治年间恢复重建书院的过程中做了不少工作。据丁丙女婿顾浩称："若敷文书院、崇文书院、诂经精舍、东城讲舍，暨学政之考棚、贡士之试院皆先生（按：指丁丙）所规划。"（顾浩《外舅丁松生先生行状》，载丁大可、丁利年编《钱塘丁氏家谱大系表》，2003 年刊印本）另据他人记载，1866 年间诂经精舍的重建工程就是由蒋益澧交托给"旧精舍生钱塘丁丙、林一枝督工"完成的，杭州宗文义塾的易地重建也是在丁丙等人倡议赞助下完成的，可见丁氏后人之言不虚。

阅读链接：

夏东元：《洋务运动史》（修订本），华东师范大学出版社，2009年版。

［美］芮玛丽：《同治中兴——中国保守主义的最后抵抗》，中国社会科学出版社，2002年版。

赵世培、郑云山：《浙江通史·清代卷》（中），浙江人民出版社，2004年版。

浙江维新士人群体的形成

毋庸讳言，洋务运动时期，浙江人的心态普遍还是比较保守的。不过，也有一些知识精英心态比较开放，能够看到时代的发展趋势，提出维新变革的要求。如瑞安学人陈虬（1851—1904），素以永嘉事功学派的传人自居，对国计民生及地方利病颇为关注。早在1885年间，他就和友人一起创办了利济医院，并开设了利济分院学堂。其后又撰写了《治平通议》六卷（即《治平三议》一卷、《经世博议》四卷和《救时要议》一卷），提出了都察院“设议员三十六人”、地方各县“设议院”的主张，在我国近代首开先河。在1892年11月发表的《救时要义》中，陈虬又进一步提出了十四条致富之策（即“设官钞，定国债，开新埠，垦荒地，兴地利，广商务，迁流民，招华工，汰僧尼，税妓博，搜伏利，汇公产，开鼓铸，权度支”）、十六条图强之策（即“更服制，简礼节，变营制，扼要塞，开铁路，改炮台，广司官，并督抚，弛女足，求材官，限文童，练僧兵，禁烟酒，限姬妾，优老臣，广外藩”）和十六条治人之法（即“开议院，广言路，更制举，培人材，广方言，整书院，严举主，疏闲曹，定户口，权盈虚，严嫁娶，定丧葬，汇祀典，正词戏，新耳目，申诸戒”)。不过从具体内容来看，似乎有些简单化，显得见事太易。如“开议院”一条的主旨是“即就所有书院或寺观归并改设，大榜其座。国家地方遇有兴革事宜，一任官依事出题,限五日议缴。但陈利害,不取文理。……择尤议行,院中列名。……三年汇详，分等请奖”，这只能说是一种官方的咨询机构，而且带有命题考试的性质，与西方的议会不可同日而语。又如“广方言”（亦即推广普及外语）的内容为 :“学聘方言教习一人。生员不谙方言、西学，不得补廪食饩。行之数年，而中外一切语言文字无扞格不通之患矣。”“整书院”一条的内容是 :“今书院所在多有，聘请山长，按月课试，名为造士，其实所益无几。虬谓延师不如购书，听人自择。宜备洋报、一切西书。各县宜各设大书院,稍筹经费为游学之资。凡游学者,由地方官给照,所到书院酌助路费。”可见其教育改革方略只是在经费使用上做一些调整，采取物质刺激手段鼓励学习外语和西学而已，并没有多少实质性的内容。

与陈虬一样，山阴士人汤震（寿潜，1856—1917）也颇以经世致用为务。1886—1890 年间，他在山东巡抚张曜幕府充当幕僚，对政府运作和社会弊端都有了比较深入的了解。在此基础上，他于 1890 年间出版了《危言》一书（共 40 篇），系统阐述了自己的变革主张。在谈到开议院的问题时，他认为如果仿照泰西的上下两院制，耗资巨大，财政无法承受，“莫如采西法而变通之，自王公至各衙门堂官、翰林院四品以上者，均隶上议院，而以军机处主之。堂官以下各员……及翰林院四品以下者均隶下议院，而以都察院主之。每有大利之当兴，大害之当替，大制度之当沿革，先期请明谕 ；得与议者，一殚思竭虑，斟酌今古，疏其利害之所以然，届期分集内阁及都察院，互陈所见，由宰相核其同异之多寡，上之天子，请如所议行。在外省，府州县事有应议者，自巨绅至举贡生监，与著有能名之农工商，皆令与议，而折其衷”。虽说这与西方议院也有很大差别，但作为一种过渡时期的替代性选择，还是有可取之处的。汤寿潜认为，“学校兴新学，以植人材，是尤议院之原本耳”，因此他很重视学校教育和科举考试体制的改革。在谈到科举考试问题时，他主张改革考试内容，“并经义子史古学为一场，时务为一场，洋务为一场”，将适应时代需要的科目作为考试的重点。在谈到书院改革问题时，他提议朝廷“亟诏中外，所有省府州县各书院，一切铲除旧令，改延谙习西学者为之教习，取同文馆章程颁示之，一就原设之额，拣之汰之并之，而以岁数百人之饩，饩数十人，季锻之，月炼之，致知格物，实事求是，领异标新”，为国家培养新型的人才（如“出使之才、翻译之才、制造之才、法律之才、武备之才”）。汤寿潜认为，“彼西人之挟以陵轹我者，其育才之法，非真擅造化之绝技，有鬼神之秘授也”，而是实行艾儒略所说的文、理、医、法、教、道六科的分科教学方式。“一艺之成，得专其利，得世其业，无论士农工商、陆军水师，靡不出身学堂，讲明事理，娴习其事。故所以强食弱肉，要自有本原在，而坚船利炮特其末焉者也。”这种把专业教育视为西方富强之本的思想是相当深刻的。不过，由于各种原因，汤寿潜自己在 19 世纪 90 年代并未投入到教育改革的实践之中。虽然他在 1894 年就返乡担任了金华丽正书院的山长，1899 年又被聘为湖州南浔浔溪书院山长，但在这两个岗位上，他除了讲授经史和时务之外，并未采取新的改革措施。1898 年 5 月、7 月，光绪帝先后两次电诏浙江巡抚廖寿丰宣召汤寿潜进京，由“部带领引见”。汤寿潜都以母病为由请缓，显见是在观望时局。直到 1903 年应聘担任上海龙门书院山长后，他才顺应时势，将该书院改为“龙门师范学堂”。这表明，汤

寿潜在思想上也许是个先知先觉者，在行动上却是个待时而动的后发者。

如果说，在 19 世纪 90 年代初期，维新变法还只是陈虬、汤寿潜等少数人提出的变革主张，那么，到了 19 世纪 90 年代中期，它已成了一种颇有影响的时代思潮。1895 年中日甲午战争失败后，光绪帝负起批准签订和约的政治责任，励精图治，自上而下大力推行新政变革，因受到保守势力的阻挠，进展不大。一些忧心国事的官员和士绅发起自下而上的维新运动，与光绪新政相呼应，最终促成了戊戌变法的实施。浙江参与维新运动的官员和士绅相当多，其中沈曾植、张元济两人都曾充任总理衙门章京，直接参与光绪新政，是维新运动中最有影响的浙籍士人；汪康年、章炳麟、陈虬、宋恕等人参与维新报刊的创办和撰述，在舆论宣传中发挥了较大的影响力；孙诒让、黄绍箕、项申甫、徐树兰等开明士绅开启了浙江民间兴办新式学堂的风气；廖寿丰、林启、宗源瀚等政府官员则在浙江兴办新式学堂的过程中发挥了

清代道光年间修建的湖州钮氏状元厅

关键性的作用。

沈曾植（1850—1922），出生在嘉兴的一个官宦之家，光绪六年（1880）同进士出身，后至刑部就职。十六年（1890）十二月考取总理各国事务衙门译署章京。十九年（1893）二月充总理衙门章京，参与洋务。二十年（1894）十月上书奕䜣、李鸿章，请速练兵事宜，以备战守。二十一年（1895）春，中日《马关条约》签订后，总理衙门章京联名呈奏，要求废除和约，沈曾植名列首位。后又请借英款创办东三省铁路，得到奕䜣、李鸿章的赞同，却因人阻挠而未成。沈曾植在考取同进士之后即与康有为结识，在学术上与康有为的今文学派并不同调，但对康有为的维新主张很赞同。1895 年 8 月 17 日康有为筹组成立强学会，沈曾植及其弟沈曾桐联袂加入，并分别担任正董、副董（各有两名），同时加入的还有钱塘士人、户部主事汪大燮和直隶总督王文韶。11 月，上海强学会成立。浙江瑞安士人黄体芳和他的两个儿子黄绍箕、黄绍第一同加入，同时加入的还有汪大燮堂弟汪康年和余杭士人章炳麟。其中汪康年于 1886 年 8 月与黄遵宪一同在上海创办《时务报》（旬报），由汪康年任经理，梁启超任主笔。该报以宣扬变法为宗旨，是维新派的机关刊物，在舆论界影响极大，其发行量最高时曾达到 1.7 万份，创下了中国报刊发行量的空前记录。此外，浙江维新士人还在省内创办了几份有影响的报刊。如陈虬在 1897 年创办了《利济学堂报》，每月两册，向全国大中城市公开发行。内容分十二门，除利济讲义和外乘外，其余十门——时事鉴要、洋务

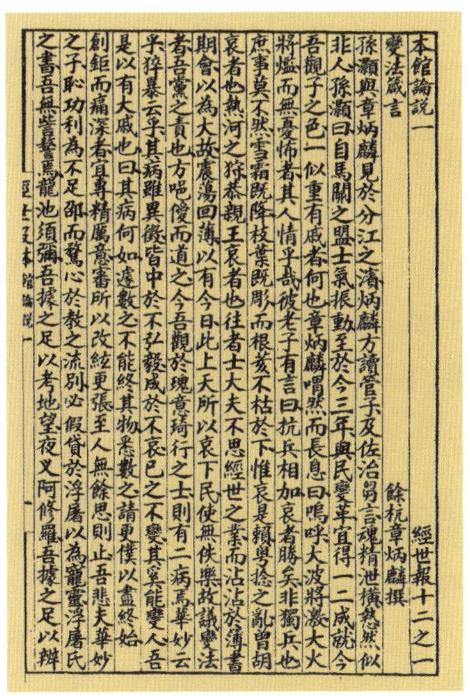

本館論說一　經世報十二之一

變法箴言　餘杭章炳麟撰

孫灝與章炳麟見於分江之濆炳麟方讀管子及佐治芻言魂精泄橫熱然似非人孫灝曰自馬關之盟士氣振動至於今三年與民變革宜得一二成就今吾覩子之色一似重有慼者何也章炳麟喟然而長息曰嗚呼大波將激大火將爁而無憂怖者其人情乎哉彼老子有言曰抗兵相加哀者勝矣非獨兵也庶事莫不然雪霜既降枝葉既彫而根荄不枯於下惟哀是賴粵捻之亂曾胡哀者也熱河之狩恭親王哀者也往者士大夫不思經世之業而沾沾於簿書期會以為大故震盪回薄以有今日此上天所以哀下民使無佚樂故議變法者吾黨之責也方唈僾而道之今吾觀於瑰意琦行之士則有二病焉華妙云乎猝暴云乎其病雖異徵皆中於不弘毅咸於不哀已之不變其奚能變人吾是以有大慼也曰其病何如遽數之不能終其物悉數之請更僕以盡終始創鉅而痛深者宜專精厲意審所以改絃更張至人無餘思則止吾悲夫華妙之子恥功利為不足卲而騖心於教之流別必假貸於浮屠以為寵靈浮屠氏之書吾無訾謷焉龍池須彌吾據之足以考地望夜叉阿修羅吾據之足以辯

章炳麟　《变法箴言》书影

《经世报》书影

掇闻、学部新录、农学琐言、艺事稗乘、商务丛谈、见闻近录、近政备考、格致危言和经世文传，则以介绍时事和宣传维新思想为主。另有《经世报》，是绍兴士绅胡道南和童亦韩1897年8月间在杭州创办的一份旬刊，由章炳麟、陈虬、宋恕等任撰述，内容分学政、农政、工政、商政、兵政、格致、中外近事等十二栏，以经世致用、变法维新为宗旨。该报第一册即载有章炳麟《变法箴言》，略谓："学堂未建，不可以设议院；议院未设，不可以立民主。"将新式学堂的建设置于如此优先的次序，反映了当时维新士人的一种主流观点。

光绪壬辰（1892）科进士、时任刑部主事的张元济虽未加入强学会，但对维新运动相当支持，并以自己的方式积极参与以促进变革。光绪二十二年（1896），张

阅读链接：
萧山市政协文史委编：《汤寿潜史料专辑》，萧山文史资料选辑（四），1993年版。
许全胜：《沈曾植年谱长编》，中华书局，2007年版。
张荣华：《张元济评传》，百花洲文艺出版社，1997年版。

元济充任总理衙门章京，参与洋务新政，又与陈昭常、张荫棠、何藻翔、曾习经、周汝钧、夏偕复等筹设西学堂。于次年正月十一日（2月12日）开馆，“先习英文暨天算舆地”，后改为通艺学堂，“专讲泰西诸种实学”，成为京师最有声望的新学机构之一。四月二十三日（6月11日），光绪皇帝“诏定国是”，决定变法，“百日维新”开始。四月二十五日（6月13日），翰林院侍读学士徐致靖上奏“国是大定密保人才折”，保举康有为、黄遵宪、谭嗣同、张元济、梁启超五人参与新政。内中称：“刑部主事张元济，现充总理衙门章京，熟于治法，留心学校，办事切实，劳苦不辞。在京师创设通艺学堂，集京官大员子弟讲求实学，日见精详。若使之肩任艰大，筹画新政，必能胜任愉快，有所裨益。”四月二十八日（6月15日），光绪帝于颐和园仁寿殿先后召见康有为和张元济。在召见张元济时，光绪帝直言不讳地表达了对“旧党之阻挠，八股试帖之无用，部议之因循扞格，大臣之不明新学（讲求西学人太少）”的不满，张元济则“随事敷陈，首请坚定立志，勿淆异说；次则延见群臣，以宣抑滞；再次则设馆储才，以备咨询，而归重于学校、科举两端”。光绪帝深以为然，并谓建设学堂宜仿照日本。五月初五日（6月23日），光绪皇帝发布上谕：“我朝沿宋明旧制，以四书文取士……乃近日风尚日漓，文体日弊，若不随时变通，何以励实学而拔人才。着自下科为始，乡会试及岁科各试，向用四书文者，一体改用策论。”六月初一（7月19日），光绪皇帝根据张之洞、陈宝琛等人建议，再发上谕，“合科举学堂以为一事”，

“乡会试仍定为三场：第一场试中国史事、国家故实并论五道；第二场试时务策五道，专问五洲各国之政，专门之艺；第三场试四书文二篇，五经义一篇”。五月十五日（7月3日），京师大学堂创设，派孙家鼐管理。官书局、译书局也归并管辖，孙家鼐拟派张元济为总办。张元济“因其所用之人多非同志，极力辞退”。但于变法事务，仍竭诚献言。七月二十日（9月5日），张元济上奏折提出“设议政局以总变法之事，融满汉之见，通上下之情，定用人之格，善理财之策”等总纲五条，请“宸衷独断，勿交廷臣核议，以免阻格”。八月初三（9月18日），又上奏折提出“以京师设立矿路农工商总局，额缺各员，可令大员不拘资格，保荐素习矿路农工商学之人，送部引见，候旨派充”的建议。但是，没过几天，戊戌政变就发生了。八月初六（9月21日），慈禧太后发布训政诏书，再次临朝“训政”，光绪皇帝被软禁。此后，康有为、梁启超等人被通缉，谭嗣同、杨深秀、林旭、杨锐、刘光第、康广仁等人被捕杀，徐致靖被监禁，张元济亦于八月二十三日（10月8日）受到“革职永不叙用”的处分。于是，他将通艺学堂移交给管学大臣以并入京师大学堂，自己离京南下到上海南洋公学（上海交通大学前身，是当时著名的新学堂）任职。次年四月被聘为译书院主事（即院长），一年后曾一度代理公学总理（即校长）一职，主持开办南洋公学特班，为公学的升格和西学教育的深化打下了新的基础。其后，他又参与创办《外交报》并主持报务。该报于1902年1月4日正式出刊，至1911年1月停刊，前后共出300期，是中国近代第一份以评述国际问题为主要内容的报刊，对中国读者了解国际事务起到了相当大的作用。

官绅协力，多方兴学

就在维新运动的浪潮中，浙江的教育改革有了实质性的进展。据不完全统计，从清光绪二十二年到二十五年（1896—1899），浙江各地开办的新式学堂共有20多所。其中包括瑞安学计馆、瑞安方言馆、温州蚕学馆、绍郡中西学堂、浙江求是书院、浙江武备学堂、杭州蚕学馆、杭州养正书塾、宁波储才学堂、新昌知新学堂、诸暨毓秀学堂、湖州中西学堂、上虞算学馆、温州中西时务学堂、衢州求益书院、海宁崇正讲舍、瑞平化学学堂、乐清算学馆等。它们大致可以分为综合性质的中西学堂、专门性质的武备学堂、实业学堂和算学馆之类。就种类而言，还谈不上完备；就规模而言，也都只是一届招收几十人的小学校。但它们毕竟构成了浙江近代新式教育体系的雏形，为浙江教育的近代转型提供了新的基础。

在维新时期的浙江兴学潮中，瑞安士人孙诒让（1848—1908）是一位开风气之先的人物。作为当世著名的朴学大师，孙诒让在晚清学界具有极其重要的地位，其周礼研究、墨子研究皆为世所重。光绪十四年（1888），张之洞议集刊清代经典注疏，即欲征孙诒让《周礼正义》稿刊行。光绪二十一年（1895）

梁启超则认为："自此书出，然后《墨子》人人可读，现代墨学复活，全由此书导之。"但孙诒让并不耽于旧学，自光绪十二年（1886）起，他就开始从汉译本（如西人主持编译的《格致汇编》）中了解西学，对洋务新政颇有认同。光绪十三年（1887），出使英法意比四国大臣薛福成上疏言铁路有百利无一害，孙诒让读后深有感触，随笔书于其后云："兴办铁路以开发大陆交通，增进国家文明，最为当今重大而切要之新政。现在各省疆吏中，虽曾有此举措，而廷臣议论尚多异见也。余谓兹事规划远大，经费浩繁，非累千千万万金不办，亟宜由官绅商合筹大宗的款，厚集全国资力以备供需，乃克有济。否则，徒多空言，鲜裨于事也。至于举洋债，借用异域人才来办路，在目前似有不得不如此者，然应为暂局，非长策也。将来总须有财自办，且必有人自为，免贻丧失国家利权之无穷弊害。建筑工程技术及铁路管理人员，可先于派遣出洋留学生时特加留意，选派若干名，待其学成归国，优加任使，并宜及早筹设铁路专门学堂于京、沪、鄂、粤各地，以宏造就，则英才辈出，不复依赖外人矣。又如开矿山、采煤铁、冶金炼钢诸新政，皆与路务密切相关，则兼营并进，亦理所必然、势所必至者也。"(《孙衣言孙诒让父子年谱》）光绪十六年（1890），孙诒让应湖广总督张之洞之邀抵鄂论学，面谈时又力言筑路为救国急务，可见他对洋务新政的态度是非常积极的。光绪二十年（1894）中日战起，瑞安城设筹防局，孙诒让以刑部主事身份总董其事，对防务多所擘划，曾就办防事宜上书浙江巡抚廖寿丰，所陈六条大多得到廖的认可。光绪二十一年（1895）秋，康有为等人在京议开强学会，瑞安士绅黄氏兄弟（绍箕、绍第）共同参与此会。孙诒让收到他们从京中寄来的《强学书局章程》，欲仿效此会并加以扩充，就拟了一份《兴儒会略例》作为规划，虽然因规

孙诒让像

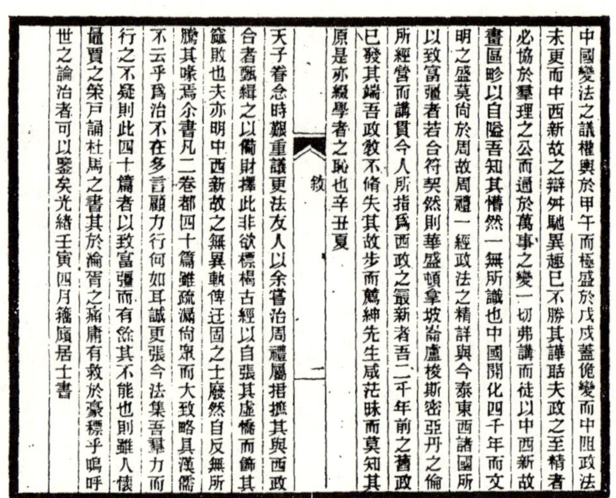

中國變法之議權輿於甲午而極盛於戊戌蓋倏變而中阻政法未更而中西新故之辯舛馳異趣已不勝其譁聒夫政之至精者必協於羣理之公而通於萬事之變一切弗講而徒以中西新故畫區畛以自隘吾知其懵然一無所識也中國開化四千年而文明之盛莫尚於周故周禮一經政法之精詳與今泰東西諸國所以致富彊者若合符契然則華盛頓拿坡崙盧梭斯密亞丹之倫所經營而講貫今人所指爲西政之最新者吾二千年前之舊政已發其端吾政教不脩失其故步而薦紳先生咸茫昧而莫知其原是亦綴學者之恥也辛丑夏

敘 二

天子眷念時艱重議更法友人以余嘗治周禮屬捃摭其與西政合者甄緝之以備財擇此非欲標揭古經以自張其虛憍而飾其窳敗也夫亦明中西新故之無異軌俾迂固之士廢然自反無所騰其喙焉余書凡二卷都四十篇雖疏漏尚衆而大致略具漢儒不云乎爲治不在多言顧力行何如耳誠更張今法集吾羣力而行之不疑則此四十篇者以致富彊而有餘其不能也則雖人懷鼂賈之策戶誦杜馬之書其於淪胥之痛庸有救於豪釐乎嗚呼世之論治者可以鑒矣光緒壬寅四月籀廎居士書

孙诒让　《周礼政要》(1902年东瓯咏古斋刻印）书影

模过于宏大而未能实施，但于中亦可窥见孙诒让的心胸。十月间，孙诒让与黄氏兄弟、项崧（申甫）等共 9 人一同发起筹办瑞安学计馆，联名具牍分别向府、县署申请立案。孙诒让手订章程、学规，要求“学徒除习算外，如中外交涉事务、各国记载及近时西人所著格致诸书，每日择简明切要者，讲示一二条，以广见闻而裨实用”。

时任温处兵备道的宗源瀚一向以兴学为务，1870 年在湖州知府任上曾捐俸银资助新建的五湖书院作为学生的膏火，并提议丝捐善后款项下每包丝拨一元钱给郡县各书院。光绪五年（1879），他在宁波知府任上曾创办辨志书院，聘请定海籍的著名学者黄以周主讲，该院分设汉学、宗学、史学、舆地、算学、词章六斋，开甬上书院讲授舆地、算学之先河。宗源瀚得知孙诒让等人创办算学书院的计划，颇为赞同，不但率先捐出俸钱，赞助书院开办费，还将书院各项章则印本多份，转为分致上海、苏州及其乡里南京等处广为宣传。在其首倡下，温州府知府、永嘉县知县、瑞安县知县等温州地方官吏，亦各有所捐助。官捐之外，则向本邑绅商方面筹募。至光绪二十二年（1896）正月月底，收集捐款1560元，除开办费支用500余元外，其余用作经常费。在地方官绅的支持下，孙诒让等人择定城内县前桥下直街原有卓公祠，为算学书院院址，将祠宇改建一新，有会堂、教室、操场、自修室、阅报室等设备，将算学书院易名学计馆。三月初一日，瑞安学计馆开学，招收学生30人，分甲、乙两班，按班到馆就读，每月各九日，功课包括数学、物理、化学诸门。次年春，孙诒让又与人集资在永嘉筹办蚕学馆，兼用中西新旧诸法，试验品种，选制蚕子纸，教导养蚕植桑事业。当时中国职业教育尚处于草创时期，在蚕桑方面，仅有该馆及杭州西湖蚕学馆、江西高要蚕学馆而已。故孙诒让此举，也是得风气之先。

光绪甲午科（1894）进士、户部主事项崧是孙诒让的好友，也是一位热心办学的瑞安士绅。他在1895年与孙诒让等一同发起成立瑞安学计馆，1897年春又与其兄项湘藻仿上海广方言馆之例，在瑞安城内项氏宗祠创办了一所私立方言馆。该馆于二月十六日开学，分西文、东文两班，学额各为25名，功课兼及外国史地。孙诒让编写的《泰西史约》被采用为课本，捐赠的中外舆图也在教室中陈列。外文专任教习高薪聘请上海圣约翰书院（1906年始称圣约翰大学）毕业的蔡华卿担任。办学经费来自社会募捐和学费收入，学费每生收50元。光绪二十八年（1902），瑞安绅学界根据清廷“所有书院均改设学堂”的诏令，将学计馆、方言馆合并，改办为瑞安普通学堂，由黄绍箕在京担任名义上的总理，孙诒让以副总理身份主持校务，并兼任总教习。该校设中文、西文、算学三班，是浙江省最早一批官办普通中学之一。

光绪二年（1876）举人徐树兰（字仲凡，号检庵，1838—1902）是一位热心公

益的山阴士绅，在绍兴当地的许多公共事务（如修筑海塘、创设豫仓、设救疫局等）中都担负着领头的角色。光绪二十二年（1896），上虞罗振玉、蒋伯斧在上海筹备创办农学会及《农学报》，经汪康年介绍，徐树兰参与发起创办，并于光绪二十四年（1898）与胞弟徐友兰等在上海黄浦之滨置地百亩，采购各国农作物良种，开辟种植试验场。光绪二十三年（1897），徐树兰捐银1000两，并向知府筹得山阴县沙租及绍郡茶业公所捐款4000余元，创办了绍郡中西学堂。该校仿天津中西学堂例，以二等学堂（相当于中学）规制建立，定学额40名，习国文、外国文、算学三科，另有附课生20名，专习外国文和算学，修业年限为五年。学堂以古贡院山会豫仓为校舍，于1897年3月3日（农历二月初一）正式开学。徐树兰自任督办（校董），并先后聘请何琪、何寿章、章成达、蔡元培等人为总理（即校长）。光绪二十五年六月（1899年7月），学堂改归官办，更名为绍兴府中学堂，徐树兰垫费至4000余金，其后亦未收回。光绪二十八年（1902），徐树兰又捐银33960余两，在绍兴城古贡院内，创建了古越藏书楼，将家藏和新购中外书籍7万余卷全部对外开放，使之成为近代中国第一个公共图书馆。

在晚清时期的浙江兴学史上，浙江巡抚廖寿丰是一位承先启后的关键性人物。他于光绪七年（1881）十月即至浙江任职，先后担任浙江督粮道（1881—1887）、浙江按察使（1888—1890）等职。光绪十九年十二月（1894年1月），廖寿丰从河南布政使任上右迁为浙江巡抚。作为一个科举正途出身的封疆

大吏，廖寿丰服膺宋明理学，对旧学相当维护。然而，他并不因此而排斥新学，而是与时俱进，积极推进教育改革。他不但于光绪二十三年（1897）一手主持创办了求是书院（浙江第一所省立新式学堂）和武备学堂（浙江省最早的军事学校），还对中央政府的教育改革多有献言。就在廖寿丰在新政上更有作为的时候，戊戌政变于八月初发生。十月初五（11 月 18 日），朝廷发布公告，“浙江巡抚廖寿丰因病解职，调河南巡抚刘树堂为浙江巡抚”。廖寿丰的官吏生涯就此终结了。可是，他所创办的求是书院却留存了下来，体现了维新时期浙江政府教育改革的最大实绩。

作为一名地方官员，杭州知府林启在维新时期浙江教育改革进程中也颇有作为。林启，字迪臣，福建侯官（今福建福州）人，同治甲子科（1864）举人，光绪丙子科（1876）进士，翰林院庶吉士，散馆授编修。曾督陕西学政，后任浙江道监察御史。光绪二十三年春二月（1896 年 3 月）调补杭州知府，次年年初，他协助廖寿丰参与创办求是书院，并应廖之命兼任求是书院总办一职。此后，他又主持创办了杭州蚕学馆，杭州蚕学馆自创建到 1910 年底，共培养了 11 期 164 名毕业生，为蚕业和蚕学提供了骨干力量，是浙江新式教育中最有成就的学校之一。除了杭州蚕学馆，林启在 1899 年间还将杭州圆通寺改为校舍，创办了养正书塾。该校 1901 年改名杭州府中学堂，是今杭州高级中学和杭州四中等校

求是书院

阅读链接：

汪林茂：《浙江通史·清代卷》（下），浙江人民出版社，2004年版。

李国祁：《中国现代化的区域研究——闽浙台地区》，近代史研究所专刊，1982年版。

孙延钊：《孙衣言孙诒让父子年谱》，上海社会科学院出版社，2003年版。

的前身，在浙江普通教育史上具有相当突出的地位。

由于戊戌政变之后，维新变革中断，清政府对教育改革采取了压制态度，浙江各地改书院兴学堂的活动曾一度陷于停滞。直到光绪二十六年（1900）庚子事变后，清政府迫于各种压力，不得不实行新一轮新政变革，浙江才迎来了新一轮教育改革的热潮。光绪二十九年（1903）底，清政府确定“癸卯学制”，根据初等教育、中等教育、高等教育等几个阶段的划分，对学校教育课程设置、教育行政及学校管理等作了明确规定，为建立新式教育体系制定了法令依据。光绪三十一年八月初四（1905年9月2日），朝廷谕令立即停罢科举，教育改革的重点也从书院改制、科举改革变为废科举、兴学堂。在这个大环境下，浙江各地政府和士绅都闻风而起，纷纷投入到了兴建新式学堂的潮流之中。政府官员通过办学获取致力于新政的名声和政绩，地方士绅通过办学获取各种社会资源（包括经费和话语权等），各种现实利益的推动促成了浙江新式教育的飞速发展。据统计，光绪二十六年（1900）前，浙江只有20余所新式学堂，至光绪二十九年（1903）达到121所。尤其是光绪三十一年（1905）清廷宣布自次年废除科举制，第二年新式学堂即增加了5倍多。入新式学堂读书者更是光绪二十九年（1903）的7倍多。在此后几年里，新式学堂数和在校学生数都是以每年数百所、千余人的幅度增加。至宣统三年（1911）新式学堂数达2523所。这表明，一个完备的新式教育体系已经在浙江形成，浙江近代教育转型基本完成。

从维新到革命

说到辛亥革命，人们往往首先会想到 1911 年 10 月 10 日爆发的武昌起义，以及随后发生的十四省独立运动。这是很自然的。因为从狭义上来说，辛亥革命指的就是辛亥年（1911）间的革命，而武昌起义和十四省独立正是其主体事件。但是，从广义上来看，辛亥革命并不仅仅是指辛亥年间的革命，而是指清末时期发生的以推翻清朝统治为目的的整个革命运动，它既包括辛亥年间的革命，也包括此前发生的一系列反抗清朝统治的革命活动。因此，在发生学的意义上，有不少人将辛亥革命的开端回溯到孙中山等人 1894 年 11 月在檀香山创建兴中会之时。1895 年 2 月，孙中山又与杨衢云等人联合成立香港兴中会，密谋在广州发动武装起义。10 月间，因计划泄露，导致广州机关被破坏，陆皓东等被捕，起义并未进行，但作为以颠覆现政府为目的的行动，其革命意义是显而易见的。1896 年 10 月，孙中山在伦敦被清驻英公使馆诱捕囚禁，在关押 13 天后，经英国政府干预获得释放。此事经媒体广泛报道，使孙中山成了国际知名的中国革命者，也奠定了其"革命先行者"的历史地位。但就整体而言，当时的中国正是维新运动兴起的时期。国内绝大多数仁人志士选择的是体制内变革的道路，革命只是少数人的密谋而已，并没有成为一种群众运动。以海外侨民为主体的兴中会，对内地士绅和民众并没有产生多大影响。

1898 年 9 月 21 日，慈禧太后发动戊戌政变，扼杀了光绪帝领导的"百日维新"。光绪帝被幽禁，谭嗣同等人被杀害，康有为等人被通缉，参与光绪新政的刑部主事、总理衙门章京张元济也遭到“革职永不叙用”的处分，被迫离京南下上海到盛宣怀主办的南洋公学（上海交通大学前身，是当时著名的新学堂）任职。与此同时，时任翰林院编修的绍兴士人蔡元培出于对当局的失望，离京南下，回到老家绍兴从事文教事业，并应绍兴中西学堂校董徐树兰之聘，担任了该校的校长。在张元济和蔡元培等人看来，戊戌变法失败的一个重要原因，就是“不先培养革新之人才，而欲以少数人弋取政权，排斥顽旧”（蔡元培语），若要切实推动社会变革，就必须以普及教育、提高民众整体素质作为第一要务。因此，他们都将回到南方从事新兴文教事业作为首选，其目的还是为了促进体制内的变革。当时，浙江维新士人虽对慈禧太后的倒行逆施普遍感到愤懑，对政局发展感到悲观失望，但因在政治上并未受到太大的冲击（尤其是与广东和湖南的维新人士相比），并没有

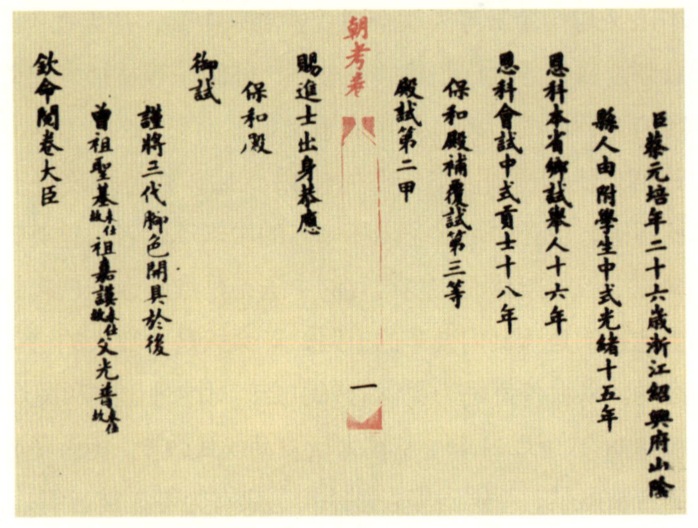
臣蔡元培年二十六歲浙江紹興府山陰
縣人由附學生中式光緒十五年
恩科本省鄉試舉人十六年
恩科會試中式貢士十八年
保和殿補覆試第三等
殿試第二甲
賜進士出身恭應
保和殿
御試
謹將三代腳色開具於後
曾祖聖基未仕故 祖嘉謨未仕故 父光普未仕故
欽命閱卷大臣

朝考卷

一

蔡元培朝考卷

公然站到朝廷的对立面。但以非法手段窃据了最高权力的慈禧太后却并不以戊戌政变的成功为满足，为了废黜光绪帝，1899 年初，她就放出风声，称光绪病重，欲行废立之事，因外国使团干预及一些地方大员反对而未能得逞。到了年末，她又立端王载漪之子溥儁为“大阿哥”，作为同治帝子嗣，拟于庚子年元旦迫使光绪帝让位，史称“己亥立储”。不料上谕颁布不到两天，江浙一带绅商学各界就有 1231 人以联名上书的形式致电总理各国事务衙门表示反对废立，其领衔者就是时任上海电报局总办的上虞士人经元善，参与起草电文的叶瀚、汪诒年也是浙江士人。此外，还有章太炎、蔡元培等诸多浙江士人列名其中。因此，在对逃亡在外的“首犯”经元善实行通缉的同时，清廷后党对浙人的政治倾向亦多有疑忌，甚至出现了“浙中帝党”的说法。

此时，伴随着列强瓜分中国的浪潮，中外争端日益加剧，民教冲突日益激化。发端于山东的义和拳打着“扶清灭洋”的旗号，以烈火燎原之势迅速向直隶一带蔓延。以慈禧太后为首的清廷当权者因废立光绪帝的图谋遭到列强抵制，采取了激烈的排外立场，对义和拳的政策也由主剿改为主扶，并进而加以利用，企图“用拳灭洋”。庚子年（1900）五月二十一日，慈禧第四次召集御前会议，决定对列强宣战。二十四日，德国公使克林德在去总理衙门交涉途中为清军士兵所杀。当日，数万名清军（主要是由董福祥统率的甘军和荣禄指挥的武卫中军）和拳民向北京东交民巷使馆区发起围攻。次日，清廷发布正式宣战诏书，表示要“大张挞伐”，与列强“一决雌雄”，并传旨嘉奖助战之直隶天津地方义和团，谕命各省督抚将此等义民“招集成团，藉御外侮”，要求“沿江沿海各省尤宜急办”。因其“以一敌八”的决策过于荒谬，有使清廷举朝倾覆的危险，许多通达时务的地方大员对此并不认同，更不愿受命。地处东南的两江总督刘坤一、湖广总督张之洞在两广总督李鸿章、山东巡抚袁世凯等人的暗中支持下，顺应东南社会要求稳定的强烈呼声，策动东南互保，于五月底与各国领事签订互保协议，后来还将互保范围由两江和湖广总督所辖的江苏、江西、安徽和湖北、湖南五省，扩大到山东、浙江、福建、广东、广西及四川、陕西等省，既为大清王朝稳住了半壁江山，也与中央政府形成了分庭抗礼之势。而在朝廷之上，也有一些大臣不顾个人安危，抗颜上疏，对慈禧太后主战决策提出诤谏，其中有三位浙籍士人（即嘉兴士人、吏部左侍郎许景澄，桐庐士人、太常寺卿袁昶，海盐士人、兵部尚书徐用仪）表现得最为坚决。但丧心病狂的慈禧太后在七月间，先后将许、袁二人及徐用仪和满族大臣立山、联元三人一并诛杀。这种杀害忠良的行为激起了浙江士人和民众的极大愤慨，如由浙人汪汉溪担任报馆总经理的上海《新闻报》，在许、袁二人被杀次日即发表社论，称道二人“死于力争”，“不惜以血肉之躯体为中国之牺牲”；后一日又发表社论，指斥“朝廷盖无天理，无国法，无人情”，表达了东南士绅对后党把持的朝廷的强烈不满。与此同时，一些原本持温和立场的浙江士人也对朝廷产生了严重的离心倾向，如张元济即在八九月间，“于沪上求见李鸿章，劝其不必再为清廷效力”。而另一些原本就对清政府统治怀有不满情绪的浙江士人，因时势刺激，思想趋向激进，由体制内的维新逐渐走向体制外的革命，其中最典型的就是余杭士人章炳麟。

章炳麟，字枚叔，别号太炎，1869 年 1 月 12 日生于浙江余杭仓前镇。其父章濬是县学廪生，曾在杭州诂经精舍担任监院多年。章太炎早年从外祖父海盐朱有虔先生学习国学，朱氏是一位汉民族意识比较强的传统士人，课读之余，常与章太炎讲述明清易代之际的遗事及明遗民思想家王夫之、顾炎武著述的大旨。章太炎十一二岁时，有一回，外祖父与他道及清雍正年间浙江士人曾静、吕留良二文字狱案，并以传统的夷夏之辨为之作解，称“夷夏之防同于君臣之义……王船山、顾亭林已言之，尤以王氏之言为甚，为历代亡国无足轻重，惟南宋之亡，衣冠人物与之俱亡”，对宋亡于元深表痛惜，实则暗含明清易代之痛。在其指点下，章太炎随后翻阅了蒋良骐的《东华录》，“见戴名世、吕留良、曾静事，甚不平，因念《春秋》贱夷狄之旨”。十六七岁时，章太炎又读了留云居士的《明季稗史》、全祖望的《鲒埼亭集》和王夫之的《黄书》，得知明清易代之际清军在江南等地进行大屠杀的暴行及江南士大夫抗清事迹，更是深感震惊，并激发起了为家乡父老报仇雪耻的民族感情，“奋然欲为浙父老雪耻”。后来还由此得出结论：“可见种族革命思想原在汉人心中，惟隐而不显耳。”

不过，章太炎走上反清革命的道路，更多的还是由于受到时势的触发。维新运动时期，章太炎虽然在学术上对于康有为“托古改制”的今文经学思路并不以为然，但在政治上认为只有维新变法才能解救中国遇到的危机。因此曾一度加入强学会，并参与《时务报》的撰述。为了把浙江的维新志士组织起来，1897年间章太炎曾在杭州与宋恕、陈虬等人联名发起成立兴浙会，其后又合作创办了《经世报》，宣传变法思想。在该报创刊号上发表的《变法箴言》一文中，章太炎主张变法必须循序渐进，“学堂未建，不可以设议院；议院未设，不可以立民主”，同时也要讲究策略，从故物中为新法寻找依据，以复古之名行变法之实，使社会大众在心理上不至于产生抵触。由此看来，他当时的变法思想是比较稳健的。但在民族意识上，章太炎又表现得比许多人都更为激进。1897年春，章太炎应张之洞之邀到武昌担任《正学报》主笔，结果却因反对张之洞《劝学篇》奢谈忠爱、不辨夷夏而被加上“欺君犯上”之名逐出。戊戌变法失败后，太炎避居台湾，任《台湾日日新报》特约撰述，写文

章攻击慈禧太后屡兴大狱，“恶直丑正”，为康、梁一党打抱不平，还在《客帝论》一文中提出自己的政治主张，认为清军征服江南之时实行大屠杀，对汉人犯下了滔天罪恶，统一天下后又以满人治汉人，将汉人置于不平等地位，汉人义士要推翻清朝统治，并不为过，但问题是当时中国面临列强的威胁，如果起兵反抗清廷，导致内乱，就更不能抵御外患，所以他当时并不赞成搞暴力革命，而是建议虚尊孔子为中国之共主，光绪皇帝“引咎降名，以方伯自处”，主持实际政务。这其实是一种以汉文化为中心的文化民族主义。

1899年6月，章太炎东渡日本，后经梁启超介绍，与孙中山会见。孙中山“谓不瓜分不足以恢复”，鼓动流血革命，章太炎心有所动，叹为“卓识”。不过，作为一名学者，当时他仍将主要精力放在著述之上。1900年1月，太炎初步编定第一部个人文集《訄书》，在书首的识语中，他一反时人以清代年号纪年的习惯，将日期署作“皇汉辛丑后二百三十八年十二月”，表示了不奉清朝为正朔的立场。此书刊布之后，一时洛阳纸贵，引起了许多有识之士如严复、蔡元培等人的关注。有位满族维新人士，为了与太炎的“客帝论”相争，还立了一个“扶满抑汉”的宗旨。同年七月初，汪康年、唐才常等数十名东南士人两度在上海愚园集会，宣布成立中国议会，推举前驻美副公使容闳为会长，严复为副会长，并议定宗旨为：“一、不认通匪矫诏之伪政府；二、联络外交；三平内乱；四、保全中国自主；五、推广中国未来之文明进化。”这在当时的情况下，可以说带有一定叛逆色彩。但章太炎不赞成中国议会的勤王主张，要求严拒满蒙人入议会，并明确宗旨："本会为拯救支那，不为拯救建虏；为振起汉族，不为振起东胡；为保全兆民，不为保全孤偾。"当其要求被唐才常等人拒绝之后，他还"宣言脱社，割辫与绝"，并于事后写了一篇《解辫发》，表明自己不愿"被戎狄之服"、违心屈从"戕虐朝士"的"满洲政府"的心迹，并援引古典云："昔祁班孙，释隐玄，皆以明氏遗老，断发以殁。《春秋穀梁传》曰'吴祝发'，《汉书·严助传》曰'越劗发'。余故吴越间民，去之亦犹行古之道也。"可见其解辫发的举动是以吴越文化传统作为价值支撑的。

到了1901年间，思想日趋激进的章太炎又与康梁等保皇派人士发生了正面交锋。这一年四月至七月间，梁启超在《清议报》上发表了一篇题为《中国积弱溯源论》的长文，在批判两千年的专制主义的同时又将中国积弱的总因归诸全体国民。章太炎读后，很不以为然，当即撰写了《正仇满论》一文，寄到东京《国民报》发表。文中批评了梁启超把希望寄托在光绪皇帝身上的错误，指出清朝统治是"以满洲五百万人临制汉族四万万人"，为了维护其部族利益，是不可能真正实行有利于汉人的变法的，称"夫今之人人切齿于满洲，而思顺天以革命者"并不是基于对满人的仇视，而是因为清朝统治者的所作所为，"无一事不足以丧吾大陆"。在论述革命与立宪的关系时，章太炎还指出："凡一国专制之主，而欲立之权限勿

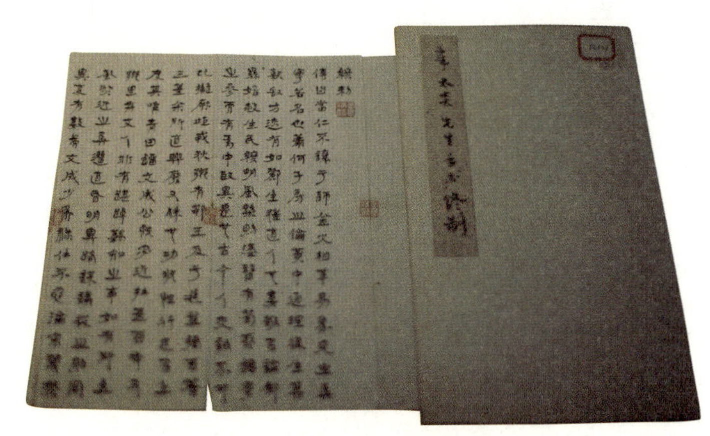

章太炎手书终制书影

阅读链接：

汤志钧：《章太炎年谱长编》，中华书局，1979年版。

汤志钧编：《陶成章集》，中华书局，1986年版。

周佳荣：《苏报及苏报案：1903年上海新闻事件》，上海社会科学院出版社，2005年版。

使自恣者，必有国会、议院以遏其雷霆万钧之势也。而是二者皆起于民权，非一人所能立。”因此，不能寄望清廷立宪，而只能通过革命推翻清朝统治，促成宪政的建立。这表明，章太炎当时的反清思想已经超越了传统的夷夏之辨，转到了以民权为本的革命轨道上，这也正是他能成为晚清时期最有影响力的民族革命思想家的理论基础。

1903 年 5 月，“革命军中马前卒邹容”所著《革命军》一书在上海大同书局出版。此书以民族主义与自由民主思想为指针，以建立自由独立的中华共和国为目标，号召“黄汉人种”清除奴隶根性，致力革命，“与尔之世仇满洲人，与尔之公敌爱新觉罗氏相驰骋于枪林弹雨中，然后再扫荡干涉尔主权外来之恶魔”，出版后发行逾百十万册，在海内外产生了前所未有的强烈反响，其影响及于清廷官邸使馆。紧接着，章太炎又在以外商名义出版的《苏报》上发表了《〈革命军〉序》《驳〈革命驳议〉》《读〈革命军〉》《康有为与觉罗君的关系》等一些列文章，从不同角度痛快淋漓地揭露了清政府卖国残民的反动本质。其不顾清朝王法，直斥“载湉小丑，未辨菽麦”，指清政府为“野鸡政府”，认清朝统治者为“四万万同胞不共戴天之大仇敌”，并且援引西方民主革命成功先例，大声疾呼“革命宣言殆已为全国所公认，如铁案之不可移”。这些言论在社会上引起了强烈反响，也引起了清政府的极端仇视。1903 年 6 月底，在清政府的一再交涉下，上海租界当局出动警探，会同专程前往上海办案的江苏候补道俞明震等人，分日到《苏报》报

章太炎纪念馆

馆和章太炎、邹容所在的爱国学社，将在《苏报》发表革命文章的章太炎、邹容及报馆人员共 6 人逮捕入狱，制造了轰动一时的“苏报案”。由于《苏报》报馆设在租界，租界当局对革命党人持同情态度，清政府引渡未成，不得不在租界会审上廨中以原告身份与被告章、邹等人对质于公堂。经过历时 10 个月的审讯，1904 年 5 月 24 日，会审公廨作出判决：章太炎监禁 3 年，邹容 2 年，期满逐出租界；《苏报》永远停刊。革命党的声气却从此大盛，和清政府俨然成了敌国之势，革命思想更加深入人心。

正如章太炎、陶成章等人早已指出的那样，晚清民族主义思潮在浙江的兴起与明清易代之际浙人的抗清行动的确有历史渊源关系。但晚明抗清志士的民族思想是建立在以夷夏之辨为核心的天下观基础上的。章太炎、陶成章等人在思想上则处于由夷夏之辨的天下观向近代民族国家观转变的过程之中。对他们来说，满汉之间的矛盾与华洋之间的冲突是交织在一起的。在清廷统治比较稳固的一段时期，汉人与满人之间虽然也有很多的矛盾冲突，但汉人的民族意识在很大程度上是被压抑的。

鸦片战争爆发之后，国人起初基本上还是以夷夏之辨的模式看待中西冲突，将其视为华夷之争。但是随着中外冲突的加深，国家主权的日益受损，对于不能有效地维护国家主权的清政府，汉人难免因失望而生怨恨，以夷夏之辨看待满汉的民族意识亦因此重新滋长起来。如章太炎的民族意识虽然早在少年时期就有一些萌芽，却是在甲午战争失败后开始滋长起来的。其后，经过戊戌事变和庚子事变，其民族意识随着民族危亡的加深而不断强化，章太炎开始公开提出排满的主张，并走上了反清革命的道路。在反清阵营中，章太炎的民族意识是相当激烈的，甚至显得有些极端，但其内涵却是相当复杂的，其中蕴含的族群竞争意识和文化民族主义内涵尤其值得深入研究。与章太炎不同，蔡元培是在黄种人内部矛盾的视域中解读满汉之争的，并把这种争斗视为打破满汉界限、实现族群融合的途径；陶成章则从权力消长的角度看待满汉之争，其民族主义思想也颇具特点。

不过，总的来说，章太炎、蔡元培、陶成章等人都是为了解救民族危亡而投身反清革命的。这是他们作为光复会领导人的共同点，也是其民族主义思想的立足点。辛亥革命胜利后，无论是比较温和的蔡元培，还是比较激进的章太炎，都接受了五族共和的主张，这其中既有现实政治的考虑，也有其共同的思想基础。在近代中国的国际环境下，以反满为核心的民族主义其实在很大程度上是一种手段，其目的是为了挽救整个中华民族的危亡，对于把中国建设成为现代民族国家是有积极意义的。

现代之维

中华民国成立以后，
浙江社会进入新的发展阶段，
浙人在全国政治、
经济、文化等方面
都介入很深，
发挥了
较大的影响力。

1912年中华民国成立以后，浙江社会进入新的发展阶段，浙人在全国政治、经济、文化等方面都介入很深，发挥了较大的影响力。其中尤以文化方面的影响力为重。这与浙人在政府教育管理部门和公共教育机构里的领导地位及人才优势大有关系。无论是在中国传统学术研究领域，还是在推进新文化运动方面，浙人都起到了极其重要的作用。与此同时，在孙中山领导的国民党阵营中，浙人在军事、党务等方面也颇有建树，影响力日益壮大。1927年南京国民政府成立之后，以蒋介石为代表的浙籍政治人物更是成了领导核心，在政治领域发挥了至关重要的影响，浙籍人士的政治参与也较为普遍。在政局相对稳定的十年建设期间，浙江的经济和社会建设也有了很大的发展，以宁波商帮、湖州商帮、绍兴商帮为代表的浙商还在全国金融、财经等领域产生了巨大的影响，对推进中国的现代化进程具有重要作用。而当日本侵华战争爆发，中国现代化进程被人为打断之后，浙江各界社会精英和广大民众也积极投入到了抗日救亡的行列中，无论是在军事战场，还是在经济和文化领域，浙人都有相当突出的表现。以文教方面而论，浙江大学的西迁和跃升可以说是一个极其辉煌的典范。“艰难困苦，玉汝于成”，经受了抗日烽火的淬炼，浙江精神焕发出了新的光彩。

浙江学人与近代文学转型

中国文学的现代转型是从戊戌维新时期开始的。当时，文学领域出现了“诗界革命”和“小说界革命”的势头，形成了创作“新体诗”和“新小说”的潮流。在这个新的文学潮流中，浙籍作家夏曾佑（1863—1924）是一个开风气之先的人物。他在1895年就提出了“诗界革命”的口号,并和梁启超、谭嗣同一起提倡“新诗”（又称“新学诗”）。梁启超曾把他与黄遵宪、蒋智由三人并称为“近世诗家三杰”，充分肯定了他的开风气之功。夏曾佑新体诗最大的特色就是把新的名词术语和西学书籍中的典故引入诗中，表现了一种新的世界观和人生观，创造了一种新的中西杂糅的风格，如其绝句“冰期世界太清凉，洪水茫茫下土方。巴别塔前分种教，人天从此感参商”，即熔地质学名词、基督教神话传说和中国典故于一炉，道出了中国古典诗词中未曾道及的新的哲思。

而在“小说界革命”方面，夏曾佑也是一位先驱。1897年11月，他在和严复合写的《〈国闻报〉附印说部缘起》一文中，高度评价小说对于人心风俗的影响，将其提到正史之上。文章认为，凡为人类，无不有一种与生俱来的“公性情”，这就是“英雄”和“男女”。它是政教的由来，也是正史和稗史小说共享的基本母题。与正史相比，小说由于语言、虚构等方面的特点，更易流传。“夫说部之兴，其入人之深，行世之远，几几出于经史上，而天下之人心风俗，遂不免为说部所持。”“抑又闻之：有人身所作之史，有人心所构之史，而今日人心之营构，即为他日人身之

所作。则小说者，又为正史之根矣。若因其虚者而薄之，则古之号为经史者，岂尽实哉！”该文被小说史家阿英称作“是阐明小说价值的第一篇文字”(《晚清小说史》)，对于“小说界革命”的理论建设具有极其重要的意义。其后，梁启超发表《论小说与群治之关系》，就是受到了夏曾佑此文的启发。

作为“近世诗家三杰”之一,浙籍维新士人蒋智由(1866—1929)在“诗界革命”和“新体诗”创作中也有相当突出的表现。蒋智由早期诗歌抒发拯时济世的抱负，反对君主专制的束缚与压迫，宣扬西方民主、平等、自由的思想，豪宕恣肆，富有朝气，在新知识界颇有影响。戊戌变法失败后,他赋诗《有感》云:“落落何人报大仇，沉沉往事泪长流。凄凉读尽支那史，几个男儿非马牛！”1902年3月，他发表诗作《卢骚》云：“世人皆欲杀，法国一卢骚。民约倡新义，君威扫旧骄。力填平等路，血灌自由苗。文字收功日,全球革命潮。”这些诗传达时代的潮音,不全受旧诗格律的限制,反映了“诗界革命”以来新体诗的发展,对时人有思想启蒙之功。

与夏曾佑和蒋智由相比，章太炎(1869—1936)虽然在文学创作方面并没有多少新异的表现，但是他独特的文学观念却对时人产生了很大影响。1902年章太炎在《新民丛报》上发表《文学说例》一文，仿效西方文艺复兴运动的做法，倡导“文学复古”。1906年，又在东京国学讲习会上做过以《论文学》为题的专门演讲，并发表了《文学论略》等文，比较系统地阐述了自己的理论主张。章太炎认为,“文学之始,盖权舆于言语”,“言

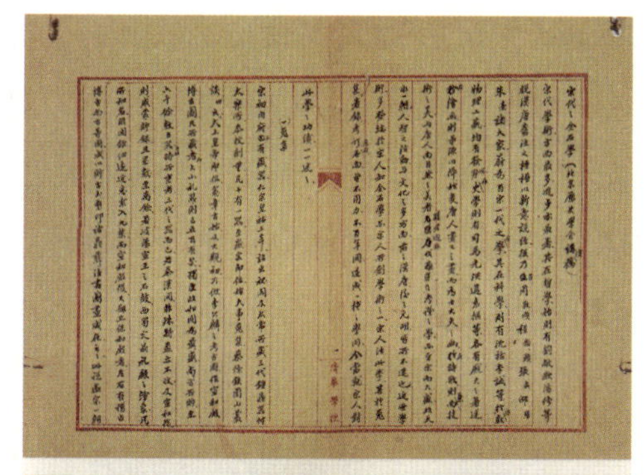

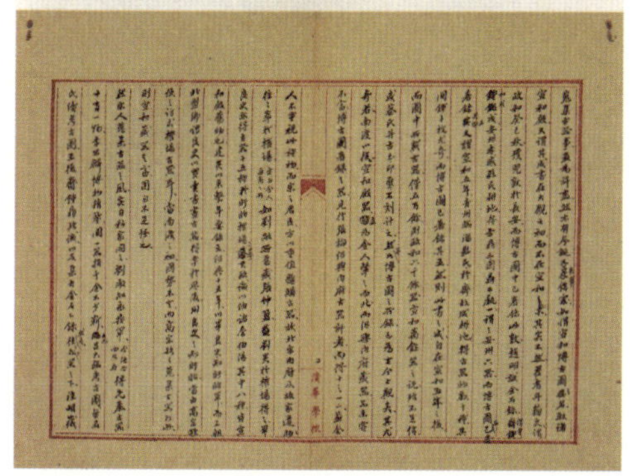

王国维宋代之金石学书影

语本不能与外物吻合，则必不能不有所表象”，“文益离质，则表象益多，而病亦益甚”。要克服这种文益离质的病症，不但必须“断雕为朴”，打破唐宋以来正统文学的旧文辞，摒弃浮夸和藻饰的文风，远离过多的“表象”和“文辞”，穷而返本，回复到“故训求是之文”的道路上来，而且要勇于“解剖”，借助和根据“语言文字之学”，对中国语言文字进行分析和整理，并借鉴和吸收西方语文，进一步锻造出“真完具”的新文辞。可见，章太炎的“文学复古”并不是单纯的复古，而是“以复古为解放”，在复古之中蕴含着全面变革的精神。所以，它才能在近现代的文化转型中起到积极的作用，并进而成为新文化运动的一种思想资源。章门弟子钱玄同、鲁迅、周作人早年都曾深受章太炎文学复古思想影响，日后却成为新文化运动的骨干，这并不是偶然的。

如果说，章太炎的文学思想中还带着浓厚的复古色彩，那么，另一位国学大师、浙江海宁人氏王国维（1877—1927）的文学观念则更具现代性。王国维于 1904 年发表《红楼梦评论》一文，率先借助西方哲学观念评论中国古典小说名著，以叔本华“原欲说”解释《红楼梦》悲剧，开中国现代文学批评之先河，在中国文学批评史上具有划时代的意义。其后，他又先后发表了《屈子文学之精神》《古雅之在美学上之位置》等文章和《人间词话》（1909 年分三期连载于《国粹学报》，1926 年北京朴社为之出版单行本)、《宋元戏曲考》(1913年出版)等著作，不但提出了古雅说、境界说等许多重要的文学观点，对艺术的特性作了全新的阐发，而且把小说、诗词、戏曲研究推到了一个新的水平，为中国的文学和美学研究开创了新的理论“范式”，其融会中西古今的治学方法至今仍具有典范意义。

阅读链接:

《夏曾佑集》: 国家清史编纂委员会文献丛刊，上海古籍出版社，2011年版。

姜义华:《章太炎评传》，百花洲文艺出版社，2010年版。

《王国维文学美学论著集》，北岳文艺出版社，1987年版。

浙籍新知识人与五四新文化运动

到了新文化运动时期，浙籍知识人更是发挥了关键性的作用。新文化运动的倡导者是《新青年》杂志和北京大学。《新青年》杂志是安徽人士陈独秀于1915年在上海创办的，起初主要以皖籍革命派人士为主体，带着较为浓厚的“圈子杂志”的色彩，在圈子外面没有太大影响。直到1917年初，浙籍人士蔡元培（1868—1940）执掌北京大学校长一职，邀请《新青年》主编陈独秀出任北京大学文科学长，《新青年》杂志编辑部迁到北京，与以浙籍人士尤其是章门弟子为主体的北大革新派力量合流，吸纳全国革新力量加盟，《新青年》杂志才成了新文化运动的中心。

民国首任教育总长蔡元培

作为北京大学的校长，蔡元培上任伊始，即“循‘思想自由’原则，取兼容并包主义”，有意识地扶持北京大学革新派力量，吸纳陈独秀、胡适等倡导新文化运动的人士加盟北京大学，在组织人事上起到了整合枢纽的作用。不仅如此，1919年，当林纾发表《致蔡鹤卿太史书》，攻击北京大学宣传新文化是“覆孔孟、铲伦常”，蔡元培立即予以回击，并在其他场合表示“国文的问题，最重要的就是白话文和文言文的竞争，我想将来白话文一定占优胜的”，以自己在学界的巨大影响力，对新文化运动给予了关键性的支持。在这个意义上，人们常常把蔡元培称作新文化运动

蔡元培北京大学校长委任状

的“护法”。新文化运动的主帅陈独秀更是明确表示：“五四运动是中国现代社会发展之必然的产物，无论是功是罪，都不应该专归到那几个人，可是蔡先生、适之和我，乃是当时在思想言论上负主要责任的人。”(《蔡孑民先生逝世后感言》）这就充分肯定了蔡元培作为新文化运动领导人的历史地位。

作为北京大学革新派的中坚分子之一，浙江吴兴籍人士钱玄同（1887—1939）在新文化运动中也扮演了一个相当重要的角色。1917 年 2 月，钱玄同在刚刚出版的《新青年》二卷六号上看到胡适发表的《文学改良刍议》一文，当即致书陈独秀，表示声援，称“其斥骈文不通之句，及主张白话体文学说，最精辟”，痛斥白话文的反对者为“选学妖孽，桐城谬种”。此信在《新青年》杂志上公开发表后，钱玄同即加入新文化阵营，成为其中重要一员,在思想言论上发挥了重要影响。在《新青年》群体中，钱玄同国学根基最深厚，反传统最大胆激烈，言论最具争议性。他曾提倡“汉字革命”，主张采用新式标点、改直行为横行，甚至不惜“废圣、逆伦”，要求“废除汉文”“烧毁中

国书”，表现出了极其激进的反传统倾向。他也曾化名王敬轩，以反对新文化人士的身份在《新青年》杂志上发表《文学革命之反响》一文，和刘半农合演双簧打笔仗，结果引发了林纾与蔡元培之争。这些提法和做法，现在看来，虽不无可议之处，但在当时，对壮大新文化运动的声势，却是很有效力的。

同在章太炎门下，与钱玄同相比，鲁迅和周作人虽然较迟才加入《新青年》阵营，但是在《新青年》中所起的作用并不比钱玄同小。陈独秀在鲁迅逝世一年后，曾经这样说过：“鲁迅先生和他的弟弟启明先生，都是《新青年》作者之一人，虽然不是最主要的作者，发表的文字也很不少，尤其是启明先生；然而他们两位，都有他们自己独立的思想，不是因为附和《新青年》作者中那一个人而参加的，所以他们的作品在《新青年》中特别有价值，这是我个人的私见。”（《我对于鲁迅之认识》）现在看来，陈独秀的这个“私见”也可以说是一种“公论”。就鲁迅而言，他对新文化的追求应该说是在五四新文化运动以前就已开始了的。作为五四新文化运动的代表人物之一，鲁迅在一定意义上也可以说是清末新文化运动的产儿——虽然清末时期并没有“新文化运动”这种提法，但是，从维新时期开始的思想启蒙和文化革新运动，其实质也正是一

《新青年》第二卷第五号封面

鲁迅辑校《会稽郡故书杂集》书影

种“新文化”的运动。对此，鲁迅本人就有相当的自觉。1906年间，他曾经试图通过办杂志《新生》来发起一场新的文艺运动。虽然杂志始终没有办成，但是，他在文化上“求新声”“发新源”的用意却相当明显。在1908年发表的《摩罗诗力说》中，鲁迅宣扬“立意在反抗，指归在动作”的“摩罗精神”，强调文学必须“撄人心”，“涵养人之神思”，激发人的精神力量，对强调“持人性情”的传统文学观念提出了有力的挑战。在文末，他更大声疾呼：“今索诸中国，为精神界之战士者安在？有作至诚之声，致吾人于善美刚健者乎？有作温煦之声，援吾人出于荒寒者乎？……吾人所待，则有介绍新文化之士人。”表达了他对新文化的殷切期待。其后，他和周作人合译的《域外小说集》出版，在绍介外国文学方面起到了独特的作用。

到了新文化运动时期，鲁迅更是以他自己的创作充分地体现了“文学革命”的实绩，并在短篇小说、诗性散文和杂文创作方面达到了后人难以企及的艺术高度。他于1918年后创作的数十篇现代白话文小说，包括《狂人日记》《孔乙己》《药》《风波》《阿Q正传》以及《祝福》《在酒楼上》《伤逝》等，都是新文学时期不可多得的杰作。他的小说集《呐喊》《彷徨》《故事新编》，散文集《朝花夕拾》和散文诗集《野草》，都是中国现代文学史上的经典之作。2000年，在香港《亚洲周刊》推出的“二十世纪中文小说一百强”评选活动中，鲁迅小说集《呐喊》高踞榜首，成为世纪中文小说之冠，另一本小说集《彷徨》也被列为第十二名。这表明鲁迅在中文小说创作方面的

地位是不可动摇的。而在诗性散文方面，鲁迅的成就也是人所不及的。尽管中国有着悠久的散文创作传统，现代散文创作也相当繁荣，出现了很多大家，包括一些以散文名世的作家如周作人、梁实秋等人。但是，能在散文诗领域与散文诗体的开创者波特莱尔等外国文学名家相颉颃的，却唯有鲁迅一人而已。时至今日，鲁迅散文诗集《野草》在展示生命本真状态和个体精神世界方面的深度和表达的力度，都是后来者的作品无法比拟的。至于说到鲁迅在杂文方面的影响，那更是众所周知的事实。尽管对于鲁迅杂文的文学价值，学界历来不乏争议，但是，没有人可以否定，鲁迅把传统的小品文改造为“匕首和投枪”式的杂文，是一种创举，对中国文学的现代转型发挥了积极的影响。

三味书屋

在新文化运动中，周作人（1884—1967）最初是以一个理论家的面目出现的。他在1918—1919年间连续发表了《人的文学》《平民文学》《个性的文学》等一系列重要论文，把人性和人道的精神作为“文学革命”与“思想革命”的契合点，在理论上为文学找到了“人学”的根基，对文学观的更新和新文学思潮的发展起了很大的推动作用。在创作方面，周作人的成就主要体现在散文领域。他的28种自编文集，大体上都可以归入散文之列。除了文学性的抒情、记事散文之外，他的批评文字亦颇具散文的风味。作为一个散文大家，周作人的成就是学界公认的。郁达夫在其编选的《中国文学史大系·散文二集》所作的导言中，明确指出："中国现代散文的成绩，以鲁迅、周作人两人的为最丰富最伟大。"现在看来，周作人的散文在"伟大"这一点上与鲁迅并不能相比，但其"丰富性"却不让乃兄，甚至是超出几许的。这也是他能够带动废名、俞平伯等"京派"作家，形成一个较具特色的文学流派的重要原因之一。

阅读链接：
周策纵：《五四运动史》，岳麓书社，1999年版。
陈万雄：《五四新文化的源流》，三联书店，1997年版。
项义华：《人之子——鲁迅传》，浙江人民出版社，2003年版。

浙籍作家与新文学社团

在中国现代文学史上，浙籍作家是一个极其引人瞩目的存在。无论在小说、诗歌、散文等各种文学体裁的创作方面，还是在文学评论和文学理论建设、文学刊物出版和文学社团组织等方面，浙籍人士都有非常突出的表现。仅就现代文学中的代表性作家而论，浙籍作家中就有鲁迅、周作人、茅盾、郁达夫、徐志摩、戴望舒、艾青、夏衍、梁实秋、冯雪峰等人，至于其他作家，更是不胜枚举。从地域角度来看，浙籍作家在中国现代文学史中的地位和作用是任何其他省份的作家们都无法比拟的。从历史发展的角度来看，一部中国现代文学史，实际上也就是中国文学从古典形态向现代形态转型的历史。在这个历史进程的各个阶段，浙籍作家都发挥了相当重要的作用。

除了《新青年》群体中的浙籍作家之外，我们在新文学运动中出现的许多文学社团中也常常能看到浙籍人士活跃的身影。其中尤以文学研究会和语丝社中的浙籍作家声势最盛。文学研究会 1921 年 1 月成立于北京，是中国第一个大型的新文学社团。该会 12 个发起人中，有 6 位是浙江人（包括周作人、郑振铎、沈雁冰、蒋百里、孙伏园等）。其中周作人和沈雁冰（茅盾）两位的作用尤其重要。周作人为文学研究会撰写宣言，明确强调："将文艺当作高兴时的游戏或失意时的消遣的时候，现在已经过去了。我们相信文学是一种工作，而且又是于人生很切要的一种工作：治文学的人也当以这事为他终身的事业，正同劳农一样。"（《文学研究会宣言》）

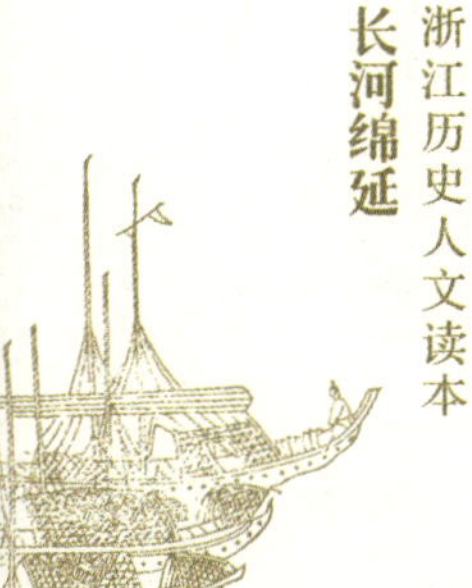

揭橥了“为人生而文学”的意向，成为文学研究会的一大特色。沈雁冰以商务印书馆《小说月报》主编的身份加盟文学研究会，与文研会同仁一道对《小说月报》进行全面革新，使《小说月报》成了当时最有影响的新文学刊物。在《小说月报·改革宣言》中，他写道：“不论如何相反之主义，咸有介绍之必要。故对于为艺术的艺术与为人生的艺术，两无所袒。必将忠实介绍，以为研究之资料。”但是，“就国内文学界的情形言之，则写实主义之真精神与写实主义真杰作，未尝有其一二”，所以“在今日尚有切实介绍之必要”。这个宣言，第一次在中国新文学界举起了写实主义（即现实主义）的旗号。1922 年 7 月，沈雁冰又在《小说月报》上发表了《自然主义与中国现代小说》一文，批判“礼拜六派”的文学倾向，在文坛上产生了相当大的影响。

作为另一个以浙籍作家为主的文学社团，语丝社在人员构成上与文学研究会有一定的承袭关系。该社以 1924 年 11 月 17 日创刊的《语丝》周刊为基地，集结了一批有实力的作家，其中包括鲁迅、周作人、钱玄同、孙伏园、孙福熙、川岛、俞平伯、许钦文等浙籍人士。《语丝》周刊以发表散文杂感为主，兼及小说等体裁。周作人是《语丝》前期主编和主要撰稿人之一，曾在《语丝》上发表了大量散文杂感，对《语丝》前期风格和思想倾向颇具影响。他起草的发刊辞，对《语丝》的宗旨作了这样的提示：“我们并没有什么主义要宣传，对于政治经济问题也没有什么兴趣，我们所想做的只是冲破一点中国的生活和思想界的昏浊停滞的空气。我们个人的思想尽自不同，但对于

語絲

第一期

發刊辭

《语丝》第一期书影

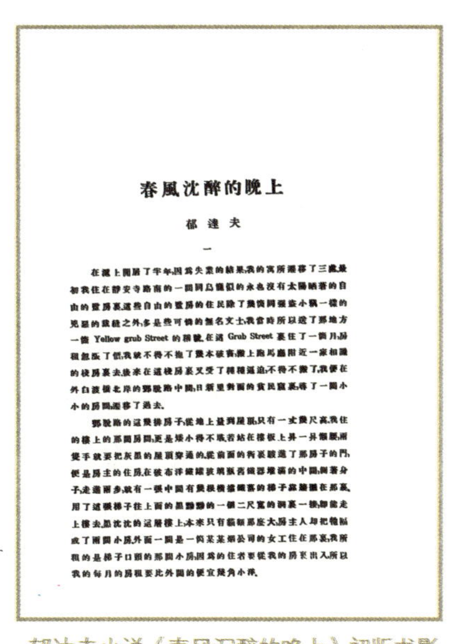

春風沈醉的晚上

郁達夫

一

在滬上閒居了半年，因為失業的結果，我的寓所遷移了三處。最初我住在靜安寺路南的一間同鳥籠似的永也沒有太陽曬著的自由的監房裏。這些自由的監房的住民，除了幾個同強盜小竊一樣的凶惡的裁縫之外，多是些可憐的無名文士，我當時所以送了那地方一個 Yellow grub Street 的稱號。在這 Grub Street 裏住了一個月，房租忽漲了價，我就不得不拖了幾本破書，搬上跑馬廳附近一家相識的棧房裏去。後來在這棧房裏又受了種種逼迫，不得不搬了，我便在外白渡橋北岸的鄧脫路中間，日新里對面的貧民窟裏，尋了一間小小的房間，遷移了過去。

鄧脫路的這幾排房子，從地上量到屋頂，只有一丈幾尺高。我住的樓上的那間房間，更是矮小得不堪。若站在樓板上伸一伸懶腰，兩隻手就要把灰黑的屋頂穿通的。從前面的衖裏踱進了那房子的門，便是房主的住房。在破布洋鐵罐玻璃瓶舊鐵器堆滿的中間，側著身子走進兩步，就有一張中間有幾根橫檔跌落的梯子靠牆擺在那裏。用了這張梯子往上面的黑黝黝的一個二尺寬的洞裏一接，即能走上樓去。黑沉沉的這層樓上，本來只有貓額那樣大，房主人卻把它隔成了兩間小房，外面一間是一個某某烟公司的女工住在那裏。我所租的是梯子口頭的那間小房，因為外間的住者要從我的房裏出入，所以我的每月的房租要比外間的便宜幾角小洋。

郁达夫小说《春风沉醉的晚上》初版书影

一切专断与卑劣之反抗则没有差异。我们这个周刊的主张是提倡自由思想，独立判断，和美的生活。”鲁迅在北京时期，虽然没有参与《语丝》编辑工作，但是曾在《语丝》发表过许多作品，包括小说《高老夫子》《离婚》，散文诗集《野草》全部24篇以及数十篇杂感。《语丝》1928年在上海复刊后，他还担任了主编，对刊物整体风格具有很大影响。据他所说，《语丝》的特色是“任意而谈，无所顾忌，要催促新的产生，对于有害于新的旧物，则竭力加以排击”（《三闲集·我和〈语丝〉的始终》），这与他的影响是分不开的。

除了文学研究会和语丝社以外，浙籍作家在创造社、新月社等文学团体中也发挥了相当重要的作用。创造社1921年6月成立于日本东京，发起人为郭沫若、郁达夫、成仿吾、张资平四人，其中郁达夫（1896—1945）就是浙江富阳人。他于1921年7月在上海《时事新报·学灯》上发表了他的第一篇小说《银灰色的死》，在文坛上表现出了一种独特的风格。其后，又在 1921 年 10 月出版了中国第一部现代白话文小说集《沉沦》，对现代自传体抒情小说创作潮流的形成产生了重要影响，奠定了他在中国现代文学史中的重要地位。作为创造社早期的代表性作家，郁达夫在踏上文坛之初，对《新青年》群体和文学研究会作家表现出了挑战的姿态。在 1921 年 9 月为《创造季刊》撰写的“出版预告”中，他曾代表新兴的创造社声言：“自文化运动发生后，我国新文艺为一二偶像所垄断，以致艺术之新兴气运，澌灭将尽。创造社同人奋然兴起打破社会因袭，主张艺术独立，愿与天下之无名作家共兴起而造成中国未来之国民文学。”但是，当他的小说集《沉沦》受到“不道德”的非难时，给了他最强有力支持的却是当时已经具有权威身份的周作人。后者在 1922 年 3 月 26 日《晨报副镌》上发表评论，称“《沉沦》是一件艺术的作品”，它“所描写的是青年的现代的苦闷”，“虽然有猥亵的分子而并无不道德的性质”，“他的价值在于非意识地展览自己，艺术地写出升华的色情，这也就是真挚与普遍之所在”。其后，郁达夫与周作人、鲁迅等人时相过从，关系相当融洽。1927 年 1 月，郁达夫在创造社刊物《洪水》上发表《广州事情》一文，批评广州的政治状况和国民党的党化教育，受到创造社同仁郭沫若、成仿吾等人的激烈指责。郁达夫转而与鲁迅合作编辑杂志，在 6 月间推出了《奔流》创刊号。8 月份，郁达夫在报上发表声明，退出创造社。但是，他在创造社历史上留下的印记，却是谁也抹不掉的。

如果说，郁达夫既是创造社的代表性作家，也是其中的一个异类，那么，他的中学同学、浙江海宁人士徐志摩（1896—1931）则是一个典型的新月派文人。徐志摩是1923年成立的新月社的发起人和组织者之一，曾经担任1926年出版的《诗镌》《剧刊》周刊和1928年出版的《新月》杂志的主编，也是新月派在文学方面的主要代表人物之一。他从1922年开始写新诗，直到坠机仙逝的10年间，共结集出版了《志摩的诗》《翡冷翠的一夜》《猛虎集》三本诗集，死后友人又为他编印了《云游》。此外，还出版了散文集《巴黎的鳞爪》《落叶》《轮盘》等。徐志摩是个典型的浪漫主义诗人。他的诗，将英国浪漫派诗歌的情调和中国古典诗词的韵味融为一体，在情感表达上颇为自由奔放，在意象运用上非常新奇独特，在语言形式上又相当精致华美，可以说是新诗中援西入中、化古为今的一个典范。他的散文，也颇有诗的情韵和魅力。陈西滢说："他的诗及散文，都已经有一种中国文学里从来不曾有过的风格。"沈从文则称赞徐志摩在"散文与诗方面，所成就的华丽局面，在国内还没有相似的另一人"。而他在新诗格律化方面所作的贡献，也在中国现代诗歌发展史上留下了独特的痕迹。

除了徐志摩，浙籍作家孙大雨、邵洵美、陈梦家等人也都是新月社的重要成员，在新月诗派发展过程中起到了相当大的作用。邵洵美（1906—1968），浙江余姚人，早年留学英美，从事新诗创作，1927年回国后，以投资者身份接办新月书店，出版《新月》和《诗刊》，并著有《天堂和五月》《花一般的罪恶》《诗二十五首》《一个人的谈话》等诗集。他的诗作，颇得颓废派情韵，以情欲的眼观照宇宙一切，在诗界独树一帜，其影响超越了新月诗派的范围。如其代表作《蛇》的开头——"在宫殿的阶下／在庙宇的瓦上／你垂下你最柔软的一段——好象是女人半松的裤带／在等待男性颤抖的勇敢"，以将蛇拟人化的方式活生生地描绘出了一幅春光旖旎、动感十足的情欲画面，从中亦可见其颓废唯美诗风之一斑。虽然这种诗风不一定能得到许

阅读链接：
王嘉良：《浙江20世纪文学史》，中国社会科学出版社，2000年版。
夏志清：《中国现代小说史》，香港中文大学出版社，2001年版。
李欧梵：《中国现代作家的浪漫一代》，新星出版社，2005年版。

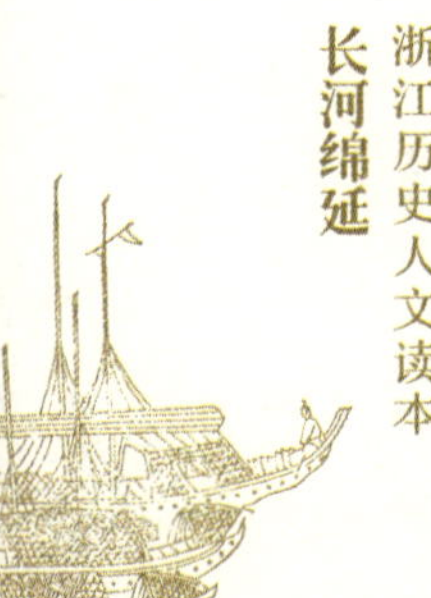

多人的欣赏，但谁也不能否认，它是新文学光谱中比较独特的一种色彩。

与邵洵美相比，孙大雨和陈梦家两人在风格上可以说是更加典型的新月派诗人。新月派提倡新诗的格律化，孙大雨和陈梦家两人都身体力行。孙大雨（1905—1997），浙江诸暨人，作为新月社前期重要成员，在诗歌创作和英诗汉译两方面均有不凡的表现。他的十四行诗格律谨严，深得西式商籁体之精髓，颇受诗界同道推重。而他的一首一千行长诗《自己的写照》，也深得行家激赏。陈梦家评说它“是一首精心结构的惊人的长诗，是最近新诗中一件可以纪念的创造。他有阔大的概念，从整个的纽约城的严密深切的观感中，托出一个现代人错综的意识。新的词藻，新的想象，与那雄浑的气魄，都是给人惊讶的”。从整个现代文学史来看，这样的长诗也是不多见的。而陈梦家（1911—1966），浙江上虞人，作为新月派的后起之秀，对于新月派后期的发展也有不少的贡献。他的诗作，以“醇正”与“纯粹”为宗旨，体现了新月诗派的典型风格。他所提出的理论主张，即“主张本质的醇正，技巧的周密，和格律的谨严”，直承徐志摩等人的新道统，颇能揭橥新月诗派的整体特色。此外，他还于1931年与徐志摩等人合办《诗刊》，并独立选编《新月诗选》，收录了18位新月派诗人的80首诗，以长序形式加以评论，基本上确定了新月诗派的总体格局。直到今天，仍是我们把握新月诗派的主要参考材料之一。

在现代文学史上，湖畔诗社在重要性上远远不能与上述四个社团相比。但是，作为一个在浙江出现并以浙籍作家为主体的文学社团，它的特色也是不容忽视的。湖畔诗社1922年4月成立于杭州，是继“中国新诗社”出现的第二个诗歌社团，该社虽然规模很小，成员只有应修人（1900—1933，浙江慈溪人）、潘漠华（1902—1934，浙江武义人）、冯雪峰（1903—1976，浙江义乌人）和汪静之（1902—1996，安徽绩溪人）四人，但是，由于“湖畔四诗人”的诗作，比较鲜明地体现了新文学所特有的那种清新、稚拙的早春气息，与五四青年的情感状态相互呼应，与胡适、周作人、鲁迅等人的一些新文学主张颇为投合，因而在当时就受到了新文学界的普遍关注。他们共同出版的新诗合集《湖畔》和《春的歌集》，作为新文学运动时期的一种阶段性成果，在文学史上也占有相当独特的地位。值得一提的是，“湖畔四诗人”中的三个浙江人后来还都参与了中共领导的左翼文艺运动，从个性解放走上了社会革命的道路，这在五四青年中，也是具有一定典型意义的。

左翼文学家、文艺理论家冯雪峰著作《论民主革命的文艺运动》（1946年作家书屋印行）书影

综上所述，可以看出，浙籍作家在中国现代文学史上的地位和作用是非常重要的。这与浙江地域文化的发展也是富有关联的。浙江现代文化的发达，为浙江人提供了较好的教育和文化背景，使得他们中的一些优秀分子能够在全国文化舞台占据中心位置。在这些中心人物的带动下，浙江文化人得以在北京、上海等各个文化中心聚集，形成一种群体性的力量。通过举办文化事业，包括办学办报办刊、组织文化社团等形式，推动文化发展，促进文学的繁荣，这是近现代以来浙江文学艺术和文化发展的一条基本途径。这个历史经验，对于今日之文学发展和文化繁荣，具有深刻的启迪意义。

群星璀璨，科教之光

在现代文化中，科技文化是极为重要的一个方面。与人文学科不同，中国的现代科技主要是从西方引进的，在引进西方科技的过程中，留学生群体发挥了相当大的作用。

浙江近代经济文化比较发达，派出的留学生数量比较多，学成归来的也为数不少。其中有不少人在中国科技文化领域发挥了重要作用。1948 年中央研究院在全国范围首次评选出 81 名院士，浙江人在其中占有 17 席，名列全国第一。其中尤以竺可桢、苏步青、严济慈、童第周、谈家桢等人最为著名，主要专业领域为数学和生物学。

竺可桢像

竺可桢（1890—1974），又名绍荣，字藕舫，浙江绍兴人。1890 年 3 月 7 日出生于浙江省绍兴县东关镇（今属上虞县）。1905 年入上海澄衷学校就读。1909 年考入唐山路矿学堂土木工程系。1910 年考取公费赴美国留学，在伊利诺大学农学院

学习。1913 年毕业，考入哈佛大学地学系学习气象学。1915 年成为中国科学社的首批成员，并开始参与《科学》杂志编辑工作。1918 年以题为《远东台风的新分类》的论文获得博士学位。同年回国，任武昌高等师范学校（武汉大学前身）教授。1920 年任南京高等师范学校（后改为东南大学）教授。1921 年在东南大学筹建并主持了中国第一个地理系，是中国近代地理学的开创者。1925 年任商务印书馆编辑及南开大学教授。1927 年任南京中央大学地学系主任。1928 年任中央研究院气象研究所所长，是中国现代气象事业的主要奠基人。1935 年 6 月当选为中央研究院评议员。1936 年 4 月起出任浙江大学校长，以“求是”为浙江大学校训，将造就“公忠坚毅，能担当大任，主持风气，转移国运的领导人”作为培养目标。因为抗战形势，1937 年 8 月起率领浙江大学全体师生西迁，历时两年半，途经江南六省，行程 2600 千米，至 1940 年 2 月定居贵州湄潭，并延揽了诸多名师，使浙江大学迅速崛起成为一流大学。在其领导下，1946 年秋学校迁返杭州，至 1948 年 3 月底，发展为拥有文、理、工、农、师范、法、医 7 个学院、25 个系、9 个研究所、1 个研究室的综合性大学，比就任时的 3 个学院 16 个学系扩大了一倍多，论文发表数居于全国大学首位。1948 年当选为第一届中央研究院院士。

严济慈（1901—1996），谱名泽荣，字慕光，号厂佛，浙江东阳人。1901 年 1 月 23 日出生。1914 年就读于东阳中学，1918 年以四年均为第一的成绩毕业。1918 年夏参加全国六大学区高师联考，以浙江省第一名的成绩考入南京高等师范学校，1923 年夏以第一名的成绩毕业于南京高等师范学校数理化部，因已修满大学规定的学分，故同时获得国立东南大学物理系理学学士学位，成为国立东南大学时期第一届唯一的毕业生。大学期间自学法文，在中国科学社服务，并编著教科书《初中算术》和《几何证题法》，由商务印书馆出版。1923 年赴法国留学，次年入巴黎大学理学院就读，1927 年 6 月，用单色光干涉法首次精确测定石英压电效应“反现象”，并以论文《石英在电场下的形变和光学特性变化的实验研究》通过答辩，获法国国家科学博士学位。8 月份回国，同时在上海大同大学、中国公学、暨南大学和南京第四中山大学任教，并参加中央研究院筹备工作。1929 年被中国科学社选为理事，并获第一届中华教育文化基金会补助，于次年年初赴法国进行科学研究。1931 年初回国，被聘为北平研究院物理研究所专任研究员兼所主任。1932 年出任新成立的镭学研究所所长。1937 年下半年赴法国访学，被选为法国物理学会理事。1938 年回国，将北平物理研究所迁往云南昆明，后又迁至云南黑龙潭龙泉观。1945 年应美国国务院邀请，作为访问教授赴美讲学半年。1947 年自昆明经上海到北平，着手重建北平研究院。1948 年，当选为中央研究院数理科学组院士。

苏步青（1902—2003），原名尚龙，浙江平阳人。1902 年 9 月 23 日出生。1919 年浙江省立第十中学毕业后赴日本留学。1927 年毕业于日本东北帝国大学数学系，后入该校研究生院，1931 年毕业获理学博士学位。1931 年 3 月回国，历任国立浙江大学数学系主任、训导长和教务长。1935 年任《中国数学会学报》主编。其间，与陈建功一起创立了“微分几何学派”。1948 年任中央研究院第一届数理学部院士。苏步青是国际公认的几何学权威，我国微分几何学派的创始人。早在 20 世纪 20 年代，他的仿设不变的四次（三阶）的代数锥面，即被命名为苏锥面。他的仿设微分几何的高水平工作，至今在国际数学界仍享有很高的评价。在射影曲面论研究中，对周期为 4 的拉普

拉斯（Laplace）序列作了深入而富有成就的工作，这种序列被称为“苏链”。他在射影曲线论、高维空间共轭网理论、一般空间微分几何学等方面的研究中，也作出许多贡献。

冯德培（1907—1995），浙江临海人。1907年2月20日出生。1922年考入上海复旦大学文科，翌年为新兴的行为心理学吸引，转入心理学系。1925年，生理学家蔡翘等相继从美国回到复旦大学任教，心理学系扩大为生物学院，冯德培转而对生理学产生了兴趣。1926年毕业，留校任教。1927年，复旦大学生物学院因学潮被解散，冯德培转入北京协和医学院生理系主任林可胜门下，在林可胜指导下学习和工作。1929年，考取清华大学公费留美，在芝加哥大学生理系杰拉德（Ralph Gerard）教授指导下进行神经代谢研究，因出色地完成了一项关于神经窒息机制的研究，于1930年获硕士学位。当年由林可胜推荐转入英国伦敦大学学院，师从著

之江大学

阅读链接：

［美］本杰明·艾尔曼：《中国近代科学的文化史》，上海古籍出版社，2009年版。

段治文：《中国现代科学文化的兴起：1919～1936》，上海人民出版社，2001年版。

《竺可桢文集》，科学出版社，1979年版。

名生理学和生物物理学家、诺贝尔奖获得者希尔（A.V.Hill），进行神经和肌肉产热的研究，1933年获博士学位。期间曾先后去剑桥大学和牛津大学等生理实验室短期工作，并参加英国生理学会和皇家学会的各种学术会议，发表了9篇论文，其中5篇是独立写成。获得博士学位后，赴美国宾夕法尼亚大学约翰逊基金医学物理学研究所进修，学习自制电子仪器。1934年夏，回到北京协和医学院生理学系工作，专门从事神经肌肉接头的研究并取得优异成绩。1936—1941年间，他所领导的实验室在英文版的《中国生理学杂志》上接连发表了26篇文章，成为该领域的一个国际注目的研究中心。其部分工作为当时正在形成中的化学传递学说提供了证据，有些实验直接补充或推广了英国药理学家戴尔（Henry H.Dale）的理论（戴尔后因化学传递获诺贝尔奖）。同一时期，冯德培也发现了钙离子对神经肌接头信号传递的重要作用，提出了钙影响神经递质释放的见解，接近英国生理学家克茨（Bernard Katz）的结论，克茨后来因为一系列对神经肌接头递质释放的研究而获得诺贝尔奖。冯德培实验室在协和的另一重要发现是观察到强直后增强效应（PTP），这是突触可塑性的第一次发现，是神经系统可塑性的重要发现。冯德培第一次发现突触可塑性的纪录，为哥伦比亚大学的肯德尔（Eric Kandel）大型系列书籍《生理学手册》所载。1941年底，太平洋战争爆发后，其研究工作被迫中断，于1943年辗转至重庆，先受聘为内迁的上海医学院生理系教授，后任中央研究院医学研究所筹备处研究员兼代主任。1945年底

应英国文化协会邀请访问英国，1946 年转赴美国，在纽约洛克菲勒医学研究所进行合作研究，同时为筹备中央研究院医学研究所采购仪器设备和搜集图书。1947 年夏，回到已由重庆搬迁到上海的医学研究所筹备处。1948 年当选为第一届中央研究院生命科学组院士。

通过对数十位科技学者的生平和学术经历的分析，笔者发现，中国现代第一代科学家最有冲击力的研究成果，往往发表在其在国外的博士生学习阶段。回国以后，除了少数几个科学家以外，大部分人往往都承担了繁重的教学和学术行政工作，对西方现代科学在中国的传播尤其是相关学科的建设作出了开拓性的贡献，但因脱离了国际第一流的学术环境，其个人研究成果水平往往不能得到明显提高。在一些人身上，科学教育家角色甚至更重于科学家角色。这也说明，科学的发展是一个积累的过程，少数拔尖人才可以带动社会，但同时也要受到社会整体科学文化水平的限制。因此，要发展科技事业，除了增加国内的教育投入以外，如何促进国际学术交流，使拔尖人才进入国际第一流的学术空间，是一个至关重要的环节。

茅以升设计钱塘江大桥

结语：探寻浙江文化的源流演变与精神特质

作为《浙江人文读本》首卷，本书着重探讨浙江区域文化的源流演变，并力图从中把握浙江的区域文化精神。

长期以来，由于受到本质主义思维方式的影响，不少学者在讨论一个区域的文化精神时，总是习惯于按照"属加种差"的公式来定义，将其当作某种总体性的民族精神在一个地域的具体化，却没有意识到许多区域共同体先于国家存在的历史事实——从发生学的意义上看，无论是作为一个政治统一体，还是作为一个文化共同体，中国都是在整合各个文化区域的基础上形成的，中国的民族精神也是在各区域文化精神的基础上形成的，是各个区域文化精神要素在民族—国家层面加以整合的一种复合体。马克斯·韦伯指出："如若'资本主义精神'这一术语具有什么可理解的意义的话，那么这一术语所适用的任何对象都只能是一种历史个体（historical individual），亦即是一种在历史实在中联结起来的诸要素的复合体，我们是按照这些要素的文化意蕴而把它们统一称为一个概念整体的。然而，这样一个历史概念，正因为就其内容而言它指的是一种由于其独一无二的个体性才具有意味的现象，所以它不能按照‘属加种差’的公式来定义，而必须逐步地把那些从历史实在中抽取出来的个别部分作为整体，从而组成这个概念。这样，这个概念最后的完善形式就不能是在这种考察的开端，而必须是在考察之后。”（《新教伦理与资本主义精神》，于晓、陈维纲等译，生活·读书·新知三联书店，1987 年版）虽说马克斯·韦伯的这段论述是针对资本主义精神而言，与我们论述的民族精神和区域文化精神都没有直接的关联，但就实质而论，民族精神和区域文化精神作为一个历史概念，显然也是“一种在历史实在中联结起来的诸要素的复合体”“一种由于其独一无二的个体性才具有意味的现象”，所以它也“不能按照‘属加种差’的公式来定义，而必须逐步地把那些从历史实在中抽取出来的个别部分作为整体，从而组成这个概念”。这是我们在探讨浙江精神的历史演变进程时必须注意的一个方法论前提。

从心理学的角度来看，精神只是一种个体现象。离开个体的人，就不存在什么精神。但是，在哲学的意义上，人们通常也将许多人在精神层面共有的一些特征称为某种精神，如民族精神、文化精神、商业精神、资本主义精神等等。十八世纪德国思想家赫尔德（1744—1803）是“民族精神”这一概念的首创者。“在赫尔德看来，民族精神是一个民族有机体的中心和根本，民族精神的存在使得每一个民族有机体成为一个单独的存在，一种独特的个体。每个民族有机体的存在本身并非是笼统的和抽象的，它要在其语言、文学、宗教、风俗、艺术、科学、法律等具体方面表达自我，体现自我，反映自我。这些自我表达的总和便成为一种民族的文化。”（李宏图《论赫尔德文化民族主义思想》，《华东师范大学学报》1996 年第 6 期）与其同时代的德国哲学家黑格尔（1770—1830）则“把‘自由的观念’当作是‘精神’的本性以及历史的绝对的最后目的”，认为“世界历史是‘精神’在各种最高形态的、神圣的、绝对的过程的表现，——‘精神’经过了这种发展阶段的行程，才取得它的真理和自觉。这些阶段的各种形态就是世界历史上各种的‘民族精神’，就是它们的道德生活、它们的政府、它们的艺术、宗教和科学的特殊性”。在黑格尔看来，“（世界历史的）每一个阶段都和任何其他阶段不同，所以都有它的一定的特殊的原则。在历史当中，这种原则便是‘精神’的特性——一种特别的‘民族精神’。民族精神便是在这种特性的限度内，具体地表现出来，表示它的意识和意志的每一方面——它整个的现实。民族的宗教、民族的政体、民族的伦理、民族的立法、民族的风俗、甚至民族的科学、艺术和机械的技术，都具有民族精神的标记”。不过，在谈到中国的历史和中国人的民族性时，黑格尔却认为，中国民族性最显著的特色就是，“凡是属于‘精神’的一切——在实际上和理论上，绝对没有束缚的伦常、道德、情绪，内在的‘宗教’、‘科学’和真正的‘艺术’——一概都离他们很远”。中国的历史是停滞的，“因为它客观的存在和主观运动之间仍然缺少一种对峙，所以无从发生任何变化……客观性和主观自由的那种统一已经全然消弭了两者间的对峙，因此，物质便无从取得自己反省，无从取得主观性。所以‘实体的东西’以道德的身份出现，因此，它的统治并不是个人的识见，而是君主的专制政体”。在中国，实体的精神和个人的精神是在“家庭的精神”这个层面上统一起来的，这就使得中国人的个人意志不能与消灭个人意志的权力形成对峙，“个人全然没有认识自己和那个实体是相对峙的，个人还没有把‘实体’看作是一种和它自己站在相对地位的权力……个人敬谨服从，相应地放弃了他的反省和独立。……所以这个国家的总体固然缺少主观性的因素，同时它在臣民的意见里又缺乏一种基础”。（黑格尔《历史哲学》，王造时译，上海书店出版社，1999 年版）作为对中国历史和中国民族性的总体判断，黑格尔的这些论述显然与客观事实并不相符，但是，他对精神的自由本质的界定，从维护个体人格独立和精神自由角度对君主专制的批判，以及从个人意志与消灭个人意志的权力的对峙这个角度对历史变迁动因的揭示，都是十分深刻的，对于我们在历史哲学层面把握中国的民族精神和浙江的区域文化精神都是很有启发的。

身为一个土生土长的浙籍学人，笔者对浙江历史文化传统一向有着比较深的认同，对探寻浙江区域文化源流也有着比较浓厚的兴趣。十多年来，笔者一直都把晚清以降的浙江近现代思想文化研究作为自己的主攻方向。而在研究浙江近现代文化至当代社会文化发展的过程中，我也经常沿波讨源，回溯到浙江古代的文化传统，力图从浙江文化的历史演变中把握其源流变迁和精神特质。如在 2002—2004 年间，我就曾多次撰文，分别阐述浙江丰富的历史文化资源和深厚的市场经济传统对于发展文化经济的意义，辨析浙江文化传统中的“求真”之维与“务实”之维的异同，揭橥“求真”之于“务实”的超越性。2005 年，在探讨浙江的人文优势时，我又对浙江人自主创新、理性务实的文化精神作了追根溯源的探讨，并将自主性精神和自组织系统的有机结合视为浙江发展的最大奥妙。2010 年间，在辛亥革命与浙江区域文化精神专题研究中，我还对民族精神与区域文化精神的关系、浙江区域文化的源流演变等相关问题作了一些探讨。这是笔者探寻浙江区域文化源流的一些尝试，也是撰写本书的一些准备。

本书在史料方面大体以正史为本，对学界以往的研究成果多有采纳，同时也作了一些新的考证。在此谨向本书引用到的所有著作的著者和在本书写作、出版过程中提供帮助的诸位领导、专家和编辑同仁致以谢意。书中图片除部分书画作品和古籍书影外，大多由笔者本人和内子张钰霖自行拍摄。至于本书的主要观点，则是笔者本人独立思考的结晶，裁断本出诸己，文责亦当自负。因学力所限，兼又成稿仓促，本书定然存在着许多不足，诚望读者诸君不吝教正。

浙江历史文化资源选编

浙江历史上100件标志性大事[①]

史前

约公元前8000年前，今浙江浦江上山一代出现古人类活动，已经开始种植水稻。其遗址被称为“上山文化”。

约公元前6000年前，今浙江杭州萧山湘湖及其周围地区出现古人类活动，已能制作独木舟。其遗址被称为“跨湖桥文化”。

约公元前5000年前，浙江东部宁绍平原出现古人类活动，以稻作农业为主，兼营畜牧、采集和渔猎。其遗址被称为“河姆渡文化”。

约公元前3300年前，今浙江省杭嘉湖平原、宁绍平原、舟山群岛出现古人类活动，其遗址被称为“良渚文化”。

夏

禹东巡狩，至于会稽而崩。

越王无余立国。

① 内容主要依据浙江省地方志编纂委员会办公室编、魏桥主编:《浙江历史大事记》，浙江人民出版社，2010年版；浙江省地方志编纂委员会办公室编、胡国枢主编：《浙江历史大事记稿》，1996年印行；中共浙江省委党史资料征集研究委员会编：《中共浙江党史大事记》，浙江人民出版社，1990年版。

周

周敬王十年（前 510），吴王阖闾兴兵伐越，揭开了吴越争霸的序幕。

周敬王二十六年（前 494），越王勾践伐吴，夫差大败越军于五湖，勾践开始“十年生聚、十年教训”的复仇之旅。

周元王四年（前 473），越王勾践灭吴国，于徐州大会诸侯，周元王任命勾践为伯，越王勾践正式成为霸主。

周显王三十六年（前 333），楚威王伐越，杀越王无彊，越国从此分裂为数小国。

秦

秦王政二十五年（前 222），秦置会稽郡，降服百越之君。

秦始皇帝三十七年（前 210），秦始皇东巡，至钱塘，临浙江，从狭处渡江，上会稽山，祭大禹，令李斯作文并书，立石刻颂秦德。

秦二世元年（前 209），项梁与项羽在会稽起兵，杀太守殷通，占领会稽郡。

西汉

高祖五年（前 202），汉立无诸为闽越王。

惠帝三年（前 192），汉立驺摇为东海王，都东瓯，俗称东瓯王。

武帝建元三年（前 138），东瓯内徙，迁居江淮之间，国除。

武帝元封元年（前 110），汉讨东越，故越衍侯吴阳杀余善，以其众降汉。武帝移其民于江淮之间，东越地遂墟。

武帝元封五年（前 106），汉廷置十三州刺史部，浙江隶属扬州部。

东汉

顺帝永和五年（140），会稽太守马臻征发民工修鉴湖。

献帝建安元年（196），孙策攻陷会稽，自领会稽太守。

东晋

穆帝永和九年（353），三月上巳日，王羲之与谢安、孙绰、谢万、支遁、许询等名士41人于山阴兰亭临河修禊，作《兰亭集序》(又称《兰亭序》)。

安帝隆安三年（399），孙恩攻陷会稽。

南朝·宋

文帝元嘉三十年（453），太子刘劭分浙东会稽、临海、东阳、新安、永嘉五郡为会州。

孝武帝孝建元年（454），以会稽、东阳、新安、临海、永嘉为东扬州，治所设会稽。

孝武帝大明三年（459），朝廷以扬州所辖六郡为王畿，以东扬州为扬州。

南朝·梁

武帝天监四年（505），于松荫溪、瓯江汇合处附近筑拱形大坝，后称通济堰。

武帝太清三年（549），侯景叛军攻取会稽，陷浙东诸郡。叛军所至，生灵涂炭，饿殍遍地。

敬帝太平元年（556），罢东扬州，复为会稽郡。

南朝·陈

文帝天嘉三年（562），复置东扬州，下辖会稽、东阳、临海、永嘉、新安、新宁、晋安、建安 8 郡。

后主祯明元年（587），分吴郡置钱唐郡，领钱唐、於潜、富阳、新城等县。

隋

文帝开皇九年（589），隋平陈，废钱唐郡，置杭州，州治钱唐县，领钱唐、盐官、余杭、绥安、富阳、於潜 6 县，此为杭州建置之始。同年置处州。

文帝开皇十年（590），浙江豪强汪文进、高智慧、蔡道人、沈效澈、杨宝英等起兵反隋，后为杨素平定。

文帝开皇十八年（598），创建天台寺，炀帝大业中改称国清寺。

文帝仁寿二年（602），置湖州，治乌程。为湖州建置之始。

文帝仁寿三年（603），置睦州，治新安。

炀帝大业元年（605），改吴州为越州，治会稽。

炀帝大业六年（610），炀帝下令修江南河，全长 800 余里，广 10 余丈，沿途大兴土木，建造宫驿。为京杭大运河之最南端。

唐

高祖武德元年（618），吴兴郡守沈法兴起兵，自称江南大都督，设置百官。

高祖武德四年（621），唐于浙江置杭州、湖州、越州、婺州、海州、衢州、处州、严州。

高宗上元二年（675），置温州。温州自此得名。

玄宗开元元年（713），盐官重筑捍海塘塘堤，长 124 里。

玄宗开元二十一年（733），分江南道为江南东道、江南西道，每道置采访使，如汉刺史。杭州、越州、衢州、婺州、温州、台州、湖州、睦州、明州、处州俱属江南东道。

玄宗开元二十六年（738），越州析鄮县出，置为明州。

肃宗乾元元年（758），析江南东道为浙江东道、浙江西道，设浙江东、西道观察使。浙江首次作为行政区域之名。

代宗大历年间（766—779），李泌出任杭州刺史，凿钱塘六井，以“开阴窦”法引西湖水灌井，供民饮用。

德宗建中二年（781），浙江东、西道观察使升为节度使。

穆宗长庆二年（822），白居易出任杭州刺史，大力兴修水利，疏浚西湖，于湖上筑堤置闸。又浚淘钱塘六井。

文宗大和七年（833），明州鄮县县令王元玮兴修它山堰。

僖宗乾符五年（878），王仙芝、黄巢军进犯两浙，攻陷越州、杭州。

昭宗景福二年（893），钱镠筑杭州罗夹城。自秦望山起，由夹东沿钱塘江岸直到钱塘湖、霍山、范浦一带，周70里。

昭宗乾宁三年（896），钱镠兼任镇海军、镇东军节度使，全据两浙。

五代·后梁

太祖开平四年（910），钱镠筑捍海石塘，创“石囤木桩法”。又广杭州城，大修台馆。

末帝龙德三年（923），后梁册命钱镠为吴越国王，钱镠始建国。

宋

太祖开宝三年（970），吴越王钱俶于月轮山建六和塔。

太祖开宝八年（975），吴越王钱俶为庆贺王妃黄氏生子，于南屏雷峰上建塔，俗称雷峰塔。

太宗太平兴国三年（978），吴越王钱俶纳土归宋。

太宗至道元年（995），宋廷于杭州置织务。

太宗至道三年（997），分天下为 15 路，浙江属两浙路。

仁宗庆历二年（1042），知杭州郑戬发属县丁夫万人疏浚西湖，尽辟豪族僧寺侵占之地。

仁宗庆历七年（1047），王安石知鄞县，于县内试行新法。

仁宗庆历中，毕昇发明活字印刷术。

神宗熙宁八年（1075），两浙大旱，资政殿大学士、知越州赵抃主持越州救灾工作，其措施被后世奉为典型。

哲宗元祐五年（1090），苏轼知杭州疏浚西湖，筑苏堤，作苏堤六桥。

徽宗宣和二年（1120），睦州方腊起事，连陷睦州、歙州、杭州、婺州、衢州，东南大震。

高宗建炎三年（1129），衍圣公孔端友随高宗南渡。四年（1130），高宗赐宅西安（今衢州市柯城区），是为南孔定居衢州之始。

高宗绍兴八年（1138），正式定都临安。

高宗绍兴十一年（1141），宋金绍兴和议成，以“莫须有”罪名杀岳飞于大理寺狱。

宁宗庆元三年（1197），颁布庆元党禁。权臣韩侂胄将追随、同情赵汝愚、朱熹之人列入伪学逆党，挟持朝廷，将他们禁锢，史称“庆元党禁”。

恭帝德祐二年（1276），元军入临安，谢太后及恭帝奉表降元。

元

世祖至元十四年（1277），改南宋行在所为杭州，分置四隅录事司。

世祖至元十五年（1278），元江南释教总统杨琏真加发掘宋诸帝后及大臣、名士陵墓。

世祖至元二十一年（1284），江淮行省改称江浙行省，治所从扬州徙至杭州。

明

成祖洪武九年（1376），置浙江等处承宣布政使司，浙江承宣布政使司领 11 府、1 州、75 县，奠定了明清两代浙江省地方行政格局。

成祖洪武十四年（1381），改明州为宁波府、明州卫为宁波卫。

英宗正统元年（1436），于浙江等省实行以银折纳税粮。

代宗景泰七年（1456），定浙江杭、嘉、湖官民田则例。

孝宗弘治十一年（1498），浙江右参政周本于凤凰山万松岭建万松书院。

武宗正德元年（1506），授孔子五十九代孙孔彦绳为翰林院五经博士，主持衢州孔氏家庙祭祀，子孙承袭。

世宗嘉靖三十八年（1559），戚继光至义乌招募3000余名农民、矿工，组建戚家军。

世宗嘉靖四十二年（1563），俞大猷、戚继光、晏继芳、胡震会剿流窜倭寇船 70 余艘，斩首数百级，此次倭患稍息。

神宗万历二十一年（1593），苍南沿海居民始种甘薯。

神宗万历三十年（1602），仁和人李之藻译刻利玛窦《坤舆万国图》。

清

世祖顺治二年（1645），鲁王朱以海于绍兴监国。

世祖顺治十八年（1661），庄廷鑨《明史》狱案发，牵连致死者 70 余人，为清初著名文字狱之一。

圣祖康熙二十八年（1689），康熙帝第一次南巡浙江，驻跸杭州，渡钱塘江，亲祭大禹陵庙。

高宗乾隆二十七年（1762），乾隆帝第一次南巡浙江，驻跸杭州。

高宗乾隆三十八年（1773），朝廷下诏，明谕浙江嘉兴项氏天籁阁、朱氏曝书亭、杭州赵氏小山堂、宁波范氏天一阁献书，供修《四库全书》之用。

宣宗道光二十一年（1841），英军进犯浙江，攻陷定海、镇海、宁波。

宣宗道光二十三年（1843），宁波正式对外开埠。

文宗咸丰十年（1860），太平军进攻浙江，李秀成攻陷杭州。

穆宗同治十二年（1873），杨乃武与小白菜冤案事发，光绪三年（1877）昭雪。

德宗光绪二十三年（1897），浙江大学前身求是书院成立。

德宗光绪三十三年（1907），秋瑾与徐锡麟等策划起义，失败牺牲。

宣统三年（1911），浙江光复，推汤寿潜为都督。

民国

民国元年（1912）一月十一日，浙江省十一府代表公选蒋尊簋为浙江都督。

民国元年（1912）一月二十二日，浙江省临时议会制定《中华民国浙江省约法》。

民国元年（1912）七月，杭州拆除钱塘门至涌金门城墙，杭州城与西湖始连为一体。

民国十年（1921）八月，中国共产党第一次全国代表大会在浙江嘉兴南湖胜利闭幕，通过了第一个纲领和第一个决议，选举了中央领导机构，标志着中国共产党的诞生。

民国十年（1921）九月九日，浙江公布《中华民国浙江省宪法》，俗称“九九省宪”。

民国十一年（1922）四月四日，湖畔诗社成立，汪静之、应修人为发起人。

民国十一年（1922）八月二十九日，中共中央执行委员会在杭州西湖召开特别会议，史称“西湖会议”，讨论国共合作问题。陈独秀、李大钊、蔡和森、张国焘、马林等出席会议。

民国十一年（1922）九月，浙江第一个共产主义小组在杭州皮市巷9号成立。

民国十二年（1923）十月十日，杭州救国大会、市民大会在公共运动场联合举行聚会，反对曹锟贿选。

民国十二年（1923）十二月，蒋介石为母亲建造的庆慈庵在奉化溪口落成。

民国十二年（1923），张宗祥发起“癸亥补抄”，补抄文澜阁《四库全书》，历时三年始竣其事。

民国十三年（1924）四月十四日，印度诗人泰戈尔由徐志摩陪同来杭游西湖，并赋诗。

民国十三年（1924）七月十三日，社会主义青年团宁波地方委员会成立，隶属于上海执行委员会。

民国十三年（1924）九月，江浙战争爆发。

民国十三年（1924）十二月，中国共产党温州独立支部成立，胡识因任书记。

民国十四年（1925）三月，中国共产党嘉兴独立支部成立，顾作之任书记。

民国十五年（1926）五月，中国共产党绍兴地方委员会成立，梁茂康为书记。

民国十五年（1926）七月，中国共产党金华独立支部成立，钱兆鹏任书记。

民国十五年（1926）十月，在中国共产党杭州地委的推动下，杭州总工会成立。

民国十六年（1927），北伐军占领浙江，浙江省政府成立，张静江任主席。

民国十六年（1927）六月，中国共产党浙江省委员会在杭州正式成立，庄文恭任书记。

民国十六年（1927）十月，中国共产党浙江省委发出《双十节告革命群众书》，提出没收地主土地、实行耕者有其田、实行11小时工作制、废除不平等条约等口号。

民国十六年（1927）十二月，中共中央致信浙江省委，要求浙江省委今后应致力于党和工会及民间组织的迅速恢复和建立。该信由周恩来起草。

民国十七年（1928）二月，国民政府大学院决定改国立第三中山大学为浙江大学，蒋梦麟任校长。

民国十七年（1928）三月，国立艺术院在杭州成立。

民国十七年（1928）五月，中共浙江省委特派员管德容和宁海县委书记卢经训、县委特派员杨毅卿等发动“亭旁暴动”，宣告成立亭旁区苏维埃政府。

民国十七年（1928）六月，第一届西湖博览会在杭州举行。

民国十七年（1928）十一月，永嘉成立红军游击队。

民国二十四年（1935）一月，蒋介石在杭州监誓浙江省政府主席黄绍竑及委员、各厅长就职典礼，并发表讲话，宣布是年为“新生活运动年”。

民国二十四年（1935）二月，按中共苏区中央分局指示，粟裕、刘英等率中国工农红军挺进师进入浙江，开展游击战争，并开辟了浙西南、浙南游击根据地。

民国二十四年（1935）三月，南京国民政府以在浙江的孔子嫡系南宗裔孙为南宗奉祀官。

民国二十四年（1935）四月，杭州钱塘江大桥正式开工兴建。

民国二十五年（1936）九月，钱塘江大桥建成通车。

民国二十五年（1936）十月，根据国共谈判协议，红军挺进师改番号为“国民革命军闽浙边抗日游击队”。

民国二十六年（1937）十一月，日军攻陷杭州。

民国二十七年（1938）二月，日寇在乔司进行大屠杀，杀 1300 余人，烧毁房屋 7000 间。

民国二十七年（1938）五月，中共浙江临时省委成立，刘英任书记，设浙南、处属、台属、宁绍和金衢 5 个特委会。

民国二十八年（1939）七月，中共浙江省第一次代表大会在平阳召开。会后发表告全浙民众书，号召全浙人民团结起来，打退敌人进攻。

民国三十年（1941）四月，日军发起宁绍战役，击溃国民政府军队 10 余万人，浙东遭受大劫难。

民国三十一年（1942）五月，日军发起浙赣战役，日方投入 14 余万军队，国民政府则动员 30 余万人参战，历时 3 个月。

民国三十二年（1943）十二月，浙东游击纵队成立，何克希为司令员，谭启龙为政治委员。

民国三十三年（1944）十一月，中共中央电华中局、新四军军部决定成立苏浙军区，司令粟裕、政委谭震林统一指挥苏南以及全浙。

民国三十四年（1945），侵浙日军投降仪式在富阳宋殿村举行，韩德勤代表中国政府受降。

1949 年 10 月，浙江解放。

浙江历代行政建置（省级，元以后为主）

元代

江浙行省　省治杭州

下辖今浙江省内杭州、湖州、嘉兴、建德、庆元、衢州、婺州、绍兴、温州、台州、处州 11 路。

明代

浙江承宣布政使司　治杭州

下辖杭州、严州、嘉兴、湖州、绍兴、宁波、台州、金华、衢州、处州、温州 11 府。

清代

浙江省　省治杭州

下辖杭州、嘉兴、湖州、宁波、绍兴、台州、衢州、金华、严州、温州、处州 11 府及定海直隶厅。

民国

浙江省　省治杭州

下辖钱塘、会稽、金华、瓯海 4 道。民国十六年（1927）废道，为省县二级制。

浙江历代省级主官名录

明代浙江督抚简表[①]

姓名	籍贯	在职时间
王　让	山东益城	宣德三年（1428）
赵　伦	陕西邠州	宣德四年（1429）
罗汝敬	江西吉水	宣德四年（1429）
成　均	直隶盐城	宣德七年至十年（1432—1435）
王　浛	河南太康	宣德十年（1435）；正统元年至二年（1436—1437）；正统三年至六年（1438—1441）
王　翱	直隶盐城	宣德十年（1435）
焦　宏	河南叶县	正统六年至十年（1441—1445）
张　骥	不详	正统十三年（1448）
轩　輗	河南鹿邑	正统十四年至景泰元年（1449—1450）
孙原贞	江西德兴	景泰元年至三年（1450—1452）；景泰七年（1456）
洪　英	不详	景泰三年至四年（1452—1453）
刘广衡	江西万安	景泰五年至六年（1454—1455）
刘　敷	江西永兴	成化八年至十年（1472—1474）

① 该表主要依据吴廷燮撰《明督抚年表》，中华书局，1982 年版。

续表

姓名	籍贯	在职时间
彭　韶	福建莆田	弘治元年（1488）
陶　琰	山西绛州	正德七年（1512）
王尧封	不详	嘉靖八年（1529）
胡　琏	直隶沭阳	嘉靖八年至十年（1529—1531）
朱　纨	直隶长洲	嘉靖二十六年至二十八年（1547—1549）
王　忬	江苏太仓	嘉靖三十一年至三十三年（1552—1554）
李天宠	河南孟津	嘉靖三十三年至三十四年（1554—1555）
周　珫	湖北应县	嘉靖三十四年（1555）
胡宗宪	直隶绩溪	嘉靖三十四年至三十五年（1555—1556）； 嘉靖三十六年至四十一年（1557—1562）
阮　鹗	直隶桐城	嘉靖三十五年至三十六年（1556—1557）
赵炳然	四川剑州	嘉靖四十一年至四十三年（1562—1564）
刘　畿	直隶长洲	嘉靖四十三年至四十五年（1564—1566）
张师载	湖广潜江	嘉靖四十五年至隆庆元年（1566—1567）
赵孔昭	直隶邢台	隆庆元年至二年（1567—1568）
谷中虚	山东海丰	隆庆二年至四年（1568—1570）
熊汝达	江西进贤	隆庆四年至五年（1570—1571）
郭朝宾	山东汶上	隆庆五年（1571）
邬　琏	江西新昌	隆庆五年至六年（1571—1572）
张　卤	河南仪封	隆庆六年（1572）
方宏静	直隶歙县	隆庆六年至万历二年（1572—1574）
谢鹏举	湖广蒲圻	万历二年至四年（1574—1576）
徐　栻	直隶常熟	万历四年至六年（1576—1578）
李世达	陕西泾阳	万历六年（1578）

续表

姓名	籍贯	在职时间
吴善言	直隶成安	万历六年至十年（1578—1582）
张佳胤	重庆铜梁	万历十年至十五年（1582—1587）
萧　廪	江西万安	万历十一年至十二年（1583—1584）
温　纯	陕西三原	万历十二年至十五年（1585—1587）
滕博轮	福建瓯宁	万历十五年至十七年（1587—1589）
傅孟春	江西高安	万历十五年至十七年（1587—1589）
常居敬	湖广江夏	万历十八年至二十一年（1590—1593）
王汝训	山东聊城	万历二十一年至二十三年（1593—1595）
刘元霖	直隶任丘	万历二十三年至三十年（1595—1602）
尹应元	湖北汉川	万历三十年至三十三年（1602—1605）
甘士价	江西信丰	万历三十三年至三十六年（1605—1608）
王永光	直隶长垣	万历三十六年至三十七年（1608—1609）
高　举	山东淄川	万历三十七年至四十一年（1609—1613）
刘一焜	江西南昌	万历四十二年至四十八年（1614—1620）
苏茂相	福建晋江	万历四十八年至天启二年（1620—1622）
耿廷柏	山东新城	天启二年至三年（1622—1623）
王　洽	山东临邑	天启三年至五年（1623—1625）
刘可法	河南商城	天启五年（1625）
陆卿荣	直隶武进	天启五年至六年（1625—1626）
潘汝桢	直隶桐城	天启六年至七年（1626—1627）
张延登	山东邹平	天启七年至崇祯二年（1627—1629）
陆完学	直隶武进	崇祯二年至五年（1629—1632）
罗汝元	江西南昌	崇祯五年至六年（1632—1633）
喻思恂	江西丰城	崇祯六年至崇祯十一年（1633—1638）

续表

姓名	籍贯	在职时间
熊奋渭	直隶光州	崇祯十一年至十四年（1638—1641）
董象恒	直隶上海县	崇祯十四年至十六年（1641—1643）
黄鸣俊	福建莆田	崇祯十六年至十七年（1643—1644）
张秉贞	直隶桐城	崇祯十七年（1644）

清代浙江总督简表①

姓名	籍属	在职时间
赵国祚	汉军镶红旗	顺至十五年至十八年（1658—1661）
赵廷臣	汉军镶黄旗	顺治十八年至康熙八年（1661—1669）
刘兆麒	不详	康熙九年至十二年（1670—1673）
李之芳	山东武定	康熙十二年至二十一年（1673—1682）
施维翰	江苏上海	康熙二十一年至二十二年（1682—1683）
王国安	不详	康熙二十三年（1684）
李　卫	江苏徐州	雍正五年至七年（1727—1729）；雍正八年至九年（1730—1731）；雍正十年（1732）
性　桂	满洲正蓝旗	雍正七年（1729）
程元章	河南上蔡	雍正十年至十二年（1732—1734）
嵇曾筠	江苏无锡	乾隆元年至三年（1736—1738）

① 该表主要依据赵尔巽主编《清史稿·疆臣年表》，中华书局，1977 年版。

浙江巡抚简表①

姓名	籍属	在职时间
萧起元	汉军镶白旗	顺治二年（1645）十月丙午至顺治十一年（1654）
秦世祯	汉军镶蓝旗	顺治十一年（1654）四月丁亥至顺治十二年（1655）十二月甲戌
陈应泰	汉军镶红旗	顺治十二年（1655）十二月甲戌至顺治十五年（1658）五月甲辰
佟国器	汉军正蓝旗	顺治十五年（1658）六月壬寅至顺治十七年（1660）二月辛丑
史纪功	汉军正白旗	顺治十七年（1660）三月甲子至顺治十八年（1661）正月
朱昌祚	山东高唐	顺治十八年（1661）四月丙午至康熙三年（1664）六月
蒋国柱	汉军镶白旗	康熙三年（1664）六月丙辰至康熙七年（1668）
范承谟	汉军镶黄旗	康熙七年（1668）十二月庚辰至康熙十年（1671）七月癸亥； 康熙十年（1671）七月丁未至康熙十一年（1672）十月壬子
袁懋功	顺天香河	康熙十年（1671）七月丙子至康熙十年（1671）七月丁未
田逢吉	山西高平	康熙十一年（1672）十月丁卯至康熙十三年（1674）十一月庚辛
达　都	汉军镶红旗	康熙十三年（1674）十一月至康熙十三年（1674）十二月
陈秉直	汉军镶黄旗	康熙十三年（1674）十二月己巳至康熙十八年（1679）八月甲戌
李本晟	湖北蕲州	康熙十八年（1679）九月戊戌至康熙二十一年（1682）
王国安	不详	康熙二十一年（1682）六月甲辰至康熙二十三年（1684）
赵士麟	云南澄江	康熙二十三年（1684）二月己酉至康熙二十五年（1686）四月丁亥
金　铉	顺天宛平	康熙二十五年（1686）至康熙二十八年（1689）三月戊午
张鹏翮	四川遂宁	康熙二十八年（1689）三月己未至康熙三十三年（1694）十月癸卯
张维珍	不详	康熙三十三年（1694）十月癸卯至康熙三十五年（1696）三月庚辰
钱一信	不详	康熙三十五年（1696）正月癸未至康熙三十六年（1697）十一月戊戌

① 该表主要依据赵尔巽主编《清史稿·疆臣年表》，中华书局，1977年版。

续表

姓名	籍属	在职时间
张　勄	汉军正黄旗	康熙三十六年（1697）十一月辛丑至康熙三十九年（1700）十月辛巳
张志栋	山东昌邑	康熙三十九年（1700）至康熙四十一年（1702）
赵申乔	江苏武进	康熙四十一年（1702）正月已酉至康熙四十一年（1702）十二月乙未
张泰交	山西阳城	康熙四十一年（1702）至康熙四十五年（1706）
王　然	不详	康熙四十五年（1706）二月甲寅至康熙四十七年（1708）十二月丁巳
黄秉中	不详	康熙四十七年（1708）至康熙四十九年（1710）
王度昭	山东诸城	康熙四十九（1710）年九月丙午至康熙五十三年（1714）十二月乙亥
徐元梦	满洲正白旗	康熙五十三年（1714）十二月癸未至康熙五十六年（1717）正月壬午
朱　轼	江西高安	康熙五十六年（1717）二月辛卯至康熙五十九年（1720）十一月戊寅
屠　沂	湖北孝感	康熙五十九年（1720）至康熙六十一年（1722）六月辛未
吕犹龙	辽宁铁岭	康熙六十一年（1722）六月辛巳至康熙六十一年（1722）十月
李　馥	福建闽县[①]	康熙六十一年（1722）十月癸酉至雍正二年（1724）二月戊午
黄叔琳	直隶顺天	雍正二年（1724）二月至雍正二年（1724）八月壬午
石文倬（署）	不详	雍正二年（1724）八月至雍正二年（1724）十一月甲寅
法　海	满洲镶黄旗	雍正二年（1724）十一月至雍正三年（1725）六月已亥
李　卫	江苏徐州	雍正三年（1725）十月戊申至雍正七年（1729）三月丙寅
蔡仕舢（署）	福建南安	雍正七年（1729）三月至雍正九年（1731）

① 或云四川人。

续表

姓名	籍属	在职时间
王国栋（署）	不详	雍正九年（1731）九月辛未至雍正十年（1732）七月庚子
程元章（兼）	河南上蔡	雍正十年（1732）至雍正十三年（1735）十二月丙戌
嵇曾筠（兼）	江苏无锡	雍正十三年（1735）至乾隆三年（1736）
卢　焯	汉军镶黄旗	乾隆三年（1736）九月癸亥至乾隆六年（1741）六月己酉
常　安	满洲镶红旗	乾隆六年（1741）十二月辛亥至乾隆十二年（1747）九月壬子
顾　琮	满洲镶黄旗	乾隆十二年（1747）至乾隆十三年（1748）三月乙未
爱必达	满洲镶黄旗	乾隆十三年（1748）三月乙未至乾隆十三年（1748）三月辛亥
方观承	安徽桐城	乾隆十三年（1748）三月至乾隆十四年（1749）七月壬子
永　贵	满洲正白旗	乾隆十四年（1749）至乾隆十六年（1751）闰十二月壬寅
雅尔哈善	满洲正红旗	乾隆十六年（1751）至乾隆十九年（1754）五月己亥
鄂乐舜	满洲镶蓝旗	乾隆十九年（1754）五月至乾隆十九年（1754）十月甲寅
周人骥	直隶天津	乾隆十九年（1754）至乾隆二十一年（1756）二月庚戌
杨廷璋	汉军镶黄旗	乾隆二十一年（1756）至乾隆二十四年（1759）三月壬辰
庄有恭	福建晋江	乾隆二十四年（1759）四月戊午至乾隆二十四年（1759）十月辛卯
熊学鹏	江西南昌	乾隆二十七年（1762）至乾隆三十三年（1768）二月丙戌； 乾隆三十四年（1769）至乾隆三十五年（1770）十一月辛未； 乾隆三十七年（1772）至乾隆三十八年（1773）正月壬辰
永　德	满族， 不详籍属	乾隆三十三年（1768）至乾隆三十四年（1769）十月乙卯
富勒浑	蒙古镶白旗	乾隆三十五年（1770）至乾隆三十七年（1772）六月丙戌
三　宝	满洲正红旗	乾隆三十八年（1773）至乾隆四十二年（1777）五月丁亥
王亶望	山西临汾	乾隆四十二年（1777）至乾隆四十五年（1780）三月壬辰
李质颖	河北承德	乾隆四十五年（1780）至乾隆四十六年（1781）正月癸卯
陈辉祖（兼）	湖南祁阳	乾隆四十六年（1781）至乾隆四十七年（1782）九月辛亥

续表

姓名	籍属	在职时间
福　崧	满洲正黄旗	乾隆四十七年（1782）十月甲申至乾隆五十一年（1786）三月癸未；乾隆五十五年（1790）至乾隆五十七年（1792）十二月丙子
伊龄阿	满族，不详籍属	乾隆五十一年（1786）三月至乾隆五十一年（1786）八月庚戌
琅　玕	满洲正蓝旗	乾隆五十一年（1786）九月至乾隆五十五年（1790）八月庚戌
海　宁	满族，不详籍属	乾隆五十五年（1790）八月至乾隆五十五年（1790）十月壬申
长　麟	满洲正蓝旗	乾隆五十七年（1792）至乾隆五十八年（1793）八月庚午
吉　庆	满洲正白旗	乾隆五十八年（1793）至嘉庆元年（1796）六月丙子
玉　德	满洲正红旗	嘉庆元年（1796）六月癸卯至嘉庆四年（1799）十月戊子
阮　元	扬州仪征	嘉庆四年（1799）十月戊子至嘉庆十年（1805）闰六月乙巳；嘉庆十二年（1807）至嘉庆十四年（1809）八月庚戌
清安泰	满洲镶黄旗	嘉庆十年（1805）至嘉庆十二年（1807）十二月癸未
蒋攸铦	汉军镶红旗	嘉庆十四年（1809）至嘉庆十五年（1810）十月甲子；嘉庆十五年（1810）十月己亥至嘉庆十六年（1811）九月乙未
同　兴	满族，不详籍属	嘉庆十五年（1810）十月
铁　保	满洲正黄旗	嘉庆十六年（1811）九月至嘉庆十六年（1811）九月辛丑
高　杞	满洲镶黄旗	嘉庆十六年（1811）九月至嘉庆十八年（1813）三月甲戌
方受畴	安徽桐城	嘉庆十八年（1813）三月至嘉庆十八年（1813）七月甲申
李奕畴	不详	嘉庆十八年（1813）七月至嘉庆十九年（1814）四月壬午
许兆椿	湖北云梦	嘉庆十九年（1814）四月至嘉庆十九年（1814）五月丙申
陈　预	直隶宛平	嘉庆十九年（1814）五月至嘉庆十九年（1814）七月辛亥
颜　检	广东连平	嘉庆十九年（1814）七月至嘉庆二十年（1815）十二月壬子
孙玉庭	山东济宁	嘉庆二十年（1815）至嘉庆二十一年（1816）五月辛卯

续表

姓名	籍属	在职时间
张映汉	山东无棣	嘉庆二十一年（1816）五月至嘉庆二十一年（1816）六月壬戌
杨　頀	江西金溪	嘉庆二十一年（1816）至嘉庆二十三年（1818）七月辛亥
程国仁	河南商城	嘉庆二十三年（1818）至嘉庆二十四年（1819）三月丙午
陈若霖	福建闽县	嘉庆二十四年（1819）至嘉庆二十五年（1820）十二月丙午
帅承瀛	湖北黄梅	嘉庆二十五年（1820）至道光四年（1824）九月壬寅
黄鸣杰	安徽合肥	道光四年（1824）至道光五年（1825）三月甲辰
程含章	云南景东	道光五年（1825）三月至道光六年（1826）
刘彬士	湖北黄陂	道光六年（1826）至道光十年（1830）十月戊子
富呢扬阿	满洲镶红旗	道光十年（1830）至道光十四年（1834）十一月庚辰
乌尔恭额	满洲镶黄旗	道光十四年（1834）至道光二十年（1840）六月甲申
刘韵珂	山东汶上	道光二十年（1840）至道光二十三年（1843）五月戊辰
吴其濬	河南固始	道光二十三年（1843）五月至道光二十三年（1843）闰七月甲午
管遹群	江苏武进	道光二十三年（1843）闰七月至道光二十三年（1843）十一月
王　植	直隶清苑	道光二十三年（1843）十一月至道光二十三年（1843）十一月壬午
程楙采	江西新建	道光二十三年（1843）十一月至道光二十三年（1843）十二月甲辰
梁宝常	直隶天津	道光二十三年（1843）十二月至道光二十八年（1848）六月丙辰
傅绳勋	山东聊城	道光二十八年（1848）六月丙辰至道光二十八年（1848）六月庚午
吴文溶	江苏仪征	道光二十八年（1848）六月庚午至道光三十年（1850）十一月丙午
常大淳	湖南衡阳	道光三十年（1850）至咸丰二年（1852）五月庚申
黄宗汉	福建晋江	咸丰二年（1852）至咸丰四年（1854）九月丁亥
何桂清	云南昆明	咸丰四年（1854）至咸丰六年（1856）十一月庚申
晏端书	江苏仪征	咸丰六年（1856）至咸丰八年（1858）七月庚子
胡兴仁	湖南保靖	咸丰八年（1858）至咸丰九年（1859）九月甲戌

续表

姓名	籍属	在职时间
罗遵殿	安徽宿县	咸丰九年（1859）至咸丰十年（1860）三月丁酉
王有龄	福建侯官	咸丰十年（1860）至咸丰十一年（1861）十二月丁丑
左宗棠	湖南湘阴	咸丰十一年（1861）至同治二年（1863）三月甲子
曾国荃	湖南湘乡	同治二年（1863）至同治三年（1864）
马新贻	山东菏泽	同治三年（1864）九月壬寅至同治六年（1867）十二月丁酉
李瀚章	安徽合肥	同治六年（1867）至同治八年（1869）十二月甲辰
杨昌濬	湖南湘乡	同治八年（1869）至光绪三年（1877）二月癸巳
梅启照	江西南昌	光绪三年（1877）至光绪五年（1879）八月庚午
谭钟麟	湖南茶陵	光绪五年（1879）至光绪七年（1881）八月壬午
陈士杰	湖南桂阳	光绪七年（1881）至光绪八年（1882）十二月辛酉
任道熔	江苏宜兴	光绪八年（1882）十二月辛酉至光绪八年（1882）十二月癸亥
刘秉章	安徽庐江	光绪八年（1882）十二月至光绪十二年（1886）五月己亥
卫荣光	河南新乡	光绪十二年（1886）五月庚子至光绪十四年（1888）十月乙未
叶赫崧骏	不详	光绪十四年（1888）至光绪十八年（1892）二月己巳
廖寿丰	江苏嘉定	光绪十九年（1893）十二月庚辰至光绪二十五年（1899）正月乙亥
刘树棠	不详	光绪二十五年（1899）至光绪二十六年（1900）十月壬寅
恽祖翼	江苏阳湖	光绪二十六年（1900）至光绪二十七年（1901）四月辛丑
聂缉规	湖南衡山	光绪二十八年（1902）
张曾敭	河北南皮	光绪三十一年（1905）九月癸未至光绪三十三年（1907）七月丁巳
冯汝骙	河南祥符	光绪三十三年（1907）至光绪三十四年（1908）三月丙戌
柯逢时	湖北鄂州	光绪三十四年（1908）三月至光绪三十四年（1908）四月戊午
增　韫	满洲镶白旗	光绪三十四年（1908）至宣统三年（1911）九月戊寅

民国时期浙江军政长官简表[1]

都督简表

姓名	在职时间	备注
汤寿潜	1911年11月5日至1912年1月10日	
蒋尊簋	1912年1月11日至1912年7月23日	
朱　瑞	1912年7月23日至1916年4月11日	
屈映光	1916年4月12日至1916年5月5日	辞职
吕公望	1916年5月6日至1916年7月5日	

督军简表

姓名	在职时间	备注
吕公望	1916年7月6日至1917年1月1日	
杨善德	1917年1月1日至1919年8月13日	
卢永祥	1919年8月14日至1922年6月15日	1922年6月15日宣布废督

督办简表

姓名	在职时间	备注
卢永祥	1922年6月20日至1924年9月17日	因孙传芳部进攻，败退上海
孙传芳	1925年1月16日至1925年10月15日	

督理简表

姓名	在职时间	备注
孙传芳	1924年9月20日至1925年1月15日	后改称督办

---

① 主要内容依据浙江省地方志编纂委员会编，魏桥主编《浙江历史大事记·民国期间浙江军民长官一览》，浙江人民出版社，2010年版。

军政长

姓名	在职时间	备注
蒋尊簋	1926年12月19日至1926年12月22日	

浙军总司令

姓名	在职时间	备注
孟昭月	1926年12月29日至1927年2月17日	

民政长

姓名	在职时间	备注
蒋尊簋	1912年7月12日至1912年7月23日	兼任
朱　瑞	1912年7月23日至1913年9月10日	兼任
屈映光	1913年9月10日至1914年6月15日	

巡按使

姓名	在职时间	备注
屈映光	1914年6月16日至1916年4月12日	浙江行政公署改称巡按使

省长

姓名	在职时间	备注
吕公望	1916年7月6日至1917年1月1日	兼任
齐耀珊	1917年2月1日至1920年6月24日	
沈金鉴	1920年6月24日至1922年10月28日	
张载阳	1922年10月28日至1924年9月22日	
夏　超	1924年9月24日至1926年10月20日	
陈　仪	1926年10月29日至1926年12月	孙传芳任命
蔡　朴	1927年1月21日至1927年2月17日	孙传芳任命

省主席

姓名	在职时间	备注
张静江	1927年7月25日至1927年10月5日； 1928年11月7日至1930年12月4日	
何应钦	1927年10月5日至1928年11月7日	1928年5月14日后由蒋伯成代
张难先	1930年12月4日至1931年12月15日	
鲁涤平	1931年12月15日至1934年12月12日	
黄绍竑	1934年12月12日至1936年7月25日； 1936年9月6日至1936年12月2日； 1937年11月26日至1946年3月26日	
白崇禧	1936年7月25日至1936年9月6日	未到任，徐青甫代
朱家骅	1936年12月2日至1937年11月26日	
沈鸿烈	1946年3月26日至1948年6月22日	
陈　仪	1948年6月22日至1949年2月21日	
周　嵒	1949年2月21日	

浙江历代状元名录

浙江历代文状元简表

姓名	籍贯	科别
孔敏行[①]	山阴	唐元和六年（811）辛卯科
陆　扆	嘉兴	唐光启二年（886）丙午科
羊绍素	山阴	唐光化元年（898）戊午科
程　宿	衢县	宋端拱元年（988）戊子科
贾安宅	乌程	宋大观三年（1109）己丑科
沈　晦	钱塘	宋宣和六年（1124）甲辰科
张九成	钱塘	宋绍兴二年（1132）壬子科
刘　章	龙游	宋绍兴十五年（1145）乙丑科
王　佐	山阴	宋绍兴十八年（1148）戊辰科
王十朋	乐清	宋绍兴二十七年（1157）丁丑科
木待问	永嘉	宋隆兴元年（1163）癸未科
詹　骙	会稽	宋淳熙二年（1175）乙未科
姚　颖	鄞县	宋淳熙五年（1178）戊戌科

① 或谓其为山东曲阜籍，亦非状元。其登科年份也有元和元年（806）、五年（810）说。

续表

姓名	籍贯	科别
陈　亮	永康	宋绍熙四年（1194）癸丑科
傅行简	鄞县	宋嘉泰二年（1202）壬戌科
毛自知	西安	宋开禧元年（1205）乙丑科
赵建大	永嘉	宋嘉定四年（1211）辛未科
袁　甫	鄞县	宋嘉定七年（1214）甲戌科
刘　渭	金华	宋嘉定十三年（1220）庚辰科
王会龙	临海	宋宝庆二年（1226）丙戌科
周　坦	平阳	宋嘉熙二年（1238）戊戌科
徐俨夫	平阳	宋淳祐元年（1241）辛丑科
留梦炎	衢州	宋淳祐四年（1244）甲辰科
方逢辰	淳安	宋淳祐十年（1250）庚戌科
方山京	慈溪	宋景定三年（1262）壬戌科
王龙泽	义乌	宋咸淳十年（1274）甲戌科
泰不华	台州	元至治元年（1321）辛酉科右榜
张　信	定海	明洪武二十七年（1394）甲戌科
周　旋	永嘉	明正统元年（1436）丙辰科
商　辂	淳安	明正统十年（1445）乙丑科
谢　迁	余姚	明成化十一年（1475）乙未科
王　华	余姚	明成化十七年（1481）辛丑科
李　旻	钱塘	明成化二十年（1484）甲辰科
姚　涞	慈溪	明嘉靖二年（1523）癸未科
韩应龙	余姚	明嘉靖十四年（1535）乙未科
茅　瓒	钱塘	明嘉靖十七年（1538）戊戌科

续表

姓名	籍贯	科别
秦鸣雷	临海	明嘉靖二十三年（1544）甲辰科
唐汝楫	兰溪	明嘉靖二十九年（1550）庚戌科
诸大绶	山阴	明嘉靖三十五年（1556）丙辰科
范应期	乌程	明嘉靖四十四年（1565）乙丑科
罗万化	会稽	明隆庆二年（1568）戊辰科
张元忭	山阴	明隆庆五年（1571）辛未科
朱国祚	秀水	明万历十一年（1583）癸未科
杨守勤	慈溪	明万历三十二年（1604）甲辰科
韩　敬	归安	明万历三十八年（1610）庚戌科
钱士升	嘉善	明万历四十四年（1616）丙辰科
余　煌	会稽	明天启五年（1625）乙丑科
史大成	鄞县	清顺治十二年（1655）乙未科汉榜
严我斯	归安	清康熙三年（1664）甲辰科
蔡启僔	德清	清康熙九年（1670）庚戌科
蔡升元	德清	清康熙二十一年（1682）壬戌科
沈廷文	秀水	清康熙二十七年（1688）戊辰科
周　澍	钱塘	清雍正八年（1730）庚戌科
金德瑛	仁和	清乾隆元年（1736）丙辰科
金　甡	仁和	清乾隆七年（1742）壬戌科
梁国治	会稽	清乾隆十三年（1748）戊辰科
吴　鸿	仁和	清乾隆十六年（1751）辛未科
蔡以台	嘉善	清乾隆二十二年（1757）丁丑科
汪如洋	秀水	清乾隆四十五年（1780）庚子科

续表

姓名	籍贯	科别
茹　棻	会稽	清乾隆四十九年（1784）甲辰科
史致光	山阴	清乾隆五十二年（1787）丁未科
王以衔	归安	清乾隆六十年（1795）乙卯科
姚文田	归安	清嘉庆四年（1799）己未科
朱昌颐	海盐	清道光六年（1826）丙戌科
钮福保	乌程	清道光十八年（1838）戊戌科
章　鋆	鄞县	清咸丰二年（1852）壬子科
钟骏声	仁和	清咸丰十年（1860）庚申科

浙江历代武状元简表

姓名	籍贯	科别
陈　鳌	平阳	宋绍兴八年（1138）戊午科
陈　鹗	平阳	宋绍兴十二年（1142）壬戌科
蔡必胜	平阳	宋乾道二年（1166）丙戌科
黄裦然	平阳	宋淳熙十四年（1187）丁未科
厉仲方	东阳	宋绍熙元年（1190）庚戌科
林　管	平阳	宋绍熙四年（1193）癸丑科
周师锐	东阳	宋嘉定元年（1208）戊辰科
刘必万	杭州	宋嘉定七年（1214）甲戌科
陈正大	仙居	宋嘉定十三年（1220）庚辰科
杜幼节	东阳	宋嘉定十六年（1223）癸未科
杨必高	杭州	宋宝庆二年（1226）丙戌科

续表

姓名	籍贯	科别
林梦新	平阳	宋绍定五年（1232）壬辰科
朱　熠	平阳	宋端平二年（1235）乙未科
赵国华	平阳	宋淳祐元年（1241）辛丑科
项桂发	平阳	宋淳祐四年（1244）甲辰科
章梦飞	平阳	宋淳祐七年（1247）丁未科
张宗德	平阳	宋宝祐四年（1256）丙辰科
朱应举	平阳	宋开庆元年（1259）己未科
俞　葵	东阳	宋景定三年（1262）壬戌科
俞仲鳌	东阳	宋咸淳四年（1268）戊辰科
林时中	平阳	宋咸淳七年（1271）辛未科
翁　塄	平阳	宋咸淳十年（1274）甲戌科
蔡起辛	平阳	宋景定年间，科不详
孙　堪	余姚	明嘉靖五年（1526）丙戌科
王世科	仁和	明嘉靖二十三年（1544）甲辰科
周　敖	仁和	明嘉靖三十五年（1556）丙辰科
杨　斌	鄞县	明嘉靖三十八年（1559）己未科
谢天祐	杭州	明隆庆五年（1571）辛未科
王名世	永嘉	明万历二十六年（1598）戊戌科
顾景元	上虞	明万历四十一年（1613）癸丑科
姚万宪	会稽	明天启五年（1625）乙丑科
翁之琪	仁和	明崇祯十三年（1640）庚辰科
王玉壂	杭州	清顺治九年（1652）壬辰科
刘　炎	山阴	清顺治十五年（1658）戊戌科

续表

姓名	籍贯	科别
郎天祚	绍兴	清康熙十二年（1673）癸丑科
罗　淇	绍兴	清康熙十八年（1679）己未科
朱秋魁	金华	清乾隆四年（1739）己未科
林天滮	江山	清乾隆三十六年（1771）辛卯科
黄　瑞	江山	清乾隆四十五年（1780）庚子科
陈桂芬	天台	清同治七年（1868）戊辰科

浙江历史文化名人名录

夏

无余，越国始祖，政治家。

周

欧冶子，古越国著名铸剑师。

勾践，古越国国君，春秋末期霸主。

计然，河南滑县人，春秋末期著名谋士，范蠡之师。

范蠡（前 536—前 448），河南南阳人，春秋时越国著名谋士。

文种（？—前 472），湖北江陵人，春秋末期越国著名谋士。

西施，春秋末期越国美女。

汉

严光（前 37—43），会稽余姚人，东汉初著名隐士。

袁康，会稽人，东汉史学家。

吴平，东汉史学家，《越绝书》撰者。

王充（27—约 97），会稽上虞人，东汉思想家。

魏伯阳（约 100—170），会稽上虞人，东汉炼丹家。

赵晔，山阴人，东汉学者。

曹娥（130—143），会稽上虞人，东汉孝女。

三 国

孙权（182—252），吴郡富春人，三国时期吴国国君。

虞翻（164—233），会稽余姚人，三国时期著名经学家。

嵇康（223—262），会稽上虞人，三国时期思想家，竹林七贤之一。

陆静修（406—477），吴兴人，三国时期道教宗师。

曹不兴，吴兴人，三国时期著名画家，被誉为“佛画之祖”。

东 晋

谢安（320—385），陈郡阳夏人，著名政治家，东晋名士。

王羲之（303—361，一作 321—379），山东琅琊人，著名书法家，被誉为“书圣”。

王献之（344—386），山东琅琊人，著名书法家，王羲之之子。

南 朝

谢灵运（385—433），陈郡阳夏人，著名诗人。

沈约（441—513），吴兴武康人，南朝著名文学家，文坛领袖。

苏小小，南齐名妓。

隋

智永，会稽人，隋代书法家。

唐

虞世南（558—638），越州余姚人，唐初著名书法家。

褚遂良（596—658），杭州钱塘人，唐代著名书法家。

骆宾王（619—约687），婺州义乌人，唐代著名诗人，初唐四杰之一。

贺知章（659—约744），越州永兴人，唐代诗人。

陆羽（755—约804），唐代隐士，嗜茶，著有《茶经》，被尊为“茶圣”。

陆贽（754—805），嘉兴人，唐代政治家、文学家。

孟郊（751—814），湖州武康人，唐代诗人。

良价（807—869），会稽诸暨人，晚唐佛教禅宗大师，曹洞宗创始人。

罗隐（833—909），晚唐诗人。

五　代

钱镠（852—932），临安人，吴越国开国之君。

契此和尚，又称布袋和尚，五代后梁时期僧人，明州奉化人，相传为弥勒化身。

宋

胡则（963—1039），永康人，北宋清官。

林逋（967—1028），钱塘人，北宋著名隐士。

张伯端（983或984—1082），天台人，北宋著名道教理论家。

钱惟演（977—1034），钱塘人，北宋著名诗人。

毕昇（？—约1051），钱塘人，发明活字印刷术。

赵抃（1008—1084），衢州西安人，北宋清官，时人称之“铁面御史”。

张先（990—1078），乌程人，北宋著名词人。

沈括（1031—1095），钱塘人，北宋著名学者。

周邦彦（1056—1121），钱塘人，北宋著名词人。

方腊（？—1121），睦州青溪人，北宋末年农民起义军领袖。

宗泽（1060—1128），婺州义乌人，北宋末年著名抗金将领。

赵构（1107—1187），河南开封人，南宋高宗皇帝。

道济（1148—1209），原名李修缘，天台县永宁村人，南宋高僧。

王十朋（1112—1171），温州乐清人，南宋主战派大臣。

陆游（1125—1210），越州山阴人，南宋著名爱国诗人。

刘松年（1155—1218），钱塘人，南宋著名画家。

薛季宣（1134—1173），永嘉人，永嘉学派创始人。

吕祖谦（1137—1181），婺州人，南宋理学家。

陈亮（1143—1194），婺州永康人，南宋著名思想家、词人。

叶适（1150—1223），永嘉人，南宋著名思想家。

马远（约1140—约1225），河中人，侨居杭州，南宋著名画家。

夏圭，临安人，南宋著名画家。

元

赵孟頫（1254—1322），归安人，元代著名书画家。

朱震亨（1281—1358），义乌人，元代医学家。

黄公望（1269—1354），永嘉人，元代著名画家，元四家之一。

张可久（约1270—1348以后），庆元人，元代散曲家。

吴镇（1280—1354），嘉兴魏堂人，元代画家，元四家之一。

王冕（1287—1359），诸暨人，元代著名画家，隐士。

杨维桢（1296—1370），诸暨人，元代诗人，有诗坛领袖之称。

高则诚（1305 或 1307 或 1311—1359），瑞安人，元代戏曲家。

王蒙（1298 或 1308—1385），湖州人，元代著名画家，元四家之一。

明

宋濂（1310—1381），浦江人，明大臣，文学家，为明朝“开国文臣之首”。

刘基（1311—1375），青田人，明初名臣，文学家。

罗贯中（约 1330—约 1400），钱塘人，元末明初小说家。

方孝孺（1357—1402），宁海人，明朝学者，建文帝忠臣。

于谦（1398—1457），钱塘人，明朝民族英雄。

王守仁（1472—1529），余姚人，明代哲学家。

徐渭（1521—1593），山阴人，明代著名画家，大写意画开山祖师。

杨继洲（1522—1620），三衢人，明代针灸学家。

王士性（1547—1598），临海人，明代人文地理学家。

李之藻（1565—1630），仁和人，明代天文地理学家。

胡应麟（1551—1602），兰溪人，明代学者、诗人、文艺批评家。

陈洪绶（1598—1652），诸暨人，明代著名画家。

刘宗周（1578—1645），山阴人，明代著名思想家。

凌濛初（1580—1644），乌程人，明代著名文学家。

张岱（1597—1679），山阴人，明代著名文学家。

朱之瑜（1600—1682），余姚人，明代遗民，学者。

张煌言（1620—1664），鄞县人，明末民族英雄。

黄宗羲（1610—1695），余姚人，明末清初著名思想家、史学家。

清

姚启圣（1624—1683），会稽人，清代大臣。

李渔（1611—1680），兰溪人，清代戏曲理论家、文学家。

朱彝尊（1629—1709），秀水人，清代著名词人、学者。

吕留良（1629—1683），崇德人，清初学者、思想家。

洪昇（1645—1704），钱塘人，清代戏曲家。

陈元龙（1652—1736），海宁人，清代大臣。

金农（1687—1763），杭州人，清代书画家，扬州八怪之一。

丁敬（1695—1765），钱塘人，清代篆刻家，西泠八家之首。

全祖望（1705—1755），鄞县人，清代史学家、学者。

陈端生（1751—约1796），钱塘人，清代弹词女作家。

袁枚（1716—1797），钱塘人，清代诗人、文学家。

梁同书（1723—1815），钱塘人，清代书法家。

龚自珍（1792—1841），仁和人，清代思想家、文学家，改良主义的先驱者。

李善兰（1811—1882），嘉兴海宁人，清代数学家。

葛云飞（1789—1841），山阴故里人，清代爱国将领，鸦片战争中抗英牺牲。

俞樾（1821—1907），德清人，清末经学家、朴学大师。

赵之谦（1829—1884），会稽人，清代篆刻家、书法家。

任伯年（1840—1896），山阴人，清末著名画家。

吴昌硕（1844—1927），安吉人，清代著名画家、篆刻家。

沈增植（1850—1922），嘉兴人，清末著名学者、诗人、书法家。

民国以来

陈汉章（1864—1938），象山人，经学家、史学家。

罗振玉（1866—1940），上虞人，著名学者、文字学家。

蔡元培（1868—1940），绍兴人，民主革命家、教育家。

章炳麟（1869—1936），余杭人，民主革命家、思想家、国学大师。

徐锡麟（1873—1907），山阴人，民主革命家。

秋瑾（1875—1907），山阴人，民主革命家、妇女解放运动先驱。

汤寿潜（1856—1917），萧山人。清末民初实业家和政治活动家，晚清立宪派领袖人物。

王国维（1877—1927），海宁人，近代著名学者、史学家、文字学家。

夏曾佑（1863—1924），杭县人，近代历史学家、诗人。

黄宾虹（1865—1955），金华人，近代著名画家。

沈钧儒（1875—1963），嘉兴人，爱国民主人士、法学家。

经亨颐（1877—1938），上虞人，我国近代教育家、书画家。

张静江（1876—1950），吴兴人，国民党元老、要员。

陈叔通（1876—1966），杭州人，近代实业家、政治活动家。

陶成章（1878—1912），会稽人，民主革命家。

何燏时（1878—1961），诸暨人，教育家。

陈其美（1878—1916），吴兴人，民主革命者。

刘大白（1880—1932），绍兴人，诗人、教育家。

李叔同（1880—1942），平湖人，诗人、书法家、音乐美术教育家。

张宗祥（1882—1965），海宁硖石人，著名学者。

鲁迅（1881—1936），绍兴人，著名文学家、思想家、革命家。

蒋百里（1882—1938），海宁人，军事家。

邵力子（1882—1967），绍兴人，民主爱国人士、教育家。

马寅初（1882—1982），嵊州人，中国当代经济学家、教育学家、人口学家。

马一浮（1883—1967），会稽人，中国现代思想家，现代新儒家早期代表人物之一。

马叙伦（1885—1970），杭县人，教育家、语言文字学家。

邵飘萍（1886—1926），东阳人，革命烈士、新闻界巨子。

蒋梦麟（1886—1964），余姚人，教育家。

张东荪（1886—1973），杭州人，哲学家。

蒋介石（1887—1975），奉化人，政治家、国民党领袖。

钱玄同（1887—1939），吴兴人，语言文字学家。

太虚（1890—1947），崇德人，近代高僧。

翁文灏（1889—1971），鄞县石塘人，地质学家。

陈布雷（1890—1948），慈溪人，国民党早期要员。

戴季陶（1891—1949），吴兴人，国民党早期要员。

竺可桢（1890—1974），绍兴人，地理学家、教育家，中国近代地理学和气象学的奠基人。

陈望道（1891—1977），义乌人，语言学家、翻译家。

尹锐志（1891—1948），嵊州人，民主革命者。

尹维峻（1896—1919），嵊州人，民主革命者。尹锐志之妹。

钱壮飞（1896—1935），吴兴人，革命烈士。

胡愈之（1896—1986），上虞人，政治活动家、出版家。

郁达夫（1896—1945），富阳人，著名文学家。

徐志摩（1897—1931），海宁人，诗人。

茅盾（1896—1981），桐乡人，中国现代著名作家、文学评论家。

戴笠（1896—1946），江山人，国民党军统特务头子。

潘天寿（1897—1971），宁海人，著名画家。

章乃器（1897—1977），青田人，经济学家，救国会七君子之一。

郑振铎（1898—1958），永嘉人，作家、文史学家。

丰子恺（1898—1975），桐乡人，漫画家、散文家、美术教育家。

俞秀松（1899—1939），诸暨人，革命烈士，中国社会主义青年团首任书记。

夏承焘（1900—1986），温州人，词学家。

俞平伯（1900—1990），德清人，诗人、散文家、学者。

沙孟海（1900—1992），鄞县人，书法篆刻家。

夏衍（1900—1995），杭县人，革命文艺家、社会活动家。

严济慈（1901—1996），东阳人，物理学家、教育家。

柔石（1902—1931），宁海人，作家。

史东山（1902—1955），杭州人，电影艺术家，中国电影事业奠基人之一。

童第周（1902—1979），鄞县人，生物学家、实验胚胎学家，我国实验胚胎学的开创者之一。

苏步青（1902—2003），平阳人，数学家、教育家。

冯雪峰（1903—1976），义乌人，现代诗人、著名文艺理论家。

梁实秋（1903—1987），杭县人，作家、文艺理论家、翻译家。

戴望舒（1905—1950），杭县人，现代诗人。

吴晗（1909—1969），义乌人，历史学家。

袁牧之（1909—1978），宁波人，戏剧、电影艺术家。

谈家桢（1909—2008），慈溪人，生物学家、教育家。

艾青（1910—1996），金华人，中国现代诗人，被认为是中国现代诗的代表诗人之一。

张乐平（1910—1992），海盐人，漫画家。

陈省身（1911—2004），嘉兴人，国际数学大师。

钱学森（1911—2009），杭州人，物理学家、火箭专家。

钱三强（1913—1992），绍兴人，核物理学家。

筱丹桂（1920—1947），嵊州人，越剧表演艺术家。

浙江省非物质文化遗产名录

2006 年 5 月 20 日，国务院公布第一批国家级非物质文化遗产名录（国发［2006］18 号），共计 518 项，我省入围数为 44 个，名列全国榜首。

2008 年 6 月 7 日，国务院公布第二批国家级非物质文化遗产名录（国发［2008］19 号），共计 657 项，我省入围数为 85 个，高居全国榜首。

2011 年 5 月 23 日，国务院公布第三批国家级非物质文化遗产名录（国发［2011］14 号），共计 191 项，我省入围数为 58 个。

浙江省列入第一批国家级非物质文化遗产名录项目（44项）

序号	项目名称	类别	申报地区	备注
1	白蛇传传说	民间文学	杭州市	
2	梁祝传说	民间文学	宁波市、杭州市、上虞市	
3	西施传说	民间文学	诸暨市	
4	济公传说	民间文学	天台县	
5	嵊州吹打	传统音乐	嵊州市	
6	舟山锣鼓	传统音乐	舟山市	
7	浦江板凳龙	传统舞蹈	浦江县	

续表

序号	项目名称	类别	申报地区	备注
8	长兴百叶龙	传统舞蹈	长兴县	
9	奉化布龙	传统舞蹈	奉化市	
10	黄沙狮子	传统舞蹈	临海市	
11	余杭滚灯	传统舞蹈	杭州市余杭区	
12	昆曲	传统戏剧	浙江省	
13	西安高腔	传统戏剧	衢州市	
14	松阳高腔	传统戏剧	松阳县	
15	新昌调腔	传统戏剧	新昌县	
16	宁海平调	传统戏剧	宁海县	
17	台州乱弹	传统戏剧	台州市	
18	浦江乱弹	传统戏剧	浦江县	
19	越剧	传统戏剧	浙江省	
20	海宁皮影戏	传统戏剧	海宁市	
21	泰顺药发木偶戏	传统戏剧	泰顺县	
22	温州鼓词	曲艺	瑞安市	
23	绍兴平湖调	曲艺	绍兴市	
24	兰溪摊簧	曲艺	兰溪市	
25	绍兴莲花落	曲艺	绍兴县	
26	杭州小热昏	曲艺	杭州市	
27	乐清细纹刻纸	传统美术	乐清市	
28	金石篆刻	传统美术	杭州市西泠印社	
29	青田石雕	传统美术	青田县	
30	宁波朱金漆木雕	传统美术	宁波市	

续表

序号	项目名称	类别	申报地区	备注
31	乐清黄杨木雕	传统美术	乐清市	
32	东阳木雕	传统美术	东阳市	
33	仙居花灯	传统美术	仙居县	
34	硖石灯彩	传统美术	海宁市	
35	嵊州竹编	传统美术	嵊州市	
36	龙泉青瓷烧制技艺	传统技艺	龙泉市	
37	龙泉宝剑锻制技艺	传统技艺	龙泉市	
38	张小泉剪刀锻制技艺	传统技艺	杭州市	
39	天台山干漆夹纻髹饰技艺	传统技艺	天台县	
40	绍兴黄酒酿制技艺	传统技艺	绍兴市	
41	竹纸制作技艺	传统技艺	富阳市	
42	湖笔制作技艺	传统技艺	湖州市	
43	胡庆余堂中药文化	传统医药	杭州市	
44	大禹祭典	民俗	绍兴市	

浙江省列入第二批国家级非物质文化遗产名录项目（85项）

序号	项目名称	类别	申报地区	备注
1	西湖传说	民间文学	杭州市	
2	刘伯温传说	民间文学	文成县、青田县	
3	黄初平（黄大仙）传说	民间文学	金华市	
4	观音传说	民间文学	舟山市	

续表

序号	项目名称	类别	申报地区	备注
5	徐福东渡传说	民间文学	象山县、慈溪市	
6	徐文长故事	民间文学	绍兴市	
7	琵琶艺术（平湖派琵琶）	传统音乐	平湖市	
8	嘉善田歌	传统音乐	嘉善县	
9	大奏鼓	传统舞蹈	温岭市	
10	青田鱼灯舞	传统舞蹈	青田县	
11	十八蝴蝶	传统舞蹈	永康市	
12	瓯剧	传统戏剧	温州市	
13	甬剧	传统戏剧	宁波市	
14	姚剧	传统戏剧	余姚市	
15	绍剧	传统戏剧	绍兴市	
16	婺剧	传统戏剧	金华市、江山市	
17	杭州评词	曲艺	杭州市	
18	杭州评话	曲艺	杭州市	
19	绍兴词调	曲艺	绍兴市	
20	临海词调	曲艺	临海市	
21	四明南词	曲艺	宁波市	
22	平湖钹子书	曲艺	平湖市	
23	宁波走书	曲艺	宁波市鄞州区、奉化市	
24	独脚戏	曲艺	杭州市	
25	金华道情	曲艺	金华市、义乌市	
26	武林调	曲艺	杭州市	
27	绍兴宣卷	曲艺	绍兴县	

续表

序号	项目名称	类别	申报地区	备注
28	温州莲花	曲艺	温州市鹿城区、永嘉县	
29	鸡血石雕	传统美术	临安市	
30	锡雕	传统美术	永康市	
31	乐清龙档	传统美术	乐清市	
32	麦秆剪贴	传统美术	浦江县	
33	瓯绣	传统美术	温州市	
34	瓯塑	传统美术	温州市	
35	彩石镶嵌	传统美术	温州市鹿城区、瓯海区、仙居县	
36	骨木镶嵌	传统美术	宁波市	
37	余杭清水丝绵制作技艺	传统技艺	杭州市余杭区	
38	杭罗织造技艺	传统技艺	杭州市福兴丝绸厂	
39	双林绫绢织造技艺	传统技艺	湖州市	
40	铜雕技艺	传统技艺	杭州市	
41	木活字印刷技术	传统技艺	瑞安市	
42	传统木船制造技艺	传统技艺	舟山市普陀区	
43	西湖绸伞制作技艺	传统技艺	杭州市	
44	金华酒传统酿造技艺	传统技艺	金华市	
45	西湖龙井茶制作技艺	传统技艺	杭州市	
46	婺州举岩茶制作技艺	传统技艺	金华市	
47	海盐晒制技艺	传统技艺	象山县	
48	金华火腿腌制技艺	传统技艺	金华市	
49	木拱桥传统营造技艺	传统技艺	庆元县、泰顺县	

续表

序号	项目名称	类别	申报地区	备注
50	石桥营造技艺	传统技艺	绍兴市	
51	诸葛村古村落营造技艺	传统技艺	兰溪市	
52	俞源村古建筑群营造技艺	传统技艺	武义县	
53	东阳卢宅营造技艺	传统技艺	东阳市	
54	浦江郑义门营造技艺	传统技艺	浦江县	
55	畲族医药（痧症疗法）	传统医药	丽水市	
56	渔民开洋	民俗	象山县	
57	谢洋节	民俗	岱山县	
58	畲族三月三	民俗	景宁畲族自治县	
59	赶茶场	民俗	磐安县	
60	石浦一富岗如意信俗	民俗	象山县	
61	汤和信俗	民俗	温州市龙湾区	
62	浦江迎会	民俗	浦江县	
63	含山轧蚕花	民俗	桐乡市	
64	扫蚕花地	民俗	德清县	
65	宁海十里红妆婚俗	民俗	宁海县	
66	水乡社戏	民俗	绍兴市	
67	翻九楼	传统体育、游艺与杂技	杭州市、东阳市	
68	调吊	传统体育、游艺与杂技	绍兴市	
69	畲族民歌	传统音乐	景宁畲族自治县	
70	古琴艺术（浙派）	传统音乐	杭州市	
71	江南丝竹	传统音乐	杭州市	

续表

序号	项目名称	类别	申报地区	备注
72	十番音乐（楼塔细十番）	传统音乐	杭州市	
73	十番音乐（遂昌昆曲十番）	传统音乐	遂昌县	
74	龙舞（兰溪断头龙）	传统舞蹈	兰溪市	
75	滚灯（海盐滚灯）	传统舞蹈	海盐县	
76	木偶戏（平阳木偶戏）	传统戏剧	平阳县	
77	木偶戏（单档布袋戏）	传统戏剧	苍南县	
78	摊簧（杭州摊簧）	曲艺	杭州市	
79	摊簧（绍兴摊簧）	曲艺	绍兴市	
80	剪纸（浦江剪纸）	传统美术	浦江县	
81	竹刻（黄岩翻簧竹雕）	传统美术	台州市黄岩区	
82	竹编（东阳竹编）	传统美术	东阳市	
83	制扇技艺（王星记扇）	传统技艺	杭州市	
84	端午节（五常龙舟胜会）	民俗	杭州市余杭区	
85	线狮（九狮图）	传统体育、游艺与杂技	永康市、仙居县	

浙江省列入第三批国家级非物质文化遗产名录项目（58项）

序号	项目名称	类别	申报地区	备注
1	防风传说	民间文学	德清县	
2	布袋和尚传说	民间文学	奉化市	
3	烂柯山的传说	民间文学	衢州市	

续表

序号	项目名称	类别	申报地区	备注
4	钱王传说	民间文学	临安市	
5	苏东坡传说	民间文学	杭州市	
6	王羲之传说	民间文学	绍兴市	
7	海洋动物故事	民间文学	洞头县	
8	畲族民歌	民间音乐	泰顺县	扩展
9	道教音乐（东岳观道教音乐）	民间音乐	平阳县	扩展
10	海洋号子（象山渔民号子）	民间音乐	象山县	扩展
11	龙舞（碇步龙）	传统舞蹈	泰顺县	扩展
12	龙舞（开化香火草龙）	传统舞蹈	开化县	扩展
13	龙舞（坎门花龙）	传统舞蹈	玉环县	扩展
14	盾牌舞（藤牌舞）	传统舞蹈	瑞安市	扩展
15	醒感戏	传统戏剧	永康市	
16	湖剧	传统戏剧	湖州市	
17	淳安三角戏	传统戏剧	淳安县	
18	木偶戏（泰顺提线木偶戏）	传统戏剧	泰顺县	扩展
19	木偶戏（廿八都木偶戏）	传统戏剧	江山市	扩展
20	乱弹（诸暨西路乱弹）	传统戏剧	诸暨市	扩展
21	永康鼓词	曲艺	永康市	
22	唱新闻	曲艺	象山县	
23	苏州评弹（苏州弹词）	曲艺	浙江曲艺杂技总团	扩展
24	温州鼓词	曲艺	平阳县	扩展
25	十八般武艺	传统体育、游艺与杂技	杭州市余杭区	
26	迎罗汉	传统体育、游艺与杂技	缙云县	

续表

序号	项目名称	类别	申报地区	备注
27	掼牛	传统体育、游艺与杂技	嘉兴市南湖区	
28	高杆船技	传统体育、游艺与杂技	桐乡市	
29	嘉兴灶头画	传统美术	嘉兴市	
30	宁波金银彩绣	传统手工技艺	宁波市	
31	宁波泥金彩漆	传统手工技艺	宁海县	
32	越窑青瓷烧制技艺	传统手工技艺	上虞市、杭州市、慈溪市	
33	蓝夹缬技艺	传统手工技艺	温州市	
34	中式服装制作技艺（振兴祥中式服装制作技艺）	传统手工技艺	杭州市	
35	五芳斋粽子制作技艺	传统手工技艺	嘉兴市	
36	网船会	民俗	嘉兴市秀洲区	
37	径山茶宴	民俗	杭州市余杭区	
38	皮纸制作技艺（龙游皮纸制作技艺）	传统手工技艺	龙游县	扩展
39	雕版印刷技艺（杭州雕版印刷技艺）	传统手工技艺	杭州市西湖区	扩展
40	蚕丝织造技艺（杭州织锦技艺）	传统手工技艺	杭州市	扩展
41	蚕丝织造技艺（辑里湖丝手工制作技艺）	传统手工技艺	湖州市南浔区	扩展
42	传统棉纺织技艺（余姚土布制作技艺）	传统手工技艺	余姚市	扩展
43	绿茶制作技艺（紫笋茶制作技艺）	传统手工技艺	长兴县	扩展

续表

序号	项目名称	类别	申报地区	备注
44	绿茶制作技艺（安吉白茶制作技艺）	传统手工技艺	安吉县	扩展
45	中医传统制剂方法（朱养心传统膏药制作技艺）	传统医药	杭州市	扩展
46	正骨疗法（张氏骨伤疗法）	传统医药	富阳市	扩展
47	正骨疗法（章氏骨伤疗法）	传统医药	台州市	扩展
48	端午节（嘉兴端午习俗）	民俗	嘉兴市	扩展
49	端午节（蒋村龙舟胜会）	民俗	杭州市	扩展
50	七夕节（石塘七夕习俗）	民俗	温岭市	扩展
51	黄帝祭典（缙云轩辕祭典）	民俗	缙云县	扩展
52	祭孔大典（南孔祭典）	民俗	衢州市	扩展
53	妈祖祭典（洞头妈祖祭典）	民俗	洞头县	扩展
54	庙会（张山寨七七会）	民俗	缙云县	扩展
55	庙会（方岩庙会）	民俗	永康市	扩展
56	农历二十四节气（九华立春祭）	民俗	衢州市柯城区	扩展
57	农历二十四节气（班春劝农）	民俗	遂昌县	扩展
58	祭祖习俗（太公祭）	民俗	文成县	扩展

浙江省全国重点文物保护单位

杭州市

六和塔，岳飞墓，飞来峰造像，闸口白塔，胡庆余堂，良渚遗址，梵天寺经幢，临安城遗址，凤凰寺，宝成寺麻曷葛剌造像，文澜阁，西泠印社，临安吴越国王陵，功臣塔，郊坛下和老虎洞窑址，于谦墓，钱塘江大桥，之江大学旧址，笕桥中央航校旧址，章太炎故居，跨湖桥遗址，茅湾里窑址，马寅初故居，吴汉月墓，胡雪岩故居，西湖南山造像，烟霞洞，慈云岭，天龙寺，乌龟洞遗址，小古城遗址，泗州造纸作坊遗址，天目窑遗址群，西湖十景，灵隐寺石塔和经幢，保俶塔，西山桥，普庆寺石塔，新叶村乡土建筑，龙兴寺经幢，南山造像，仓前粮仓，浙江兴业银行旧址

宁波市

保国寺，天一阁（含秦氏支祠），河姆渡遗址，它山堰，上林湖越窑窑址，镇海口海防遗址，蒋氏故居，庆安会馆，东钱湖墓群，庙后沟、横省石牌坊，龙山虞氏旧宅建筑群，永丰库遗址，宁波天宁寺遗址，阿育王寺，天童寺，慈城古建筑群，江北天主教堂，钱业会馆，白云庄和黄宗羲、万斯同、全祖望墓，宁海古戏台，浙东抗日根据地旧址，王守仁故居和墓，寺龙口和开刀山窑遗址，溪口镇建筑群，花岙兵营遗址，塔山遗址，鲻山遗址，田螺山遗址，二灵塔，林宅，锦堂学校旧址

温州市

玉海楼，蒲壮所城，永昌堡，四连碓造纸作坊，南阁牌坊群，刘基庙、墓，浙南石棚墓群，高氏家族墓地，赤溪五洞桥，芙蓉村古建筑群，圣井山石殿，利济医学堂旧址，泰顺廊桥，仕水矴步，顺溪古建筑群，曹湾山遗址，国安寺塔，观音寺塔，护法寺桥和塔，乐清东塔，八卦桥和河西塔，栖真寺五佛塔，真如寺塔，金昭牌坊和宪台牌坊，楠溪江宗祠建筑群，玉岩包氏宗祠，雪溪胡氏大院，泰顺土楼，红十三军军部旧址

嘉兴市

茅盾故居，马家浜遗址，罗家角遗址，海盐海塘及海神庙，绮园，谭家湾遗址，南河浜遗址，莫氏庄园，安国寺经幢，王国维故居，嘉兴南湖中共“一大”会址，庄桥坟遗址，新地里遗址，吴镇墓，长安画像石墓，陈阁老宅，惠力寺经幢，乍浦炮台，嘉兴文生修道院与天主堂

湖州市

飞英塔，下菰城遗址，嘉业堂藏书楼及小莲庄，南浔张氏旧址建筑群，新四军苏浙军区旧址，钱山漾遗址，莫干山别墅群，陈英士墓，递铺城址，独松关和古驿道，安吉城墙，寿昌桥，顾渚贡茶院遗址，上马坎遗址，七里亭遗址，毘山遗址，德清原始瓷窑址，城山古城遗址，赵孟頫墓，潘公桥及潘孝墓，双林三桥，尊德堂

绍兴市

鲁迅故居，秋瑾故居，古纤道，大禹陵，绍兴古桥群，吕府，蔡元培故居，印山越国王陵，斯宅古民居建筑群，青藤书屋和徐渭墓，大通学堂和徐锡麟故居，富

盛窑址，小仙坛窑址，崇仁村建筑群，马寅初故居，王守仁故居和墓，秋瑾烈士纪念碑，凤凰山窑址群，小黄山遗址，绍兴越国贵族墓群，宋六陵，东化成寺塔，狭猕湖避塘，华堂王氏宗祠，兰亭，舜王庙，大佛寺石弥勒像和千佛岩造像，柯岩造像及摩崖石刻，春晖中学旧址，曹娥庙

金华市

天宁寺大殿，太平天国侍王府，东阳卢宅，延福寺，诸葛、长乐村民居，铁店窑遗址，古月桥，黄山八面厅，俞源村古建筑群，郑义门古建筑群，法隆寺经幢，上山遗址，东阳土墩墓群，芝堰村建筑群，玉山古茶场，榉溪孔氏家庙，吕祖谦及其家族墓，龙德寺塔，七家厅，西姜祠堂，寺平村乡土建筑，世德堂，上族祠，积庆堂，余庆堂，马上桥花厅

衢州市

孔氏南宗家庙，湖镇舍利塔，衢州城墙，三卿口制瓷作坊，小南海石室，关西世家，绍衣堂和横山塔，鸡鸣山民居苑，南坞杨氏宗祠，吴氏宗祠，三槐堂，周宣灵王庙，北二蓝氏宗祠，三门源叶氏民居

舟山市

普陀山多宝塔，法雨寺，普济寺

台州市

台州府城墙，桃渚城，国清寺，新河镇闸，大溪东瓯古城遗址，瑞隆感应塔，南峰塔和福印山塔，千佛塔，仙居古越族岩画群，坎门验潮所

丽水市

大窑龙泉窑遗址，通济堰，仙都摩崖题记，时思寺，处州廊桥，松阳延庆寺塔，云和银矿遗址，好川遗址，河阳村乡土建筑，西洋殿，南明山摩崖石刻，石门洞摩崖题刻，浙江大学龙泉分校旧址

跨市

大运河，浙东沿海灯塔

浙江省文物保护单位

杭州市

杭州碑林，通玄观造像，浙江体育会摩崖题记，浙江图书馆大学路馆舍，基督教青年会所旧址，慈云岭造像，求是书院，于子三墓，吴越郊坛遗址，丁鹤年墓亭，清泰第二旅馆旧址，澄庐，钱塘第一井，凤山水门，浙江省高等法院及杭县地方法院旧址，仁爱医院旧址，浙江省第一师范旧址，杭州天主教堂，司徒雷登故居，司马光家人卦摩崖刻石，张苍水墓，卫匡国墓，郭庄，龚佳育墓，秋瑾墓，章太炎墓，杭州辛亥革命烈士墓群，浙江图书馆旧址（含孤山馆舍和大学路馆舍），雷峰塔遗址，蒋庄，史量才墓，丁家山毛泽东读书处，西湖十景，忠义桥，北山路近代建筑群（含新新饭店中、西楼，第一届西湖博览会工业馆旧址，静逸别墅），国民革命军陆军第八十八师淞沪抗日阵亡将士纪念坊，中美联合公报起草处旧址，香积寺塔，祥符桥，拱宸桥，富义仓，通益公纱厂旧址，杭州关税务司署旧址，西兴码头与过塘行建筑群，越王城遗址，葛云飞墓（含葛云飞故居），衙前农协旧址（包括李成虎墓），纱帽山窑遗址，许家南大房，浙东运河纤道[①]，广济长桥，吴昌硕墓，舒公塔，安乐塔，钱塘江海塘，桂芳桥，海云洞摩崖题记，塘栖乾隆御碑与水利通判厅遗址，普

① 分布在杭州市萧山区和绍兴市内。

庆寺石塔，南屏塔，功臣寺遗址（含婆留井），西天目山墓塔群，陈家祠堂，昱岭关，孝子祠，《民族日报社》旧址，恩波桥，双烈园，受降厅，联魁塔，严子陵钓台，申屠氏宗祠（含跌界厅），城堂岗遗址，大麦凸遗址，荻浦咸和堂，嘉欣园，西山桥，大白山窑址，南峰塔，北峰塔，南浦桥，上吴方村乡土建筑，李村乡土建筑，新安江水电站（含白沙大桥），铜山铜矿遗址，方腊起义遗址方腊洞，龙门塔（含余四山墓），余氏、汪氏家厅，狮城水下古城，钱塘江与运河运口水利航运设施，浙东运河河道[①]，京杭大运河河道[②]

宁波市

张苍水故居，水则碑，伏跗室，翁文灏故居，灵桥，月湖清真寺，宁波鼓楼，中山公园旧址，华美医院旧址，总工会旧址，七塔禅寺，和丰纱厂旧址，朱贵祠，慈城大耐堂等古建筑，江北岸近代建筑群，后海塘，总台山烽火台，小浃江碶闸群，张人亚故居，梅山盐场旧址，樟村四明山烈士墓，百梁桥，沙氏故居，童第周故居，周尧故居，东钱湖墓葬群，五桂楼，王守仁讲学处，胡公岩摩崖石刻，大隐石宕遗址，泗门谢氏始祖祠堂，通济桥与舜江楼，白云桥，马渚横河水利航运设施，杨贤江故居，童家岙遗址，达蓬山摩崖石刻，白洋湖、里杜湖越窑遗址，双河堰，鸣鹤新五房，道路沿徐氏旧宅，广济桥，萧王庙，王任叔故居及墓，名山后遗址，武岭学校旧址，总理纪念堂、中正图书馆旧址，王锡桐起义遗址，柔石故居，西岙石拱桥，黄坛三堂，胡氏宗祠及崇兴庙，潘天寿故居，爵溪街心戏亭，游仙寨，石浦城隍庙，金鸡山炮台，东门天后宫，公屿烽堠，大百丈岩画，渔山灯塔，宁波水利航运遗址碑，姚江水利航运设施及相关遗产群

① 贯穿杭州、绍兴、宁波三市。

② 贯穿杭州、嘉兴、湖州三市。

温州市

叶适墓，文天祥祠，正和堂窑址，铁栏井，英国驻温州领事馆旧址，城西基督教堂，老鼠山遗址，寺前桥，江心屿东、西塔，江心寺，浩然楼，程让平祖居，温州天主教总堂，谯楼，飞鹏巷陈宅，夏鼐故居，永川轮船局旧址，汤和庙，张璁祖祠，王瓒家庙，外三甲窑址群，石马山岩刻，垟坑石塔，瑞安东塔，大坪遗址，山皇城遗址，卢金峰墓（含卢氏宗祠），东安硐桥，心兰书社，翠阴洞摩崖题记，石佛山摩崖石刻，王十朋墓，雁荡山龙鼻洞摩崖题记，白龙山石殿，大乌石雷公殿，万桥，乐清碉楼，百岁亭，花坦古建筑群，花亭（含丽水桥），戴蒙书院（含戴蒙故居），荆州、绿嶂太阴宫壁画，梅坦谷宅，西源三官亭，溪口李氏大屋，溪下金氏宗祠，南垟村乡土建筑，蓬溪谢氏宗祠，埭头村乡土建筑，屿北村乡土建筑，吴超征故居，阳岙朱宅，妈祖宫，寨楼寨墙及张氏家族墓，岙内叶宅，中国共产党浙江省第一次代表大会会址，金钱会起义遗址，宝胜寺双塔，抗日救亡干部学校旧址，忠训庙，文明塔，会文书院，青街李氏、池氏大屋，凤山遗址，南湖赵氏宗祠，苏步青故居，张琴墓，张家堡双牌坊，矾山矾矿遗址，凤阳窑址，金山飞亭，碗窑村乡土建筑，藻溪杨府宫，碇步头谢氏民居，界牌浙闽界碑，金山古井，谢林大宅院，苦马塘岩葬墓群，玉壶中美合作所旧址，坦岐炼铁厂旧址，大会岭、道岭古道，上交垟土楼，罗阳石亭，雅阳林一牧墓，前坪张氏厝屋

嘉兴市

沈钧儒故居，白坟墩遗址，嘉兴子城，金九避难处，刘家墩遗址，杉青闸遗址，西水驿碑，沈增植旧居，双魁巷，汪胡桢旧居，曝书亭，长虹桥，皇坟山墓葬群，郭家石桥遗址，盛家埭遗址，崔家场遗址，荷叶地遗址，施家墩遗址，达泽庙遗址，安澜园遗址，长安闸，占鳌塔，衍芬草堂，许村奉宪严禁盐枭扳害碑，张宗祥故居，

徐志摩旧居，报本塔，戴墓墩遗址，马厩庙大桥，普安桥遗址，小六旺遗址，东园遗址，崇德城旧址及横街，大有桥街章宅，濮院古桥群，俞家湾桑基鱼塘，大往圩遗址，窑墩，钱氏船坞，魏塘叶宅，西塘建筑群，王坟遗址，千佛阁（含镇海塔），云岫庵，漂母墩遗址

湖州市

胡瑗墓，铁佛寺，黄梅山窑址，弁山土墩墓，邱城遗址，千甓亭（含皕宋楼），钮氏状元厅，纯阳宫，湖州子城城墙遗址，源洪桥，潮音桥，洪城遗址，頔塘，种德桥，含山塔，幻溇古桥群，张静江故居，南浔丝业会馆及丝商建筑，白溪朱氏宗祠，江家山遗址，空山遗址，新安遗址，台基山遗址，张家桥遗址，龙山窑址，九龙山窑址，西峰坝画像石墓，长兴孔庙，五里渡斗门群，圣井，墅元头窑址，德清古桥群，云岫寺，新市河埠群及南圣堂，刘王庙戏台题记，灵芝塔，安乐遗址，笔架山、龙山墓葬群，牛头山军事遗址，吴昌硕故居，景村姚家大院，鹤溪诸家大院

绍兴市

马臻墓，贺知章《龙瑞宫记》摩崖刻石，沈园，光相桥，三江闸，西施山遗址，大善塔，绍兴海塘，陈洪绶墓，古越藏书楼，广宁桥，周恩来祖居，胜利山石室土墩墓群，尚德当铺，鲍氏旧宅建筑群，泗龙桥，鉴湖遗址，东湖石宕遗址，布业会馆，陈建功旧居，热诚学堂旧址，边村祠堂，何文庆故居，张秋人烈士墓，上新居、新谭家民居，新一堂、继述堂，枫桥大庙，俞秀松故居，楼家桥遗址，藏绿乡土建筑，吕家吕氏宗祠，王充墓，窑寺前青瓷窑址，九狮桥，鞍山龙窑遗址，曹娥江运口水利航运及服务设施，通明堰遗址群，驿亭—五夫水利航运设施，清水闸及管理设施，同兴里，竺可桢故居，胡愈之故居，马寅初墓，王羲之墓（含王氏宗祠），嵊县城

隍庙及溪山第一楼，玉山公祠，玉成桥，嵊县古城墙，太平邢氏宗祠，鹿门书院，长乐钱氏大新屋，越剧诞生地旧址，绍兴海塘，建初买地摩崖题刻，太平桥，马鞍遗址，柯岩造像，大王庙，秋官里进士牌坊，陶成章故居，善庆学校旧址，董村水晶矿摩崖题记，迎仙桥，新昌城墙，鼓山书院，沃洲山真君殿大殿、配殿

金华市

八咏楼，汤溪城隍庙，金华府城隍庙，鹿田书院，东村桥，滕氏宗祠，汉灶窑址，白沙堰，石楠塘徐氏宗祠，永康考寓，金华通济桥，宏济桥码头，方梅生故居，北山摩崖题记，邵飘萍旧居，台湾义勇队旧址，严氏宗祠，艾青故居，施复亮、施光南故居，琐园村乡土建筑，蒲塘王氏宗祠，傅村傅氏宗祠，省立实验农业学校旧址，李渔坝，郭氏节孝坊，通洲桥，仁山书院，爱敬堂、孙氏堂楼，渡渎余庆堂及章氏家庙，生塘胡氏宗祠，嘉庆堂，朱家绍德堂，上唐承庆堂，香山寺塔，后龚永锡堂，郎家葆滋堂，山背吴氏宗祠，祝宅祝氏宗祠，朱丹溪墓，螃蟹形山墓群，双林铁塔，冯雪峰故居，吴晗故居，大安寺塔，朱店朱宅，雅端容安堂，塘下方大宗祠，陈望道故居，佛堂吴宅，歌山窑址，葛府窑址，紫薇山民居，福舆堂，务本堂，李宅村古建筑群，厦程里位育堂，上安恬懋德堂，史家庄花厅，严济慈故居，刘英烈士墓，徐震二公祠，西津桥，五峰书院，花街大夫第（含正心堂），古山胡氏旧宅，陈大宗祠，占鳌公祠（含仁寿堂、慈孝堂和燕贻堂），庙山遗址，太婆山遗址，厚吴村乡土建筑，烈妇祠，抗战时期浙江省政府及相关机构旧址，朱明粮仓，石湖坑村成氏民居壁画，熟溪桥，上甘塔红军标语，发宝象龙塔，忠孝堂，岭下汤石祠，王村花厅，履坦徐氏民居，石板巷陈家厅，塘山背遗址，张氏宗祠，土库，东陈陈氏宗祠，陈肇英故居，蔡氏宗祠（含钟英堂、下厅民居），昌文塔，黄余田杨氏宗祠，双峰清德堂，道德桥

衢州市

荥阳侯夫人墓，九华乡土建筑，达源号钱庄，天皇巷天后宫，麻蓬天主教堂，衢州侵华日军细菌弹投放点旧址，大岭背古道，仙岩洞摩崖题记，吴氏宗祠，两弓塘窑址群，兰氏宗祠，葱口洞穴遗址，湖南银矿遗址，赵抃墓、祠，李泽李氏大宗祠，黄甲山塔，楼山后骏惠堂，下埠头天后宫，仙霞古道，达河窑址群，文昌阁，杨氏宗祠，大陈村乡土建筑，峡口大公殿，柴村乡土建筑，凤里姜氏宗祠，礼贤城隍庙，新塘边姜氏宗祠，张村乡土建筑，县前粮仓群，泉井（含周氏宗祠），和睦陶窑群，白洋垅窑址群，方坦窑址，姜席堰，龙游楼上厅建筑，龙游风水塔，西垣蒋氏宗祠，志棠雍睦堂，志棠邵氏宗祠，刘家永和堂，石佛探花厅，莲塘瑞森堂，下田畈黄氏民居，灵下应氏民居，塔石溪桥群，华岗故居，石佛胡氏民居，樊氏大宗祠，徐氏旧宅，里择祠，兴贤塔，底角王氏宗祠（含世美坊），樊家尚书坊，中共浙皖特委旧址，霞山汪氏宗祠（含启瑞堂），大溪边余公墓，高朱致福堂，霞山爱敬堂，小溪边余氏宗祠，霞山永锡堂，公淤丰氏宗祠，马金街古建筑群，银岭关、壕岭关，正大永言堂，大溪边余氏宗祠，开化新四军整编旧址

舟山市

三忠祠，凉帽蓬墩遗址，同归域，海山许氏民居，定海测候所旧址，大舜庙后敦遗址，东沙菜市场，东沙海产加工作坊，山海奇观摩崖题记，白节山灯塔

台州市

戚继光祠，解放一江山岛纪念塔，沙埠青瓷窑址，黄岩孔庙，五洞桥，净土寺塔，水口石塔，新桥爱吾庐，陈安宝烈士陵园（含陈氏旧宅），巾山塔群，溪口涌泉窑址群，谭伦画像碑与戚继光表功碑，郑虔墓，金清大桥，长屿石宕遗址，石塘

陈宅，温岭碉楼，江厦潮汐试验电站，三池窟大寨屋，三合潭遗址，苔山寨城遗址，纪恩诗摩崖题记，玉环碉楼，海山潮汐电站，张文郁旧居，石梁摩崖题记，张思村乡土建筑，妙山陈氏宗祠，九遮山伞桥群，水南许氏宗祠群，红旗渡槽，下汤遗址，南风塔福应山塔，安洲山塔，石灯柱，中央坑摩崖石刻，卜家岙李氏家族墓，刘光求雨摩崖题记，吴芾赐谥敕牒碑，亭旁起义旧址，健跳所城遗址（含蒲西巡检司城），三门宗祠群，祁家祁宅

丽水市

灵鹫寺石塔，丽水中共浙江省委机关旧址，厦河塔，谭宅，处州府城墙，吕步坑窑址，梁村河桥，丽水巾山塔，碧湖沈家邸，西畈花门楼，西溪村乡土建筑，源口窑址，永和桥，古溪桥，顺德桥，安仁窑址，叶溥故宅，平水王社庙，龙南菇民建筑群，龙泉革命纪念建筑群，龙泉窑制瓷作坊，大溪滩窑址群，九进厅，白茅云衢坊，双港桥贞节坊石刻，慕义桥，仙都石梁桥，河阳村乡土建筑，道门进士第，前岙村卢氏民居，贤母桥，竞爽桥，独峰书院，山口林宅，太鹤山摩崖题记，龙现吴氏旧宅（含家庙、宗祠），陈宅古桥群，北山吴氏宗祠，陈诚故居，夏超旧居，裕堂别墅，石门桥，王家祠堂，黄绍竑公馆，梅源梯田，陈家大屋，独山石牌坊，王村口革命纪念建筑群，长濂村古建筑群，蕉川乡土建筑，黄沙腰李氏大屋（含李氏宗祠），苏村苏氏大屋（含苏氏家庙），南尖岩梯田，詹宝兄弟牌坊（含市口进士牌坊），普济桥，黄家大院，刘氏祖居门楼，松阳三庙，石仓乡土建筑，上垟窑址，吴文简祠，卢福庙，大济古驿道，潘里垄瓷窑址，黄坛季氏宗祠，东坑下桥、莲川大地桥，鹤溪潘家大屋，敕木山村畲族民居

浙江省历史文化名城、名镇、名村及街区、村镇

一、国家历史文化名城

1. 杭州（第一批：1982年2月8日公布，总数24）
2. 绍兴（第一批）
3. 宁波（第二批：1986年1月28日公布，总数38）
4. 衢州（第三批：1994年1月4日公布，总数37）
5. 临海（第三批）
6. 金华（2007年3月18日补）
7. 嘉兴（2011年1月24日补）

二、省级历史文化名城

1. 温州①
2. 余姚①
3. 湖州①
4. 舟山①
5. 东阳（补）
6. 兰溪②
7. 天台②
8. 松阳②
9. 瑞安②
10. 龙泉②
11. 海宁（2010年补）

（省级历史文化名城：1. 第一批：1991年10月7日公布，6个；2. 第一批补（金华）：1995年6月15日公布；3. 第一批2补（东阳）：1996年10月4日公布；4. 第二批：2000年2月18日公布，6个）

三、中国历史文化名镇

1. 桐乡市乌镇①
2. 嘉善县西塘镇①
3. 宁波市慈城镇②
4. 象山县石浦镇②
5. 湖州市南浔镇②
6. 绍兴县安昌镇②
7. 宁海县前童镇③
8. 绍兴县东浦镇③
9. 义乌市佛堂镇③
10. 江山市二十八都镇③
11. 德清县新市镇④
12. 富阳市龙门镇④
13. 永嘉岩头镇④
14. 仙居皤滩镇④
15. 景宁县鹤溪镇⑤
16. 海宁市盐官镇⑤

四、中国历史文化名村

1. 武义县郭洞村①
2. 武义县俞源村①
3. 桐庐县深澳村③
4. 永康市厚吴村③
5. 龙游县三门源村④
6. 建德市新叶村⑤
7. 永嘉县屿北村⑤
8. 金华市山头下村⑤
9. 仙居市高迁村⑤
10. 庆元县大济村⑤
11. 乐清市南阁村⑤
12. 宁海县许家山村⑤
13. 金华市寺平村⑤
14. 绍兴县冢斜村⑤

（建设部、国家文物局公布中国历史文化名镇、名村：第一批 2003 年 10 月 8 日、第二批 2005 年 9 月 16 日、第三批 2007 年 5 月 31 日、第四批 2008 年 10 月 14 日、第五批 2010 年 7 月 22 日）

五、省级历史文化街区、村镇

1. 余杭市塘栖①
2. 萧山市衙前①
3. 萧山市进化②
4. 建德市新叶②
5. 富阳市龙门②
6. 临安市河桥②
7. 桐庐县深澳③
8. 淳安县芹川③
9. 宁波市慈城①
10. 余姚市梁弄和横坎头①
11. 象山县石浦①
12. 宁海县前童②
13. 慈溪市鸣鹤②
14. 奉化市岩头③
15. 温州市瓯海区水碓坑、黄坑③
16. 瑞安市林垟③
17. 乐清市南阁①
18. 永嘉县岩头①
19. 永嘉县苍坡①
20. 永嘉县枫林②
21. 永嘉县屿北③
22. 平阳县腾蛟②
25. 泰顺县百福岩、塔头底③
26. 湖州市南浔①
27. 德清县新市③
28. 嘉兴市新塍③
29. 海宁市盐官①
30. 海宁市南关厢③
31. 桐乡市乌镇①
32. 嘉善县西塘②
33. 平湖市南河头②
34. 绍兴县东浦①
35. 绍兴县柯桥①
36. 绍兴县安昌①
37. 诸暨市枫桥①
38. 诸暨市斯宅②
39. 嵊州市崇仁②
40. 嵊州市华堂③
41. 嵊州市竹溪③
42. 金华县山头下②
43. 金华县曹宅②
44. 武义县郭洞②
45. 武义县俞源②
46. 武义县岭下汤

23. 苍南县碗窑③
24. 苍南县金乡③
49. 永康市厚吴③
50. 兰溪市虹霓山③
51. 兰溪市永昌③
52. 浦江县郑宅②
53. 浦江县嵩溪③
54. 江山市二十八都①
55. 江山市清湖③
56. 江山市清漾③
57. 龙游县湖镇③
58. 龙游县三门源③
59. 开化县霞山③
60. 台州市路桥②
61. 台州市椒江区章安③
62. 温岭市箬山①
63. 温岭市新河②
64. 温岭市温峤③
47. 义乌市赤岸②
48. 义乌市佛堂③
65. 仙居县皤滩②
66. 仙居县高迁③
67. 天台县街头③
68. 丽水市莲都区西溪③
69. 遂昌县独山①
70. 遂昌县王村口③
71. 缙云县河阳②
72. 庆元县大济②
73. 松阳县石仓②
74. 松阳县界首③
75. 青田县阜山③
76. 龙泉市上田③
77. 舟山市马岙②
78. 岱山县东沙③
79. 景宁县鹤溪镇（2009 年补）

注：公布日期① 第一批：1991 年 10 月 7 日（历史文化名镇 15 处，历史文化保护区 3 处，2000 年 2 月 18 日省政府文件规定，一律改称为历史文化保护区）；② 第二批：2000 年 2 月 18 日（历史文化保护区 25 处）；③ 第三批：2006 年 6 月 2 日（浙政发［2006］32 号，历史文化街区 2 处、历史文化村镇 33 处）

浙江省历史文化街区、村镇（2012年7月第四批）

一、历史文化街区（共1处）

平阳县坡南街

二、历史文化名镇（共10处）

1. 富阳市新登镇
2. 海宁市长安镇
3. 平阳县顺溪镇
4. 兰溪市女埠镇
5. 泰顺县泗溪镇
6. 永康市芝英镇
7. 泰顺县筱村镇
8. 玉环县楚门镇
9. 平湖市新埭镇
10. 龙泉市小梅镇

三、历史文化名村（共34处）

1. 富阳市大章村
2. 义乌市田心村
3. 宁海县许家山村
4. 浦江县新光村
5. 乐清市黄檀硐村
6. 武义县陶村村
7. 乐清市黄塘村
8. 武义县山下鲍村
9. 乐清市北阁村
10. 武义县上坦村

11. 永嘉县岩龙村
12. 磐安县榉溪村
13. 湖州市南浔区荻港村
14. 磐安县管头村
15. 安吉县鄣吴村
16. 磐安县横路村
17. 绍兴县冢斜村
18. 磐安县大皿村
19. 金华市婺城区寺平村
20. 龙游县庙下村
21. 义乌市倍磊村
22. 龙游县泽随村
23. 龙游县灵山村
24. 龙泉市大窑村
25. 江山市大陈村
26. 龙泉市下樟村
27. 江山市南坞村
28. 松阳县吴弄村
29. 舟山市定海区里钓山村
30. 松阳县山下阳村
31. 舟山市定海区大鹏岛
32. 松阳县靖居村
33. 丽水市曳岭脚村
34. 松阳县横樟村

浙江省4A级以上旅游景区

景区名称	星级	电话	地址
杭州市			
西湖风景名胜区	AAAAA	0571-87179591	杭州市龙井路1号
淳安县千岛湖风景区	AAAAA	0571-64820246	千岛湖新安大街11号
杭州西溪湿地旅游区	AAAAA	0571-88106505	杭州市西湖区天目山路518号
雷峰塔景区	AAAA	0571-87982111	杭州市南山路15号
杭州宋城景区	AAAA	0571-87313101	杭州市之江路148号
杭州乐园	AAAA	0571-83866684	杭州市萧山区湘湖路92号
瑶琳仙境旅游区	AAAA	0571-64361018	桐庐县瑶琳镇
桐庐垂云通天河景区	AAAA	0571-64371566	桐庐县毕浦杨家
天目山	AAAA	0571-63877138	临安市西天目乡
浙西大峡谷	AAAA	0571-63721932	临安市大峡谷镇
杭州野生动物世界	AAAA	0571-23281888	富阳市受降镇九龙大道1号
杭州东方文化园	AAAA	0571-82336868	杭州市萧山区义桥镇
大明山旅游区	AAAA	0571-63627988	临安市清凉峰镇大明村

续表

景区名称	星级	电话	地址
大慈岩风景区	AAAA	0571-64718486	建德市大慈岩镇
杭州双溪竹海漂流	AAAA	0571-88502228	杭州市余杭区径山镇双溪竹海路7号
富春桃源风景区	AAAA	0571-63283977	富阳市胥口镇
杭州市清河坊历史文化特色街区	AAAA	0571-87808892	杭州市河坊街180号
杭州龙门古镇景区	AAAA	0571-63507878	富阳市龙门镇
杭州湘湖景区	AAAA	0571-82361858	萧山区湘湖路132号
临安柳溪江风景区	AAAA	0571-63612618	临安市河桥镇
杭州市海洋极地公园	AAAA	0571-83787718	杭州市萧山区城厢街道湘湖路777号
建德七里扬帆景区	AAAA	0571-64718619	建德市新安江江滨中路619号
建德灵栖洞景区	AAAA	0571-64718619	建德市新安江东入城口
杭州超山景区	AAAA	0571-86311228	杭州市余杭区超山风景名胜区
临安东天目景区	AAAA	0571-63796858	临安市太湖源镇东天目村上阳村
宁波市			
溪口雪窦山风景区	AAAAA	0574-88861788	奉化市溪口镇中武岭东路39号
宁波滕头生态旅游区	AAAAA	0574-28518100	奉化市滕头村
天一阁博物馆	AAAA	0574-87329638	宁波市海曙区天一街10号
宁波松兰山海滨旅游度假区	AAAA	0574-65709298	宁波市象山县松兰山
宁波雅戈尔动物园	AAAA	0574-88378517	宁波市东钱湖镇高钱村
余姚天下玉苑景区	AAAA	0574-62915388	余姚市大隐镇

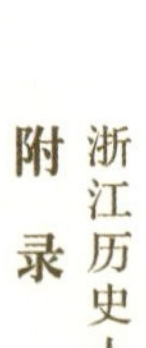

续表

景区名称	星级	电话	地址
丹山赤水风景名胜区	AAAA	0574-62333288	余姚市大岚镇柿林村
中国渔村景区	AAAA	0574-65956666	象山县石浦镇中国渔村
石浦渔港古城	AAAA	0574-65971903	象山县石浦镇江心寺4号
宁波五龙潭风景名胜区	AAAA	0574-88049222	宁波市鄞州区龙观乡
宁波梁祝文化公园	AAAA	0574-88011238	宁波市鄞州区高桥镇梁祝村
宁波市保国寺风景区	AAAA	0574-87586317	宁波市江北区洪塘街道
宁波大桥生态农庄旅游区	AAAA	0574-63078778	慈溪市长河镇镇北路1号桥
雅戈尔达蓬山旅游区	AAAA	0574-63731930	慈溪市龙山镇
宁波镇海招宝山旅游风景区	AAAA	0574-86373030	宁波市镇海区城关镇
宁波九龙湖旅游区	AAAA	0574-86533961	宁波市镇海区九龙湖镇环湖路168号
宁波凤凰山主题乐园	AAAA	0574-26850100	宁波市北仑区辽河路728号
宁海森林温泉旅游区	AAAA	0574-65285516	宁海县深圳镇南溪村
宁波市天宫庄园休闲旅游区	AAAA	0574-88343696	宁波市鄞州区下应街道湾底村
宁波市绿野山庄景区	AAAA	0574-27729506	宁波市江北区慈城镇五星村
宁波慈城古县城旅游景区	AAAA	0574-87572389	宁波市江北区慈城东城沿路88号
宁波市北仑区九峰山旅游区	AAAA	0574-86786234	宁波市北仑区大矸街道城联村
宁波神凤海洋世界	AAAA	0574-56868319	宁波市江东区桑田路936号
宁波市博物馆	AAAA	0574-82815533	宁波市鄞州区首南中路1000号
宁波市郑氏十七房景区	AAAA	0574-86251717	宁波市镇海区澥浦镇开源路

续表

景区名称	星级	电话	地址
温州市			
温州雁荡山风景名胜区	AAAAA	0577-62243020	乐清市雁荡山雁山路88号
楠溪江风景名胜区	AAAA	0577-67223295	温州市永嘉县县府大院内
江心屿	AAAA	0577-88201193	温州市江心屿
南雁荡山风景名胜区	AAAA	0577-63739061	温州市平阳县昆阳镇平阳大厦21层
铜铃山国家森林公园	AAAA	0577-67758188	温州市文成县叶胜林场
中雁荡山风景区	AAAA	0577-62688001	乐清市白石镇玉虹北路
温州市洞头景区	AAAA	0577-63385746	温州市洞头县北岙镇新城区旅游大厦
温州市寨寮溪风景区	AAAA	0577-65747172	温州市龙湖镇龙湖中路78号
温州市文成县百丈飞瀑景区	AAAA	0577-67821503	温州市文成县大学镇建设路315号
温州市温州乐园	AAAA	0577-86688600	温州市茶山街道霞岙村
湖州市			
安吉竹子博览园	AAAA	0572-5338598	湖州市安吉县城南
湖州太湖旅游度假区	AAAA	0572-2159558	湖州市太湖旅游度假区管委会
南浔旅游区	AAAA	0572-3019888	湖州市南浔镇适园路
湖州市安吉中南百草园景区	AAAA	0572-5022290	湖州市安吉县三官乡
长兴金钉子远古世界景区	AAAA	0572-6078018	湖州市长兴县槐坎乡
湖州市安吉江南天池景区	AAAA	0572-5041888-2555	湖州市安吉县天荒坪镇大溪村
湖州市德清下渚湖湿地风景区	AAAA	0572-8484191	湖州市德清县三合乡二都集镇

续表

景区名称	星级	电话	地址
湖州市新四军苏浙军区旧址群景区	AAAA	0572-6078039	湖州市长兴县槐坎乡温塘自然村
嘉兴市			
嘉兴南湖风景名胜区	AAAAA	0573-82532822	嘉兴市南湖区花园路182号
西塘古镇景区	AAAA	0573-84564290	嘉善县西塘镇邮电路
乌镇古镇景区	AAAA	0573-88713991	桐乡市乌镇镇子夜路
盐官景区	AAAA	0573-87611879	海宁市盐官景区春熙路131号
海盐南北湖风景名胜区	AAAA	0573-86513123	海盐县澉浦镇
海宁中国皮革城	AAAA	0573-87010001	海宁市海洲西路201号
平湖市东湖景区	AAAA	0573-85135667	平湖市当湖镇东湖景区
嘉善碧云花园十里水乡景区	AAAA	0573-84667788	嘉善县大云镇缪家村
绍兴市			
绍兴柯岩风景区	AAAA	0575-84361555	绍兴县柯岩街道
诸暨市五泄风景区	AAAA	0575-87773788	诸暨市五泄镇
新昌大佛寺	AAAA	0575-86621519	新昌县城关人民西路117号
绍兴会稽山风景区	AAAA	0575-88364088	绍兴市会稽山
鲁迅故里	AAAA	0575-85203136	绍兴市鲁迅中路393号
绍兴兰亭风景区	AAAA	0575-84606886	绍兴市兰亭镇
绍兴市东湖风景区	AAAA	0575-88611225	绍兴市越城区东湖镇
绍兴县大香林乡村休闲旅游区	AAAA	0575-84360077	绍兴县湖塘街道

续表

景区名称	星级	电话	地址
诸暨市西施故里旅游区	AAAA	0575-87372535	诸暨市苎萝东路
绍兴市诸暨华东国际珠宝城	AAAA	0575-87128111	诸暨市店口镇
绍兴市新昌丝绸世界旅游区	AAAA	0575-86932591	新昌县南岩高新技术开发区达利工业园
金华市			
中国横店影视城	AAAAA	0579-86555885	东阳市横店镇万盛街42号
金华双龙风景旅游区	AAAA	0579-82590228	金华市罗店镇
兰溪诸葛八卦村	AAAA	0579-88601630	兰溪市诸葛镇八卦村
义乌国际商贸城购物旅游区	AAAA	0579-85182555	义乌市国际商贸城
仙华山风景名胜区	AAAA	0579-84127227	浦江县月泉西路70-1号
东阳横店红色旅游城	AAAA	0579-86598980	东阳市横店镇
东阳横店明清民居博览城	AAAA	0579-86566333	东阳市横店镇
衢州市			
龙游石窟旅游度假区	AAAA	0570-7053567	龙游县小南海镇
江郎山风景名胜区	AAAA	0570-4911010	江山市石门镇
衢州江山廿八都景区	AAAA	0570-4886043	江山市廿八都镇枫岭路19号
衢州市天脊龙门景区	AAAA	0570-2801108	衢州市衢江区黄坛口乡下呈村
衢州开化中国根艺美术博览园	AAAA	0570-6162777	开化县城关镇芹南路88号
衢州市江山清漾景区	AAAA	0570-4015705	衢州江山市石门镇清漾村
衢州药王山景区	AAAA	0570-2947426	衢州市衢江区

续表

景区名称	星级	电话	地址
舟山市			
舟山普陀山风景名胜区	AAAAA	0580-6091414	舟山市普陀山梅岑路69号
舟山桃花岛风景旅游区	AAAA	0580-6062457	舟山市普陀区桃花镇宫前街93号
朱家尖风景旅游区	AAAA	0580-6032382	舟山市普陀区朱家尖镇大同路70号
台州市			
天台山风景名胜区	AAAA	0576-83958197	天台县天台山
长屿硐天	AAAA	0576-86598151	温岭市新河镇
江南长城	AAAA	0576-85112266	临海市柏叶西路131号
仙居风景名胜区	AAAA	0576-87796881	仙居县白塔镇
玉环县大鹿岛景区	AAAA	0576-87566366	玉环县大鹿岛
台州海洋世界	AAAA	0576-88528070	椒江区广场中路38号
丽水市			
缙云仙都风景名胜区	AAAA	0578-3315468	缙云县五云镇
缙云黄龙景区	AAAA	0578-3128333	缙云县五云镇黄龙寺
遂昌县南尖岩景区	AAAA	0578-8126018	遂昌县车站路6号
遂昌金矿国家矿山公园	AAAA	0578-8146101	遂昌县濂竹乡花园岭
龙泉山景区	AAAA	0578-7113188	龙泉市凤阳山国家自然保护区
丽水市东西岩风景区	AAAA	0578-2186819	丽水市莲都区老竹镇东西岩
遂昌县神龙飞瀑景区	AAAA	0578-8366005	遂昌县垵口乡

续表

景区名称	星级	电话	地址
景宁“畲乡之窗”旅游区	AAAA	0578-5088567	景宁县鹤溪镇环城西路151号
中国石雕文化旅游区	AAAA	0578-6067995	青田县涌泉街24号
丽水市云和梯田景区	AAAA	0578-5125300	云和县车站路28号
丽水市遂昌千佛山景区	AAAA	0578-8266688	遂昌县石练镇飞石岭
丽水市云和湖仙宫景区	AAAA	0578-5141172	云和县紧水滩
青田县石门洞森林公园	AAAA	0578-6621599	青田县高市乡

后　记

2011 年 9 月 1 日，习近平同志在出席中央党校 2011 年秋季学期开学典礼时，发表了《领导干部要读点历史》的讲话，强调领导干部不管处在哪个层次和岗位，都应该读点历史，从中汲取有益于加强修养、做好工作的智慧和营养，不断提高认识能力和精神境界，不断提升领导工作水平。

为贯彻落实习近平同志讲话精神，服务省委、省政府中心工作，传承和弘扬浙江优秀历史文化，浙江省社科院发挥自身优势，及时启动了《浙江历史人文读本》(以下简称《读本》) 课题研究和编写论证工作。2011 年 12 月至 2012 年 1 月，我们走访了省委办公厅、省委组织部、省委宣传部、省委党校等相关单位及领导、专家，多次座谈论证，大家一致认为，启动《读本》课题研究非常必要，也很有意义，在贯彻落实习近平同志讲话精神、提供省级区域历史人文读本等方面，走在了全国前列。2012 年 2 月，省社科院将此课题列为本院 2012 年重大课题，以本院历史所为主，组织院内骨干科研人员和浙江文化艺术研究院、杭州师范大学历史系等单位的专家学者，成立课题组，并正式开展研究和编写工作。2012 年 10 月，本课题正式立项为浙江省哲学社会科学规划课题。

《读本》由八个分册组成，每个分册分为若干专题，每一专题由若干子目组成。在体例上，《读本》不是“纵不断线”的通史书写，也不是专一的史料考证或理论论述，而是重在根据有鲜明特色、有重大意义、有突出影响、有重要成就的“四有”原则选取和设立各个子目，撷取浙江历史文化中最灿烂夺目的片断、最精华的材质，尤其是能在中国历史文化中称得上“第一”或“第一流”的人、事与历史场景，经深入探究、浓缩淬炼、精心构思，书写成一个个清新简明、意蕴深长且兼具历史气息和时代特质的“浙江意象”，为广大读者揭示浙江历史上的璀璨人文。

省社科院党委自始至终高度重视本课题的实施，从人员组织、经费落实、书稿审阅、出版发行等各个方面、各个环节精心组织，严格把关，确保质量。院领导及时关注课题进展，全程参加课题研讨，解决面临的各种困难。院学术委员会详细评审了课题方案，各分册评审专家精心审阅了全部书稿，提出了大量真知灼见。课题组成员本着对历史、对社会高度负责的使命感和责任心，精诚合作，全力投入，反复打磨，精益求精，力求学术基础扎实规范、内容选择主题突出、文字表达生动可读，着力创作优秀历史文化当代传承的精品。

省委书记夏宝龙十分重视关心《读本》编撰工作，于百忙之中亲自为《读本》作序，充分体现了省委领导对贯彻落实习近平同志讲话精神、对优秀历史文化及其当代应用的重视以及对我院工作的指导、关怀和支持。

省委组织部、省委宣传部、省社科联、省出版联合集团、省文化厅、省委党校、省委党史研究室等部门和单位的相关领导、专家对《读本》编写给予大力支持。特别是省委宣传部高度重视本课题，要求我院以省级礼品书为目标，精心编写，重视质量，打造精品佳作。省委常委、省委宣传部部长葛慧君亲自担任《读本》编撰指导委员会主任，常务副部长胡坚亲自担任编辑委员会主任，副部长鲍洪俊给予《读本》出版以大力支持。省委组织部干教处，省委宣传部理论处、党教处，省文化厅非遗处负责人积极谋划，多方协调，给予我们极大帮助。

浙江古籍出版社的负责人和各位责任编辑、美术编辑，认真负责，精心编校，为《读本》的出版做了大量增光添色的工作。

在此，我们对以上单位、领导和专家，表示衷心的感谢和诚挚的敬意！

由于浙江历史悠久厚重，《读本》所涉内容面广量大，作者水平有限，编写时间较紧，书稿中难免存在一些不尽如人意之处，敬请各位读者批评指正！

课题组

2013 年 5 月

图书在版编目（CIP）数据

长河绵延 / 项义华著 . — 杭州 : 浙江古籍出版社，2013.5

（浙江历史人文读本）

ISBN 978-7-5540-0050-2

Ⅰ . ①长… Ⅱ . ①项… Ⅲ . ①浙江省—地方史
Ⅳ . ① K295.5

中国版本图书馆 CIP 数据核字（2013）第 097454 号

长河绵延

项义华　著

出版发行　浙江古籍出版社
（杭州体育场路 347 号　电话：0571-85176986）
网　　址　www.zjguji.com
责任编辑　关俊红
责任校对　余　宏
封面设计　刘　欣
责任印务　贾　敏
照　　排　杭州立飞图文制作有限公司
印　　刷　浙江海虹彩色印务有限公司
开　　本　787 × 1092　1/16
印　　张　24.5
字　　数　330 千字
版　　次　2013 年 7 月第 1 版
印　　次　2013 年 7 月第 1 次印刷
书　　号　ISBN 978-7-5540-0050-2
定　　价　65.00 元